でる順パス単
書き覚えノート

文部科学省後援
英検 **1** 級

旺文社

はじめに

「単語がなかなか覚えられない」「単語集を何度見てもすぐに忘れてしまう」という声をよく聞きます。英検の対策をする上で，単語学習はとても重要です。しかし，どうやって単語学習を進めればいいのか，自分のやり方が正しいのか自信がない，という悩みをかかえている人も多くいると思います。『英検1級 でる順パス単 書き覚えノート』は，そういった学習の悩みから生まれた「書いて覚える」単語学習のサポート教材です。

本書の特長は，以下の3つになります。

❶ 「書いて（発音しながら）覚える」方法で効果的に記憶できる

❷ 日本語（意味）から英語に発想する力を養うことができる

❸ 「復習テスト」で単熟語を覚えたかどうか自分で確認することができる

単熟語を実際に書き込んで手を動かす作業は，記憶に残すためにとても効果的な方法です。ただ単語集を覚えてそのままにしておくのではなく，本書に沿って継続的に単語学習を進めていきましょう。「書いて」→「復習して」→「定着させる」というステップを通して確実に記憶の定着につなげることができるでしょう。

本書とセットで使うと効果的な書籍のご紹介

本書に収録されている内容は，単語集『英検1級 でる順パス単』（本体1,700円＋税：無料音声ダウンロードサービス付）に基づいています。単語集には，単語の意味のほかに同意語や用例なども含まれており，単語のイメージや使われ方を確認しながら覚えることができます。

もくじ

本書の構成と利用法	4
単語の効果的な学習法	6
発音記号について	12
学習管理表	13
Q&A	16, 88, 160, 232

単語編

でる度 Ⓐ	よくでる重要単語 700 Unit 1 ～ Unit 35	17
でる度 Ⓑ	覚えておきたい単語 700 Unit 36 ～ Unit 70	89
でる度 Ⓒ	力を伸ばす単語 700 Unit 71 ～ Unit 105	161

熟語編

熟語 300 Unit 106 ～ Unit 120	233

さくいん	263

編集：九内麻妃，山田弘美　　編集協力：株式会社シー・レップス，金子典子
イラスト：三木謙次 (装丁，本文)　　装丁デザイン：及川真咲デザイン事務所 (浅海新菜)
　　　　　北村ケンジ (p.11 ほか)　　組版協力：幸和印刷株式会社
本文デザイン：伊藤幸恵

本書の構成と利用法

単語編

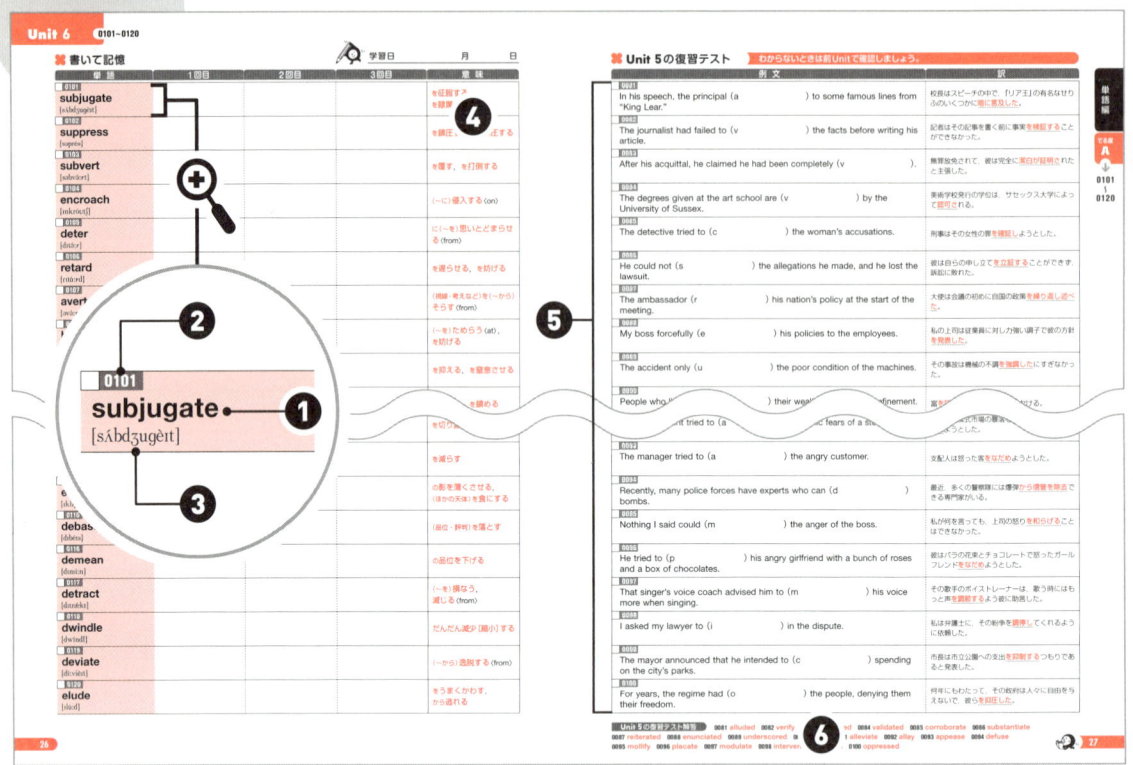

 **書いて記憶**

まず，左欄の「単語」と右欄の「意味」を確認します。それから単語を3回ずつ，できれば声に出して発音しながら書きます。意味をイメージしながらくり返し書いてみましょう。

2 復習テスト

復習テストは1つ前のUnitの20語の復習です。訳文の下線＋赤字の意味の単語を思い出して空欄に書きます。解き終わったらページ下の解答を見て，答え合わせをします。できなかったものは，再度前のUnitで単語と意味を確認しておきましょう。

※上記のやり方が難しければ，下の解答を見ながら空所に正解の単語を書き写していきましょう。

---

❶ 見出し語	『英検1級 でる順パス単』に掲載されている単語です。
❷ 見出し語番号	見出し語には単語編・熟語編を通して1〜2400の番号が振られています。『英検1級 でる順パス単』の見出し語番号に対応しています。
❸ 発音記号	発音記号は原則として『オーレックス英和辞典』（旺文社）に準拠しており，主に米音を採用しています。

単語編，熟語編ともに1 Unitが20語ずつ区切られており，これが1回分の学習の目安となります。
1日1 Unitを目安に進めましょう。

熟語編

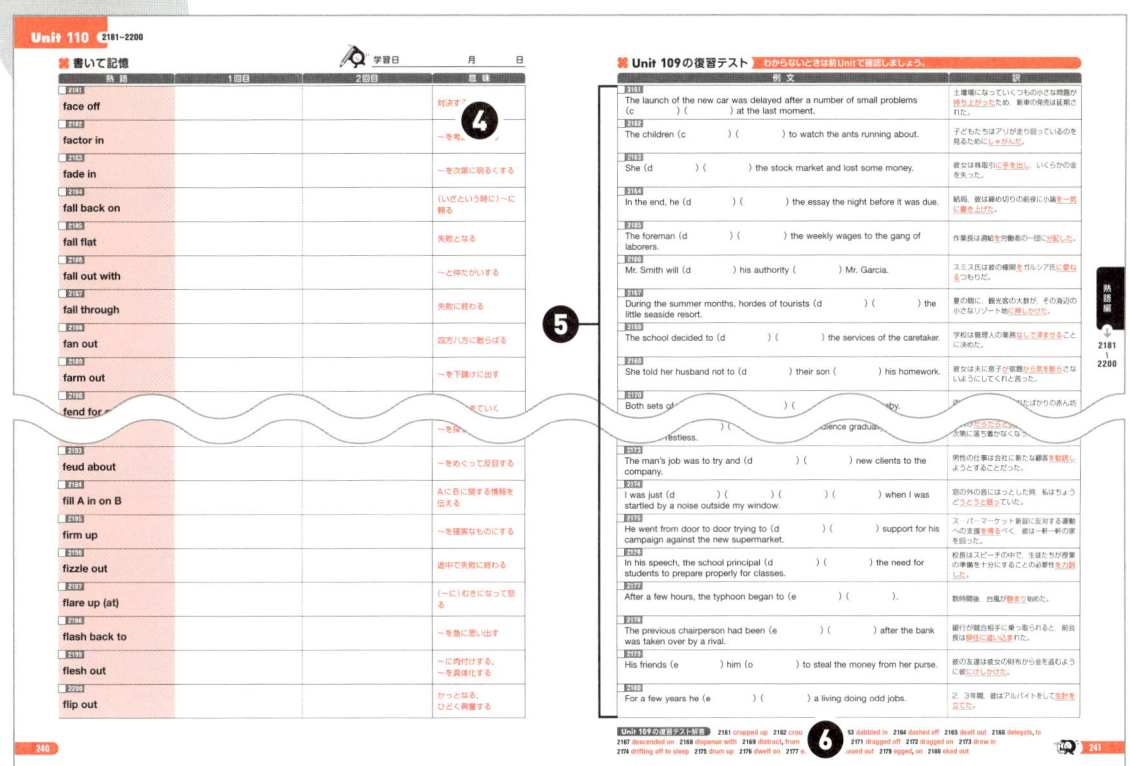

 書いて記憶

[単語編]と同様に，左欄の「熟語」と右欄の「意味」を確認します。[熟語編]では熟語を2回ずつ書きます。発音して，意味をイメージしながらくり返し書いてみましょう。

 復習テスト

[単語編]と同様に，1つ前のUnitの20の熟語の例文が並んでいます。訳文の下線＋赤字の意味の熟語を思い出して空欄に書きます。

※上記のやり方が難しければ，下の解答を見ながら空所に正解の熟語を書き写していきましょう。

❹ 意味　　　　見出し語の意味は原則として『英検1級 でる順パス単』に準じて掲載しています。ただし，同意語・類義語や用例などは掲載しないなど，一部変更しています。

❺ 復習テスト　1つ前のUnitで学習した単語・熟語を含む例文の空所補充問題です。例文は，『英検1級 でる順パス単』に準じて掲載しています。

❻ 復習テスト解答　このページの復習テストの解答です。※解答は，『英検1級 でる順パス単』の例文を正解としています。

5

単語の効果的な学習法

長年にわたり英検1級，準1級のご指導をされている田中亜由美先生に単語学習についてお話を伺いました。

　英検1級合格までの道のりにおいて，残念なことに語彙で挫折してしまう方が少なくありません。単語集を買ってしばらくは毎日せっせと暗記に取り組むのですが，どこかの時点で続かなくなってしまうことがよくあります。本書を手に取ってくださった皆さんも，もしかするとそのような経験をされているかもしれません。

　英語に限らず，語学学習に継続は欠かすことができません。ここでは書いて覚える作業に入る前に，なぜ続かなくなってしまうのかを解き明かしていきたいと思います。また今後，英検1級の単語とどのようにつき合っていくべきなのか，そしてその過程で，書いて覚えるとどのような効果が期待できるのかについて考えてみることにしましょう。

間違った単語学習をしていませんか？

　単語学習でつまずいてしまう大きな原因として，そもそもの誤解から生じた悩みがあります。よく耳にする「症状」を示し，それぞれにおいて簡単な「処方箋」をお出しすることにしましょう。

症状 1 まず単語から覚えようと思うが，実際にはなかなか覚えられず，学習が進まない。
処方箋 ⇒ 「単語を覚えてから」という完璧主義は捨てましょう。単語も覚えながら同時に多くの読解やリスニング問題に触れるべきです。少々わからない単語があっても過度に気にせず，そのうちわかるようになると考えるべきです。

症状 2 単語を覚えては忘れ，覚えては忘れのくり返しで，モチベーションが下がってしまう。
処方箋 ⇒ 忘れるのは自然なことです。人間すべてのことを覚えていたらとても辛いことになります。何度か出会っているうちに「どうもこれは重要な情報らしい」と脳が認識し，やがて必ず長期記憶として定着しますので，くり返しを続けましょう。

症状 3 英検1級の単語を覚えても文章で見かけることがなく，覚える意義に疑問を持つ。
処方箋 ⇒ 単語学習に時間を割き過ぎていて，英語に触れる量が不足しています。英字新聞や雑誌，ニュースの英語でも『でる順パス単』の単語は頻繁に登場します。まずは「見たことがある，聞いたことがある」単語を増やしつつ，できる限り多読多聴を心がけましょう。

効果的単語学習のための基本 3R

　例えば，明日単語テストがあるとしましょう。テスト範囲の単語を懸命に覚えます。テスト用紙が配られる直前まで最終確認。するとおそらく満点，あるいはそれに近い点数が取れるでしょう。でも，1週間後にはほとんど忘れてしまっている，という経験は多くの方がお持ちではないでしょうか。これは，単語テスト用に記憶されたものが**「短期記憶（Short-Term Memory）」**だったことが要因です。記憶されたものはまず脳内で短期記憶として一時的に保存されます。ただし短期記憶はその後何もせずに放置しておくと自然に消えてしまいます。脳が「忘れても構わない情報なのだ」と自動的に処理するのです。多くの方が悩む「単語をすぐに忘れてしまう」というのはまさにこの状態で，人間として当然の姿です。では，どうしたら忘れなくなるのでしょうか？　短期記憶として保存されたものを**「長期記憶（Long-Term Memory）」**へと移行させればよいのです。いったん長期記憶として保存されれば，簡単には忘れることがありません。30年前に覚えた詩を今でも覚えているのに，なぜ1週間前に覚えた単語を忘れるのか？　前者は何かのきっかけで，短期記憶から長期記憶へと移行されたからにほかなりません。

　さて，英検1級を目指す方ならもちろんできるだけ多くの英単語を「長期記憶」として保存しておきたいところです。短期記憶を長期記憶に移行するには，基本となる3Rを同時に進めていくことが最も有効な方法と言えます。

《効果的単語学習のための基本 3R》

❶ 反復（**R**epetition）　　❷ 補強（**R**einforcement）　　❸ 検索（**R**etrieval）

---

❶ 反復（Repetition）

　単語は1度覚えただけでは短期記憶として保存されるだけですが，くり返し記憶しようと努力すると脳がそれを重要な情報だと分類し，長期記憶へと移行します。ところでくり返す方法ですが，ただ単語集をながめているだけよりも，**音声を利用しながら，声に出し，さらには手を使って書いてみるとより効果的**です。これについては後で再び触れることにします。

　ただし，ここには問題点があります。英検1級合格に必要な語彙は，10,000～15,000語と言われています。これだけ多くの単語を何度も覚え直すのには膨大な時間を要します。これが挫折の原因になるわけですが，ここで2つ目のRの登場です。「反復」を最小限にとどめながら，覚えた単語を長期記憶に保存するヒントになることと思います。

❷ 補強 (Reinforcement)

　英単語とその日本語訳を機械的に暗記するのでは，あまり印象に残らず短期記憶で終わってしまいがちです。ところが，記憶するプロセスにおいてちょっとした工夫を加えることで格段に記憶が強化され，忘れにくいものとなるのです。
　それでは，記憶を補強する手段を３つご紹介しましょう。

❀ 同義語

　ネイティブスピーカーと英語で会話をしていて，わからない単語が出てきたときにどうしますか？前後から理解できれば問題ないのですが，それができなければ例えば，"What does ○○ mean?" などとたずねます。すると相手はきっと同じ意味の別の単語で置き換えてくれるでしょう。これがまさしく母語，外国語に関係なく，私たちが語彙を増やす典型的な方法の１つです。つまり初めて出会った単語をこれまで知っているものに結びつけて記憶にとどめるのです。

　　ease, alleviate, soothe, quell, allay, mitigate, assuage, appease, placate

　これらはいずれも「～を和らげる，静める，なだめる」などを表す動詞です。それぞれの日本語訳を覚えようとするのではなく，とりあえず同じ引き出しにしまっておきましょう。細かい意味の違いは実際に文章で出会う中で少しずつ理解していけばよいのです。まずは既習の単語を中心にネットワークを作っていくことを優先させましょう。

❀ 語源

　漢字は意味を持つ「へん」や「つくり」から成り立っています。漢字を覚えるときにはそれらが大きなヒントになります。また，私たちは初めて出会う漢字であっても，その成り立ちから読み方や意味のおおよその検討がつきます。英単語も同様に考えましょう。もちろんすべての単語がこれによって覚えられるというわけではありませんが，多くはラテン語などの他の言語に由来しており，意味を持つ接頭辞・語根・接尾辞などに分類できます。特に覚えにくい単語や紛らわしい単語を辞書で引いた際には，語源を確認する習慣をつけましょう。このほんの数秒の手間により，記憶が強化され，長期記憶として保存されやすくなります。
　次にあげる単語の意味がすぐに思い浮かべられるでしょうか。

　　accede, concede, precede, proceed, recede, secede

　cede / ceed は語源的に，go「行く」の意味があります。どの単語も似ていて混同しやすいですが，接頭辞の意味さえわかればおのずと意味がわかってきます。

accede「同意する」＝ a-（～の方向へ）＋ cede（行く）
concede「を認める」＝ con-（共に）＋ cede（行く）
precede「に先んじる」＝ pre-（先に）＋ cede（行く）
proceed「前進する」＝ pro-（前に）＋ ceed（行く）
recede「後退する」＝ re-（後ろに）＋ cede（行く）
secede「脱退する」＝ se-（離れて）＋ cede（行く）

❈ コロケーション

　コロケーション（collocation）とはよく使われる語と語の自然なつながりのことで「連語」などと訳されています。例えば他動詞であれば，その動詞の単独の意味ではなく，よく使われる目的語とともにフレーズで覚えることを習慣づけるとよいでしょう。また形容詞であれば，相性の良い名詞とともに覚えると，イメージがしやすくインプット後に定着する可能性が高くなります。

　では，『英検1級 でる順パス単』の中の単語から例をあげてみることにしましょう。単独で日本語訳を覚えるよりも，きっと覚えやすいと感じるはずです。

0228 **incur**「（負債・損害など）を負う，（怒りなど）を買う」
　incur debt「借金を負う」
　incur loss「損失を被る」
　incur wrath「怒りを買う」

1203 **bleak**「（見通しなどが）暗い，荒涼とした」
　bleak prospect「暗い見通し」
　bleak economic climate「暗い経済情勢」
　bleak landscape「荒涼とした風景」

❸ 検索（Retrieval）

　英字新聞や雑誌を読んでいて，「あ，この間覚えた単語だ！」とうれしくなる経験はどなたにもあるでしょう。これこそが3つ目のR，検索（Retrieval）なのです。前述のとおり，短期記憶のまま放置しておくと自然に忘れてしまうものですが，覚えたものを取り出して参照することによってそれが長期記憶へと移行する可能性が高くなります。日常生活でよく使うカードや印鑑の場所を決して忘れることがないのはこれと同じ理由によるものです。ただし**「検索」をするためには，それだけ多くの英語に触れ，検索の機会を意識的に増やす必要があります。**語彙力強化に多読多聴が不可欠であることが，これでご理解いただけたのではないでしょうか。

「書いて覚える」効果とは？

　ここでは本書の「書いて覚える」作業を実際に体験した方の声を紹介しつつ、「書いて覚える」という行為によって、長期記憶に有効な3Rがいかに効果的に実践できるかについて考えてみましょう。

「書き覚えノート」体験談

「書く」ことによって、自分自身がその単語をどの程度理解しているのかを認識することができました。例えば、見たことがあると思っていても、実際に書いてみると自分が初めて出会った単語だったり。スペルを分節で区切ると意味やイメージが推測できたりしました。『でる順パス単』の「でちゃうくん」の豆知識からのヒントが役立ちました。「ab- は (離れて) という接頭辞です」という説明から、abdicate「を退く」を覚えるときは、abscond「逃亡する」など仲間の単語をノートに書き出して一緒に覚えるようにしました。

（Kさん　女性）

声に出しながら書くことで、ただ漠然と暗記していたときより学習時の集中力が高まり、スペルに注目することで正確さが増しました。また、復習テストを解くことは、覚えようという「やる気」が増し、自分の記憶の確認ができました。

（Iさん　女性）

「手で書いて覚える」効果として、「目と手を使っているので記憶に残りやすい」、「2、3回目は日時をずらした方が効果的」ということを感じました。3回続けて書くと、書くだけの作業で機械的になりがちです。時間を置いて書いた方が記憶に残っているかどうかをチェックできると思いました。1つのUnitを終わらせるのに時間がかかってしまいますが、例えば1回目を朝書いたとしたら、2回目はその夜、3回目は翌日というように時間を置いて書いてみると効果的だと感じました。

（Sさん　男性）

目で見て、声に出して、または音声を聞き、手で書いて…と単語1つ1つを肉体化することは、言葉の理解度と定着度を高めると思います。本書はよくできた構成だと思いました。3回という回数は少ないように感じましたが、実際に取り組んでみるとかなりの分量になり十分だと感じました。また、復習テストで単語を入れられなかった問題については、再度前のUnitに戻って記憶するようにしました。「Unit → 復習テスト」という構成は学習しやすいと思います。

（Yさん　女性）

効果 1　複数の感覚を同時に刺激！

　ただ単語を見て覚えるだけでなく，必ず耳で聞きながら同時に実際にその発音をまねて声に出して覚えるようにしましょう。さらに手を使って単語を書いてみることでその効果は倍増します。同時に複数の感覚を刺激することで記憶に残りやすくなるのです。早速始めて，ぜひその効果を実感してみてください。

効果 2　スペリングを意識！

　書くことでこれまであまり意識していなかったスペリングを意識するようになり，英語特有のスペリングのパターンも習得できます。接頭辞，接尾辞をはじめとする語源にも気づくようになるでしょう。このような単語の成り立ちを知ることによって記憶が助けられる（Reinforcement）ことはすでに述べたとおりです。

効果 3　コロケーションの確認！

　本書には各 Unit で単語を書いて覚えた後，今度はセンテンスの中に覚えた単語を書き入れる「復習テスト」がついています。例文を目で見て，声に出して読むばかりでなく，実際に単語を書き入れることによりセンテンスの中でのコロケーションを最終的に確認し，複数の感覚を使いながら効果的にインプットすることができます。

　以上，「書いて覚える」ことにおける 3 つの効果を述べてきましたが，これらはすべて短期記憶から長期記憶への移行の助けとなるものです。これまでなかなか思うように続かなかった単語学習が，本書をご利用いただくことで良い方向へと改められることを期待しています。語彙強化の波及効果は今後おそらく英語の 4 技能すべてにおいて感じられることでしょう。

　『英検 1 級 でる順パス単』の最初の見出し語は，thrive「成功する，繁栄する」です。合格を予感させるような幸先の良いスタートから最終ページまで，完走を目指して頑張りましょう！　その先に見える大きな目標である「英検 1 級合格」を手にされることをお祈りしています。

田中亜由美（たなか　あゆみ）
上智大学外国語学部卒業。ペンシルベニア州立テンプル大学大学院教育学修士課程 TESOL（教育学英語教授法）専攻。大企業や大学にて役員秘書，通訳などを経験後，語学学校および官公庁，企業，大学にて，英検，TOEIC®，TOEFL®，英会話の指導を始める。指導歴は 15 年以上。英検 1 級取得，TOEIC®990，通訳案内士試験（英語）合格。

発音記号について

発音記号，カナ発音，例をまとめましたので，発音記号の読み方がわからない場合は参考にしてください。

● 母音

発音記号	カナ発音	例		発音記号	カナ発音	例	
[iː]	イー	evening	[íːvnɪŋ]	[ʌ]	ア	young	[jʌŋ]
[ɪ]	イ	it	[ɪt]	[ə]	ア	about	[əbáut]
[e]	エ	egg	[eg]	[ər]	アァ	over	[óuvər]
[æ]	ア	apple	[ǽpl]	[əːr]	ア〜	word	[wəːrd]
[ɑ]	ア	mom	[mɑ(ː)m]	[eɪ]	エイ	day	[deɪ]
[ɑː]	アー	father	[fɑ́ːðər]	[ou]	オウ	old	[ould]
[ɑːr]	アー	start	[stɑːrt]	[aɪ]	アイ	my	[maɪ]
[ɔ]	オ	stop	[(英)stɔp]	[au]	アウ	out	[aut]
[ɔː]	オー	August	[ɔ́ːgəst]	[ɔɪ]	オイ	boy	[bɔɪ]
[ɔːr]	オー	before	[bɪfɔ́ːr]	[ɪər]	イア	ear	[ɪər]
[u]	ウ	good	[gud]	[eər]	エア	there	[ðeər]
[uː]	ウー	you	[juː]	[uər]	ウア	tour	[tuər]

● 子音

発音記号	カナ発音	例		発音記号	カナ発音	例	
[p]	プ	pen	[pen]	[ð]	ず	this	[ðɪs]
[b]	ブ	bad	[bæd]	[s]	ス	safe	[seɪf]
[t]	ト	at	[ət]	[z]	ズ	zoo	[zuː]
[d]	ド	dad	[dæd]	[ʃ]	シ	ship	[ʃɪp]
[k]	ク	cake	[keɪk]	[ʒ]	ジ	usually	[júːʒuəli]
[g]	グ	game	[geɪm]	[r]	ル	right	[raɪt]
[m]	ム	Monday	[mʌ́ndeɪ]	[h]	フ	home	[houm]
[n]	ヌ	no	[nou]	[tʃ]	チ	child	[tʃaɪld]
[ŋ]	ング	long	[lɔ(ː)ŋ]	[dʒ]	ヂ	orange	[ɔ́(ː)rɪndʒ]
[l]	る	like	[laɪk]	[j]	イ	year	[jɪər]
[f]	ふ	food	[fuːd]	[w]	ウ	world	[wəːrld]
[v]	ヴ	very	[véri]	[ts]	ツ	plants	[plænts]
[θ]	す	think	[θɪŋk]	[dz]	ヅ	kids	[kɪdz]

学習管理表

1日1Unitを目安に進めていきましょう。
その日の学習が終わったら下の表の／部分に日付を記入して記録を付けていきましょう。

Unit 1	/	Unit 2	/	Unit 3	/	Unit 4	/	Unit 5	/	Unit 6	/
Unit 7	/	Unit 8	/	Unit 9	/	Unit 10	/	Unit 11	/	Unit 12	/
Unit 13	/	Unit 14	/	Unit 15	/	Unit 16	/	Unit 17	/	Unit 18	/
Unit 19	/	Unit 20	/	Unit 21	/	Unit 22	/	Unit 23	/	Unit 24	/
Unit 25	/	Unit 26	/	Unit 27	/	Unit 28	/	Unit 29	/	Unit 30	/
Unit 31	/	Unit 32	/	Unit 33	/	Unit 34	/	Unit 35	/	Unit 36	/
Unit 37	/	Unit 38	/	Unit 39	/	Unit 40	/	Unit 41	/	Unit 42	/
Unit 43	/	Unit 44	/	Unit 45	/	Unit 46	/	Unit 47	/	Unit 48	/
Unit 49	/	Unit 50	/	Unit 51	/	Unit 52	/	Unit 53	/	Unit 54	/
Unit 55	/	Unit 56	/	Unit 57	/	Unit 58	/	Unit 59	/	Unit 60	/
Unit 61	/	Unit 62	/	Unit 63	/	Unit 64	/	Unit 65	/	Unit 66	/
Unit 67	/	Unit 68	/	Unit 69	/	Unit 70	/	Unit 71	/	Unit 72	/
Unit 73	/	Unit 74	/	Unit 75	/	Unit 76	/	Unit 77	/	Unit 78	/
Unit 79	/	Unit 80	/	Unit 81	/	Unit 82	/	Unit 83	/	Unit 84	/
Unit 85	/	Unit 86	/	Unit 87	/	Unit 88	/	Unit 89	/	Unit 90	/
Unit 91	/	Unit 92	/	Unit 93	/	Unit 94	/	Unit 95	/	Unit 96	/
Unit 97	/	Unit 98	/	Unit 99	/	Unit 100	/	Unit 101	/	Unit 102	/
Unit 103	/	Unit 104	/	Unit 105	/	Unit 106	/	Unit 107	/	Unit 108	/
Unit 109	/	Unit 110	/	Unit 111	/	Unit 112	/	Unit 113	/	Unit 114	/
Unit 115	/	Unit 116	/	Unit 117	/	Unit 118	/	Unit 119	/	Unit 120	/

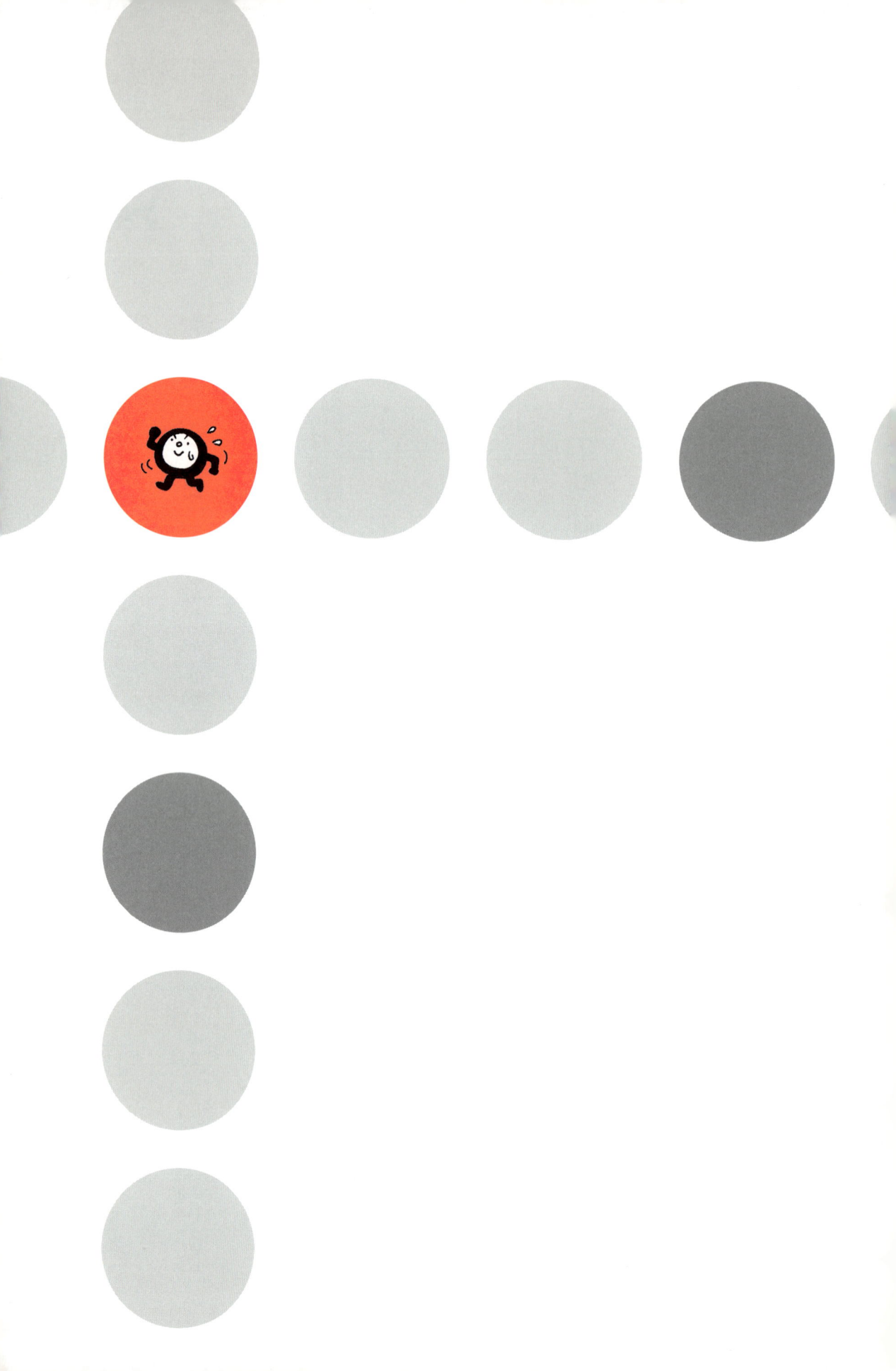

単語編

でる度 A よくでる重要単語 700

Unit 1 ~ Unit 35

Q スペリングが似ていて紛らわしい単語がなかなか覚えられません。いい方法はないでしょうか。

A スペリングや発音が似ている単語は確かに覚えにくい印象を受けます。ただし，記憶が少々曖昧だとしても，ある程度は文脈でその意味を判断できるということを覚えておいてください。例えば**プラスの意味かマイナスの意味なのかがわかるだけでも文脈を追う上では十分である**ことも少なくありません。

困るのは大問1の語彙問題などで出題され，正確な意味がわからなくてはならない場合です。正解するためには紛らわしい単語はやはり少し意識して覚える必要があります。基本的には「単語の効果的な学習法」（p.6～）で紹介した3Rの実践となりますが，中でも「補強（Reinforcement）」を意識しましょう。次にあげる紛らわしいペアの意味がわかりますか？

　a）ingenious「発明の才に富む」とingenuous「天真爛漫な」
　b）impudent「生意気な」とimprudent「軽はずみな」

a) ingenious「発明の才に富む」は中に genius「才能，天才」が含まれていますので，ここから形容詞の意味も自然に連想できるでしょう。b) 語源から覚えにくい場合にはコロケーションで覚えるのが効果的です。impudent behavior「生意気な態度」，imprudent investment「軽はずみな投資」など，形容詞は覚えやすい名詞と一緒に覚えましょう。

紛らわしい単語は，自分なりの覚え方を見つけて**並べて覚える**ようにします。工夫（＝補強）をしながら，音声を聴き，目で見るだけでなく，声に出して，さらには手を使って書いてみる。それを続けて長期記憶として保存された頃にはおそらく「紛らわしい」と感じなくなるでしょう。

単語学習の不安を先生に相談してみよう！

Unit 1　0001~0020

書いて記憶

学習日　　月　　日

単語編　でる度 A　0001~0020

単語	1回目	2回目	3回目	意味
0001 **thrive** [θraɪv]				成功する, 繁栄する
0002 **grind** [graɪnd]				(コーヒー豆など)を挽く
0003 **confiscate** [ká(:)nfɪskèɪt]				を没収する
0004 **derive** [dɪráɪv]				(〜に)由来する, を(〜から)受け継ぐ⟨from⟩
0005 **detest** [dɪtést]				をひどく嫌う
0006 **mock** [mɑ(:)k]				(仕草)をまねる, をからかう
0007 **feign** [feɪn]				ふりをする
0008 **elicit** [ɪlísət]				を(〜から)引き出す⟨from⟩
0009 **apprehend** [æprɪhénd]				を逮捕する, を理解する
0010 **commiserate** [kəmízərèɪt]				(〜を)哀れむ⟨with⟩
0011 **condone** [kəndóʊn]				を許す
0012 **epitomize** [ɪpíṭəmàɪz]				の典型である
0013 **fluctuate** [flʌ́ktʃuèɪt]				変動する, 上下する
0014 **forgo** [fɔːrgóʊ]				をなしで済ませる, を慎む
0015 **frisk** [frɪsk]				を(衣服の上からさわって)ボディーチェックする, 跳ね回る
0016 **insulate** [ínsəlèɪt]				を(〜から)隔離する⟨from⟩
0017 **liquidate** [líkwɪdèɪt]				を清算する, (会社など)を解散する
0018 **meander** [miændər]				(川・道などが)曲がりくねる
0019 **meddle** [médl]				(〜に)干渉する⟨in⟩
0020 **pamper** [pǽmpər]				を(〜で)甘やかす⟨with⟩

Unit 2 0021~0040

書いて記憶

単語	1回目	2回目	3回目	意味
0021 **peruse** [pərúːz]				を熟読する
0022 **pique** [piːk]				を立腹させる, を刺激する
0023 **plagiarize** [pléɪdʒəràɪz]				(他人の思想・作品など)を(~から)盗用する〈from〉
0024 **plummet** [plʌ́mɪt]				(真っすぐに)落ちる, 急落する
0025 **rehash** [rìːhǽʃ]				を作り変える
0026 **implant** [ɪmplǽnt]				を(~に)埋め込む, (思想など)を(~に)植えつける〈in〉
0027 **indoctrinate** [ɪndɑ́(ː)ktrɪnèɪt]				に教え込む
0028 **inculcate** [ɪnkʌ́lkeɪt]				を(~に)教え込む〈into〉
0029 **enlighten** [ɪnláɪtən]				に(~について)教える〈on, about, as to〉, を啓発する
0030 **implement** [ímplɪmènt]				を実行する
0031 **undergo** [ʌ̀ndərgóʊ]				(検査・治療)を受ける, (試練・変化)を経験する
0032 **manipulate** [mənípjulèɪt]				を巧みに操る
0033 **address** [ədrés]				(問題)を取り上げる, に対処する, に話しかける
0034 **fabricate** [fǽbrɪkèɪt]				を組み立てる, をでっち上げる
0035 **administer** [ədmínɪstər]				を運営する, を施行する
0036 **enact** [ɪnǽkt]				を制定する
0037 **duplicate** [djúːplɪkèɪt]				を複製する
0038 **orchestrate** [ɔ́ːrkɪstrèɪt]				を画策する
0039 **inaugurate** [ɪnɔ́ːgjərèɪt]				を(正式に)開始する
0040 **persist** [pərsíst]				やり抜く, 持続する, 固執する

Unit 1の復習テスト

わからないときは前Unitで確認しましょう。

例文	訳
0001 According to her letter, her business is (t　　　　) in Australia.	彼女の手紙によると,彼女の事業はオーストラリアで**成功し**ている。
0002 She (g　　　　) some fresh beans to make coffee.	彼女はコーヒーを入れるために,新鮮な豆**を挽いた**。
0003 Any cellphone found on school premises was automatically (c　　　　).	学校の構内で見つかったすべての携帯電話は,自動的に**没収さ**れた。
0004 Many English words are (d　　　　) from Latin.	多くの英単語はラテン語に**由来する**。
0005 Even though he (d　　　　) broccoli, his wife often served it.	彼はブロッコリー**が大嫌いだった**が,彼の妻はそれをよく食事に出した。
0006 The comedian made his name by (m　　　　) politicians and other powerful figures.	そのコメディアンは,政治家やほかの影響力のある人物の仕草**をまねる**ことで有名になった。
0007 The students were bored but some tried to (f　　　　) interest.	学生たちは退屈していたが,関心を持っている**ふりをし**ようとした者もいた。
0008 They tried to (e　　　　) an answer from the little boy, but he refused to speak.	彼らは,その小さな男の子から答え**を引き出そ**うとしたが,男の子は話したがらなかった。
0009 The spy was (a　　　　) as he tried to leave the country.	そのスパイはその国から出国しようとした時に**逮捕さ**れた。
0010 His family (c　　　　) with him when he failed to get the job.	彼が仕事を手に入れられなかった時,家族は彼を**哀れんだ**。
0011 One could (c　　　　) his mistake, but not his arrogance.	彼のミス**を許す**ことはできても,彼の傲慢さは許せない。
0012 For many people, the band's music (e　　　　) the spirit of the 1960s.	多くの人々にとって,そのバンドの音楽は,1960年代精神**の典型であった**。
0013 The exchange rate between yen and dollars has (f　　　　) wildly all year.	円とドルの為替レートが一年中激しく**変動した**。
0014 I agreed to (f　　　　) my bonus to help the company face its financial crisis.	私は会社が,その財政危機に対処するのを助けるため,ボーナス**をなしで済ませる**ことに同意した。
0015 At the crime scene, police (f　　　　) each suspect to ensure that none of them had any concealed weapons.	犯行現場で,警官は容疑者1人1人**のボディーチェックをして**,誰も武器を隠し持っていないことを確かめた。
0016 When living in a remote area of Alaska, I was completely (i　　　　) from the real world.	アラスカの辺ぴな所に住んでいた当時,私は実社会から完全に**隔離さ**れていた。
0017 The company announced yesterday that it was going to (l　　　　) its assets.	昨日,その会社は資産**を清算する**と発表した。
0018 The view from this road is beautiful as it (m　　　　) through the mountains.	この道からの眺めは,山中を道が**蛇行している**様子が美しい。
0019 The man advised his wife not to (m　　　　) in her friend's marriage.	男性は妻に,友達の結婚に**干渉**しないようにと忠告した。
0020 She (p　　　　) her pet cat with expensive foods such as smoked salmon.	彼女は,自分のペットのネコにスモークサーモンのような高価な餌を与えて**甘やかした**。

Unit 1の復習テスト解答 0001 thriving　0002 ground　0003 confiscated　0004 derived　0005 detested　0006 mocking　0007 feign　0008 elicit　0009 apprehended　0010 commiserated　0011 condone　0012 epitomized　0013 fluctuated　0014 forgo　0015 frisked　0016 insulated　0017 liquidate　0018 meanders　0019 meddle　0020 pampered

Unit 3 0041~0060

書いて記憶

学習日　月　日

単語	1回目	2回目	3回目	意味
0041 **enhance** [ɪnhǽns]				を高める
0042 **invigorate** [ɪnvígərèɪt]				を元気づける
0043 **fortify** [fɔ́ːrtəfàɪ]				を(〜で)強化する〈with〉
0044 **expedite** [ékspədàɪt]				をはかどらせる,促進する
0045 **galvanize** [gǽlvənàɪz]				を活気づける,を刺激する,に電流を流す
0046 **bolster** [bóʊlstər]				を強化する,を支援する
0047 **sustain** [səstéɪn]				を維持する,に耐える
0048 **facilitate** [fəsílətèɪt]				を容易にする,を助長する
0049 **supplement** [sʌ́plɪmènt]				を補う,に付録を付ける
0050 **subsidize** [sʌ́bsɪdàɪz]				に補助金を与える
0051 **amend** [əménd]				(法律など)を改正する,修正する
0052 **rectify** [réktɪfàɪ]				を修正する
0053 **endorse** [ɪndɔ́ːrs]				を推薦する,を承認する,(手形など)に裏書きする
0054 **exhort** [ɪgzɔ́ːrt]				に熱心に勧める
0055 **coerce** [koʊə́ːrs]				に(〜を)強いる〈into〉
0056 **implore** [ɪmplɔ́ːr]				に(〜するように)懇願する〈to do〉
0057 **instigate** [ínstɪgèɪt]				を推進する,を扇動する
0058 **trigger** [trígər]				を誘発する
0059 **incite** [ɪnsáɪt]				を扇動する,を引き起こす
0060 **muster** [mʌ́stər]				を集める,を奮い起こす

Unit 2の復習テスト

わからないときは前Unitで確認しましょう。

例文	訳
0021 Over breakfast, he (p　　　) a copy of the local newspaper.	朝食を食べながら、彼は地元の新聞1紙を熟読した。
0022 Her persistent complaints began to (p　　　) many of her colleagues.	彼女がいつまでも文句を言っていたので、同僚の多くが腹を立て始めた。
0023 The professor accused the student of (p　　　) an essay from the Internet.	教授は学生がインターネットから論文を盗用したことを非難した。
0024 We stood on the shore and watched the sea gulls (p　　　) toward the sea in search of fish.	私たちは海岸に立ち、カモメが魚を求めて海面に向かって真っすぐに降下するのを眺めた。
0025 Critics said the comedian just (r　　　) old jokes for his new show.	評論家はそのコメディアンが新しいショー用に古いジョークを作り変えただけだと言った。
0026 A tiny chip was (i　　　) in the animal so that they could track it.	追跡できるように、その動物の体内には小さなチップが埋め込まれた。
0027 Children in Catholic schools are (i　　　) in Catholic beliefs.	カトリックの学校の子どもたちはカトリックの信仰を教え込まれる。
0028 The teacher (i　　　) patriotism into his students.	その先生は生徒たちに愛国心を教え込んだ。
0029 I asked her to (e　　　) me as to what had happened during my absence.	私は留守中に何があったのか教えてほしいと彼女に頼んだ。
0030 The policy proved impossible to (i　　　) and so was abandoned.	その政策は実行するのが不可能だと判明したので、破棄された。
0031 All new employees are required to (u　　　) a medical examination.	新入社員全員が健康診断を受ける必要がある。
0032 The new king was easily (m　　　) by his advisers into doing what they wanted.	新しい国王は側近たちにたやすく操作されて、側近たちの望むことをやらされた。
0033 In his speech, he failed to (a　　　) the criticisms that had been aimed at him.	演説の中で、彼は自分に向けられてきた批判を取り上げることができなかった。
0034 The engineers had to (f　　　) a temporary, emergency bridge over the river.	技術者たちは、その川に架かる応急用の橋を組み立てねばならなかった。
0035 The new literacy program will be (a　　　) by a group of NGOs.	読み書きを教える新たな講座が、NGO（非政府組織）団体によって運営される予定である。
0036 In the 1960s President John F. Kennedy (e　　　) a number of civil rights laws.	1960年代、ジョン・F・ケネディ大統領は、多数の公民権関連の法律を制定した。
0037 We needed to (d　　　) the video so we could show it to several groups.	いくつかのグループに見せるために、我々はビデオを複製する必要があった。
0038 The politician (o　　　) a smear campaign against his rival.	その政治家は、ライバルに対する組織的な中傷を画策した。
0039 The prime minister announced that he would (i　　　) a new policy on education.	首相は教育に関する新政策を正式に開始すると発表した。
0040 Despite numerous disappointments, the scientist (p　　　) until he found a cure.	何度となく失望したにもかかわらず、その科学者は治療法を見つけるまでやり抜いた。

Unit 2の復習テスト解答　0021 perused　0022 pique　0023 plagiarizing　0024 plummet　0025 rehashed　0026 implanted　0027 indoctrinated　0028 inculcated　0029 enlighten　0030 implement　0031 undergo　0032 manipulated　0033 address　0034 fabricate　0035 administered　0036 enacted　0037 duplicate　0038 orchestrated　0039 inaugurate　0040 persisted

Unit 4　0061〜0080

書いて記憶

学習日　　月　　日

単語	1回目	2回目	3回目	意味
0061 **extol** [ikstóul]				を激賞する
0062 **emulate** [émjulèit]				を見習う，と張り合う
0063 **entice** [intáis]				を引き寄せる
0064 **dazzle** [dǽzl]				を幻惑する
0065 **sprout** [spraut]				発芽する
0066 **burgeon** [bə́:rdʒən]				急成長する，（植物が）芽を出す
0067 **detect** [ditékt]				を感知する，を発見する
0068 **debunk** [dì:bʌ́ŋk]				を暴露する，の誤りを暴く
0069 **unravel** [ʌnrǽvəl]				（難問など）を解明する，（もつれた糸など）をほどく
0070 **excavate** [ékskəvèit]				を発掘する
0071 **recoup** [rikú:p]				（損失など）を取り戻す，に埋め合わせをする
0072 **recuperate** [rikjú:pərèit]				（病気・損失）（から）回復する〈from〉
0073 **disseminate** [disémɪnèit]				を普及させる
0074 **prevail** [privéil]				（〜を）圧倒する〈over〉，普及する
0075 **propagate** [prá(:)pəgèit]				を広める
0076 **transmit** [trænsmít]				を（〜に）伝達する，を（〜に）感染させる〈to〉
0077 **garner** [gá:rnər]				を得る
0078 **garnish** [gá:rnɪʃ]				（料理）に（〜を）添える〈with〉，を装飾する
0079 **infer** [infə́:r]				を（〜から）察する〈from〉
0080 **surmise** [sərmáiz]				推測する

Unit 3の復習テスト

わからないときは前Unitで確認しましょう。

例文	訳
0041 His recent novel will certainly (e　　　) his literary reputation.	最近の小説のおかげで彼の文学的名声はきっと高まるだろう。
0042 The early morning jog refreshed and (i　　　) her.	早朝のジョギングで，彼女はリフレッシュして元気になった。
0043 Recently, it is customary to (f　　　) milk with vitamin D.	最近では，ビタミンDで牛乳の栄養価を高めることが普通になっている。
0044 The company had to (e　　　) the development of the new product to meet demand.	その会社は，需要に対処するために新製品の開発をはかどらせる必要があった。
0045 The President's speech was intended to (g　　　) his public support.	大統領の演説は大衆の彼に対する支持を活気づける目的があった。
0046 The government has recently taken steps to (b　　　) market confidence.	政府は市場の信頼を強化する対策を最近講じた。
0047 Many people barely get enough food to (s　　　) their health.	健康を維持するのに必要な食物を手にするので精いっぱいの人も多い。
0048 I recently found a new book that (f　　　) my grasp of quantum mechanics.	私は最近，量子力学に対する私の理解を助けてくれる新しい本を見つけた。
0049 He (s　　　) his income from the university by writing articles.	彼は記事を書くことで大学から得る収入を補った。
0050 The company (s　　　) my monthly rent.	会社は，私の毎月の家賃を補助している。
0051 The law was (a　　　) to take into account new developments in biotechnology.	生物工学の新たな進展を配慮して，法律が改正された。
0052 By the time the mistake was discovered, it was too late to (r　　　) the official report.	誤りが発見された時点では，公式報告書を修正するには手遅れだった。
0053 The tennis player agreed to (e　　　) the company's products in return for a large fee.	そのテニスプレーヤーは，多額の謝礼と引き換えに，その会社の製品を勧めることに同意した。
0054 The teacher (e　　　) the students to prepare for the final exam.	その教師は期末試験の準備をするよう生徒たちに熱心に勧めた。
0055 The company was (c　　　) into paying a higher tax rate by the corrupt government.	その会社は，さらに高い税率を支払うことを，腐敗した政府に強いられた。
0056 The students (i　　　) the teachers to make the examination easier.	生徒たちは試験をもっと易しくしてくれるよう教師たちに懇願した。
0057 The head of the hospital said he would (i　　　) an investigation into the doctor's conduct.	院長はその医師の品行に関する調査を推進すると言った。
0058 The economic turmoil in Southeast Asia may (t　　　) chaos elsewhere.	東南アジアの経済混乱はほかの地域の混乱を誘発するかもしれない。
0059 The leaders tried to (i　　　) the crowd to violence.	リーダーたちは暴力に訴えるよう群衆を扇動しようとした。
0060 The General (m　　　) all the forces for an early-morning attack.	将軍は早朝の攻撃に向けて全軍を集めた。

Unit 3の復習テスト解答
0041 **enhance** 0042 **invigorated** 0043 **fortify** 0044 **expedite** 0045 **galvanize** 0046 **bolster**
0047 **sustain** 0048 **facilitated** 0049 **supplemented** 0050 **subsidizes** 0051 **amended** 0052 **rectify** 0053 **endorse** 0054 **exhorted**
0055 **coerced** 0056 **implored** 0057 **instigate** 0058 **trigger** 0059 **incite** 0060 **mustered**

Unit 5　0081〜0100

書いて記憶

単語	1回目	2回目	3回目	意　味
0081 **allude** [əlúːd]				(〜に)暗に言及する〈to〉
0082 **verify** [vérɪfàɪ]				を検証する，を確かめる
0083 **vindicate** [víndɪkèɪt]				の潔白を証明する，の正当性を立証する
0084 **validate** [vǽlɪdèɪt]				を認可する，を認証する
0085 **corroborate** [kərá(ː)bərèɪt]				を確証する
0086 **substantiate** [səbstǽnʃièɪt]				を立証する
0087 **reiterate** [ri(ː)ɪ́t̬ərèɪt]				を繰り返す
0088 **enunciate** [ɪnʌ́nsièɪt]				を発表する，を明瞭に発音する
0089 **underscore** [ʌ̀ndərskɔ́ːr]				を強調する
0090 **flaunt** [flɔːnt]				を誇示する
0091 **alleviate** [əlíːvièɪt]				(苦痛など)を和らげる
0092 **allay** [əléɪ]				を和らげる
0093 **appease** [əpíːz]				をなだめる
0094 **defuse** [diːfjúːz]				(爆弾など)から信管を除去する，(危険)を取り除く，(緊張)を和らげる
0095 **mollify** [má(ː)lɪfàɪ]				(怒りなど)を和らげる
0096 **placate** [pléɪkeɪt]				(怒り・敵意など)をなだめる
0097 **modulate** [má(ː)dʒəlèɪt]				を調節する
0098 **intervene** [ìntərvíːn]				(〜を)調停する，(〜を)仲裁する〈in〉
0099 **curb** [kəːrb]				を抑制する
0100 **oppress** [əprés]				を抑圧する，を虐げる

Unit 4の復習テスト

わからないときは前Unitで確認しましょう。

例文	訳
0061 The most distinguished people at the conference (e　　　　) his contribution.	その会議にいた最も著名な人たちが彼の貢献を激賞した。
0062 She strove to (e　　　　) her mother's example in her personal life.	彼女は私生活では母親の例を見習うよう頑張った。
0063 (E　　　　) by the air-conditioning, he entered the store.	エアコンに引き寄せられて彼はその店に入った。
0064 (D　　　　) by the man's charm, the woman eventually agreed to a date.	女性はその男性の魅力に幻惑され，ついにデートに応じた。
0065 Vegetable seeds begin to (s　　　　) in my garden in April.	私の菜園では，野菜の種は4月になると発芽し始める。
0066 As the market for exotic spices (b　　　　), the company made a fortune.	外国産香辛料の市場が急成長したので，その会社は一財産を築いた。
0067 The machine could (d　　　　) the slightest sign of a radiation leak.	その機械はごくわずかな放射能漏れの兆候さえも感知することができた。
0068 One effect of science has been to (d　　　　) many traditional beliefs.	科学の効能の1つは多くの古説が間違っていることを証明することである。
0069 Patient research has enabled doctors to (u　　　　) the cause of the disease.	忍耐強い研究の結果，医師たちはその病気の原因を解明することができた。
0070 All work on the new building was stopped while archaeologists (e　　　　) the site.	考古学者たちが用地を発掘する間，新しいビル建設の作業はすべてストップした。
0071 She took a holiday after the tournament to (r　　　　) her energy.	選手権大会終了後，彼女は気力を取り戻すために休暇を取った。
0072 It took the driver six months to (r　　　　) from his accident.	その運転手が事故から回復するのに6か月かかった。
0073 The first printing press allowed people to easily (d　　　　) the written word.	印刷機が作られて初めて，人々は容易に書かれた言葉を流布させることができるようになった。
0074 The school team finally (p　　　　) over their rivals and won the championship.	その学校のチームはついにライバルたちを圧倒し，優勝を勝ち取った。
0075 He suspected his colleague of (p　　　　) the idea that he was lazy.	彼は自分が怠惰であると同僚が吹聴しているのではないかと疑った。
0076 During the war, the BBC often (t　　　　) messages in code to agents overseas.	戦時中，BBC放送は海外の諜報部員たちにしばしば暗号文でメッセージを伝達した。
0077 In an attempt to (g　　　　) support, the mayor held a town meeting.	その市長は支持を得ようとして市民集会を開いた。
0078 The meat was (g　　　　) with fresh sprigs of parsley.	その肉には新鮮なパセリの小枝が添えられていた。
0079 He (i　　　　) from the professor's remarks that he had failed the class.	彼は教授の発言から自分が単位を落としたことを察した。
0080 I (s　　　　) that I could do better by investing in real estate than in stocks.	株より不動産に投資した方が自分はうまくやれると私は推測した。

Unit 4の復習テスト解答　0061 extolled　0062 emulate　0063 Enticed　0064 Dazzled　0065 sprout　0066 burgeoned　0067 detect　0068 debunk　0069 unravel　0070 excavated　0071 recoup　0072 recuperate　0073 disseminate　0074 prevailed　0075 propagating　0076 transmitted　0077 garner　0078 garnished　0079 inferred　0080 surmised

Unit 6　0101～0120

書いて記憶

単語	1回目	2回目	3回目	意味
0101 **subjugate** [sʌ́bdʒugèɪt]				を征服する、を隷属させる
0102 **suppress** [səprés]				を鎮圧する、を抑圧する
0103 **subvert** [səbvə́ːrt]				を覆す、を打倒する
0104 **encroach** [ɪnkróʊtʃ]				(～に)侵入する〈on〉
0105 **deter** [dɪtə́ːr]				に(～を)思いとどまらせる〈from〉
0106 **retard** [rɪtɑ́ːrd]				を遅らせる、を妨げる
0107 **avert** [əvə́ːrt]				(視線・考えなど)を(～から)そらす〈from〉
0108 **balk** [bɔːk]				(～を)ためらう〈at〉、を妨げる
0109 **stifle** [stáɪfl]				を抑える、を窒息させる
0110 **quell** [kwel]				を抑える、を鎮める
0111 **quench** [kwentʃ]				(渇き)を癒やす、(欲望)を抑える
0112 **curtail** [kəːrtéɪl]				を切り詰める
0113 **diminish** [dɪmínɪʃ]				を減らす
0114 **eclipse** [ɪklíps]				の影を薄くさせる、(ほかの天体)を食にする
0115 **debase** [dɪbéɪs]				(品位・評判)を落とす
0116 **demean** [dɪmíːn]				の品位を下げる
0117 **detract** [dɪtrǽkt]				(～を)損なう、減じる〈from〉
0118 **dwindle** [dwíndl]				だんだん減少［縮小］する
0119 **deviate** [díːvièɪt]				(～から)逸脱する〈from〉
0120 **elude** [ɪlúːd]				をうまくかわす、から逃れる

Unit 5の復習テスト

わからないときは前Unitで確認しましょう。

例文	訳
0081 In his speech, the principal (a　　　) to some famous lines from "King Lear."	校長はスピーチの中で，『リア王』の有名なせりふのいくつかに暗に言及した。
0082 The journalist had failed to (v　　　) the facts before writing his article.	記者はその記事を書く前に事実を検証することができなかった。
0083 After his acquittal, he claimed he had been completely (v　　　).	無罪放免されて，彼は完全に潔白が証明されたと主張した。
0084 The degrees given at the art school are (v　　　) by the University of Sussex.	美術学校発行の学位は，サセックス大学によって認可される。
0085 The detective tried to (c　　　) the woman's accusations.	刑事はその女性の罪を確証しようとした。
0086 He could not (s　　　) the allegations he made, and he lost the lawsuit.	彼は自らの申し立てを立証することができず，訴訟に敗れた。
0087 The ambassador (r　　　) his nation's policy at the start of the meeting.	大使は会議の初めに自国の政策を繰り返し述べた。
0088 My boss forcefully (e　　　) his policies to the employees.	私の上司は従業員に対し力強い調子で彼の方針を発表した。
0089 The accident only (u　　　) the poor condition of the machines.	その事故は機械の不調を強調したにすぎなかった。
0090 People who like to (f　　　) their wealth are lacking in refinement.	富を誇示したがる人々は品に欠ける。
0091 The medicine could not (a　　　) his pain.	その薬は彼の痛みを和らげることができなかった。
0092 The government tried to (a　　　) public fears of a stock market crash.	政府は，株式市場の暴落をめぐる社会不安を和らげようとした。
0093 The manager tried to (a　　　) the angry customer.	支配人は怒った客をなだめようとした。
0094 Recently, many police forces have experts who can (d　　　) bombs.	最近，多くの警察隊には爆弾から信管を除去できる専門家がいる。
0095 Nothing I said could (m　　　) the anger of the boss.	私が何を言っても，上司の怒りを和らげることはできなかった。
0096 He tried to (p　　　) his angry girlfriend with a bunch of roses and a box of chocolates.	彼はバラの花束とチョコレートで怒ったガールフレンドをなだめようとした。
0097 That singer's voice coach advised him to (m　　　) his voice more when singing.	その歌手のボイストレーナーは，歌う時にはもっと声を調節するよう彼に助言した。
0098 I asked my lawyer to (i　　　) in the dispute.	私は弁護士に，その紛争を調停してくれるように依頼した。
0099 The mayor announced that he intended to (c　　　) spending on the city's parks.	市長は市立公園への支出を抑制するつもりであると発表した。
0100 For years, the regime had (o　　　) the people, denying them their freedom.	何年にもわたって，その政府は人々に自由を与えないで，彼らを抑圧した。

単語編

でる度 **A**

0101 ～ 0120

Unit 5の復習テスト解答　0081 alluded　0082 verify　0083 vindicated　0084 validated　0085 corroborate　0086 substantiate
0087 reiterated　0088 enunciated　0089 underscored　0090 flaunt　0091 alleviate　0092 allay　0093 appease　0094 defuse
0095 mollify　0096 placate　0097 modulate　0098 intervene　0099 curb　0100 oppressed

Unit 7 0121〜0140

書いて記憶

単語	1回目	2回目	3回目	意味
0121 **circumvent** [sə̀ːrkəmvént]				の抜け道を見つける, を回避する
0122 **plague** [pleɪg]				を(〜で)絶えず苦しめる 〈with〉
0123 **torment** [tɔːrmént]				をひどく苦しめる, を悩ます
0124 **confound** [kənfáʊnd]				を混乱させる, を(〜と)混同する 〈with〉
0125 **stump** [stʌmp]				を困らせる, 遊説して回る
0126 **dismiss** [dɪsmís]				を却下する, を解雇する
0127 **dissect** [dɪsékt]				を分析する, を解剖する
0128 **refute** [rɪfjúːt]				を論破する
0129 **rebuff** [rɪbʌ́f]				を拒絶する
0130 **rebuke** [rɪbjúːk]				を(〜のことで)叱責する 〈for〉
0131 **denounce** [dɪnáʊns]				を公然と非難する
0132 **rebut** [rɪbʌ́t]				に反論する
0133 **reprimand** [réprɪmænd]				を(〜のことで)叱責する 〈for〉
0134 **berate** [bɪréɪt]				を(〜のことで)責め立てる 〈for〉
0135 **lambaste** [læmbéɪst]				を厳しく非難する
0136 **seclude** [sɪklúːd]				を引きこもらせる
0137 **ostracize** [á(ː)strəsàɪz]				を追放する, を排斥する
0138 **purge** [pəːrdʒ]				から(〜を)追放する 〈of〉, を清める
0139 **repatriate** [riːpéɪtrièɪt]				を本国に送還する
0140 **repulse** [rɪpʌ́ls]				を撃退する, を拒絶する

Unit 6の復習テスト

わからないときは前Unitで確認しましょう。

例文	訳
0101 Countries with power often (s　　) weaker countries.	力のある国はしばしば弱い国を征服した。
0102 The king immediately sent troops to (s　　) the rebellion.	国王は反乱軍を鎮圧するために軍隊を即時派遣した。
0103 The opposition accused the government of (s　　) the democratic process.	野党は政府が民主的な手続きを覆したことを責めた。
0104 The plane was shot down because it (e　　) on enemy territory.	その飛行機は敵の領土に侵入したので撃ち落とされた。
0105 We could never (d　　) him from a course of action that would destroy his career.	彼がキャリアを台無しにしてしまうような一連の行為を彼に思いとどまらせることが、我々にはできなかった。
0106 Government red tape has (r　　) progress on economic reform.	政府の官僚的な形式主義は、経済改革の進行を遅らせてきた。
0107 In her embarrassment, she (a　　) her eyes from my gaze.	彼女は当惑のあまり、私の視線から目をそらした。
0108 The ruthless businessman did not (b　　) at lying to his competitors.	その無慈悲な実業家は競合相手に嘘をつくことをためらわなかった。
0109 The robbers had to (s　　) the cries of the guard to avoid detection.	強盗たちは見破られないように、守衛の叫び声を抑える必要があった。
0110 He (q　　) his fear and dove into the river to rescue the boy.	彼は恐怖心を抑えて、少年を救助するために川へと飛び込んだ。
0111 After hours in the hot sun, he drank several beers to (q　　) his thirst.	暑い日なたに何時間もいた後、彼は渇きを癒やすためビールを数杯飲んだ。
0112 We were forced to (c　　) our trip due to a family emergency.	家族に緊急事態が発生したため、私たちは旅行日程を切り詰めねばならなかった。
0113 Most countries want to (d　　) their national debt.	たいていの国は自国の債務を減らそうと思っている。
0114 The team's triumph was (e　　) by news of the prime minister's resignation.	首相辞任のニュースのためにチームの勝利の影が薄くなった。
0115 The star (d　　) his reputation by appearing in a series of cheap, sensational movies.	一連の安っぽいセンセーショナルな映画に出演したことで、そのスターは評判を落とした。
0116 The feminist group complained that the advertisements (d　　) women.	その広告は女性の品位を下げていると、フェミニストの集団は不満を述べた。
0117 His latest book was a failure but did not (d　　) much from his good reputation.	彼の最新作は失敗だったが、彼の名声をさほど損なうことはなかった。
0118 The number of many species of whales is slowly beginning to (d　　).	多くのクジラ種の数が、ゆっくりと減少し始めている。
0119 The soldiers were warned not to (d　　) from their instructions in any way.	兵士たちは、いかなる場合も指示から外れることのないように注意された。
0120 Although I looked everywhere for my student, she (e　　) me.	学生をあちこち捜したが、彼女は私をうまくかわした。

でる度 A
→
0121
〜
0140

Unit 6の復習テスト解答　0101 subjugated　0102 suppress　0103 subverting　0104 encroached　0105 deter　0106 retarded
0107 averted　0108 balk　0109 stifle　0110 quelled　0111 quench　0112 curtail　0113 diminish　0114 eclipsed　0115 debased
0116 demeaned　0117 detract　0118 dwindle　0119 deviate　0120 eluded

Unit 8 0141〜0160

書いて記憶

 学習日　　　月　　　日

単語	1回目	2回目	3回目	意味
0141 **rebel** [rɪbél]				(〜に)反逆する〈against〉
0142 **renege** [rɪníg]				(約束などを)破る〈on〉
0143 **renounce** [rɪnáʊns]				を放棄する, と関係を絶つ
0144 **revel** [révəl]				(〜を)大いに楽しむ〈in〉
0145 **suspend** [səspénd]				を一時停止[中止]にする, をつるす
0146 **abort** [əbɔ́:rt]				を中止する
0147 **adjourn** [ədʒə́:rn]				を休会[閉会]する
0148 **nullify** [nʌ́lɪfàɪ]				を無効にする
0149 **revoke** [rɪvóʊk]				を取り消す
0150 **thwart** [θwɔ:rt]				(計画など)を阻止する, を挫折させる
0151 **disband** [dɪsbǽnd]				(軍隊・組織などが)解散する
0152 **dislodge** [dɪslɑ́(:)dʒ]				(敵)を退陣させる, を(〜から)除去する〈from〉
0153 **disperse** [dɪspə́:rs]				分散する, を分散させる, (知識など)を広める
0154 **eradicate** [ɪrǽdɪkèɪt]				を根絶する
0155 **rout** [raʊt]				を完敗させる
0156 **wreak** [ri:k]				(破壊・損害)を引き起こす
0157 **contaminate** [kəntǽmɪnèɪt]				を汚染する
0158 **exacerbate** [ɪgzǽsərbèɪt]				を悪化させる, をいらだたせる
0159 **aggravate** [ǽgrəvèɪt]				を悪化させる
0160 **abdicate** [ǽbdɪkèɪt]				(王位など)を退く

Unit 7の復習テスト

わからないときは前Unitで確認しましょう。

例文	訳
0121 He accused the company of trying to (c　　　　) their earlier agreement.	以前の協定の抜け道を見つけようとしているとして，彼はその会社を非難した。
0122 The department store was (p　　　　) with shoplifters, some of whom operated in gangs.	そのデパートは，中には集団でやって来る万引き犯たちに絶えず苦しめられていた。
0123 The school bully delighted in (t　　　　) the younger boys.	学校のいじめっ子は，年少の男の子たちをいじめて喜んでいた。
0124 He (c　　　　) his enemies by coming up with a brilliant plan to save the company.	彼は会社を救う素晴らしいプランを案出して，敵対者たちを混乱させた。
0125 Everybody in the class was (s　　　　) by the problem that the teacher had given them.	クラスのみんなが，先生の出した問題に困惑していた。
0126 Jane was irritated when her boss casually (d　　　　) her proposal.	ジェーンは，上司が彼女の提案を無頓着に却下した時，いらだった。
0127 The philosopher carefully (d　　　　) the scientist's argument in order to disprove it.	哲学者はその科学者の論証が誤りであることを証明するために注意深く分析した。
0128 The politician finally succeeded in (r　　　　) his enemies' accusations.	その政治家はついにライバルの非難を論破することに成功した。
0129 She (r　　　　) all his advances, insisting she was not interested in him.	彼女は彼に興味がないと言い切って，すべての誘いを拒絶した。
0130 The police chief (r　　　　) the two officers for their poor handling of the case.	警察署長は事件の処理がまずいとして2人の警官を叱責した。
0131 The opposition (d　　　　) members of the government for corruption.	野党は汚職を理由として政府の閣僚たちを公然と非難した。
0132 The lawyer successfully (r　　　　) all the prosecutor's claims.	その弁護士は見事に検察官のすべての主張に反論した。
0133 The school principal (r　　　　) the students for poor discipline.	校長は規律の低下を理由に生徒を叱責した。
0134 He (b　　　　) himself for having trusted a stranger with his money.	彼は見知らぬ人にお金を預けてしまったことで，自分自身を責めた。
0135 The newspaper editorial (l　　　　) the government for their poor economic policies.	新聞の社説は政府の拙劣な経済政策を厳しく非難した。
0136 After the tragedy, the famous actress has (s　　　　) herself in her mansion.	悲劇の後，その有名な女優は自分の大邸宅に引きこもってしまった。
0137 They were (o　　　　) by the townspeople for breaking the law.	彼らは決まりを破ったことで，住民から追放された。
0138 The mayor promised to (p　　　　) the police of corrupt officers.	市長は，汚職警官を警察から追放すると約束した。
0139 Many refugees were never (r　　　　) after World War II.	多くの避難民が第二次大戦後本国に送還されなかった。
0140 The soldiers did their best to (r　　　　) the enemy attack.	兵士たちは敵の攻撃を撃退するために全力を尽くした。

Unit 7の復習テスト解答　0121 circumvent　0122 plagued　0123 tormenting　0124 confounded　0125 stumped
0126 dismissed　0127 dissected　0128 refuting　0129 rebuffed　0130 rebuked　0131 denounced　0132 rebutted　0133 reprimanded
0134 berated　0135 lambasted　0136 secluded　0137 ostracized　0138 purge　0139 repatriated　0140 repulse

Unit 9 0161〜0180

書いて記憶

学習日　　月　　日

単語	1回目	2回目	3回目	意味
0161 **abscond** [əbskɑ́(:)nd]				逃亡する
0162 **tamper** [tǽmpər]				(〜を)改ざんする〈with〉
0163 **juggle** [dʒʌ́gl]				を改ざんする
0164 **cajole** [kədʒóul]				(人)を言いくるめる
0165 **defraud** [dɪfrɔ́:d]				(人)からだまし取る
0166 **swindle** [swíndl]				(人)から(〜を)だまし取る 〈out of〉
0167 **dupe** [djuːp]				をだます
0168 **mutter** [mʌ́tər]				つぶやく、ぶつぶつ不平を言う
0169 **stammer** [stǽmər]				(〜を)口ごもりながら言う〈out〉
0170 **invoke** [ɪnvóuk]				(神の加護など)を祈願する、(法など)を発動する
0171 **crunch** [krʌntʃ]				をぼりぼりかむ
0172 **dawdle** [dɔ́:dl]				ぐずぐずする
0173 **undermine** [ʌ̀ndərmáɪn]				を衰えさせる、の下を掘る
0174 **diagnose** [dàɪəgnóus]				を診断する、の原因を究明する
0175 **blur** [bləːr]				を不明瞭にさせる
0176 **squabble** [skwɑ́(:)bl]				(〜のことで)口げんかする〈over〉
0177 **vie** [vaɪ]				(〜を得ようと)競う〈for〉
0178 **bluff** [blʌf]				虚勢を張る
0179 **broach** [broutʃ]				(話題)を切り出す
0180 **clench** [klentʃ]				を握り締める、(歯)をくいしばる

Unit 8の復習テスト

わからないときは前Unitで確認しましょう。

例文	訳
0141 Finally, the army lost patience and (r　　　) against its own government.	最終的に軍は忍耐力を失い，自国政府に対して**反逆した**。
0142 Suddenly, the bank (r　　　) on its promise of a loan.	その銀行は突然，ローンの契約**を取り消した**。
0143 At an early age the king (r　　　) his throne and retreated into private life.	若い頃にその王は王位**を放棄して**，ひっそりと暮らした。
0144 The actress (r　　　) in all the publicity her divorce brought.	女優は自分の離婚がもたらしたすべての報道を**大いに楽しんだ**。
0145 Before an agreement could be reached, the parties (s　　　) negotiations.	合意に至る前に当事者たちは交渉**を一時停止した**。
0146 Bad weather forced the explorers to (a　　　) the expedition.	悪天候のために探検家たちは遠征**を中止する**ことを余儀なくされた。
0147 The judge (a　　　) the hearings for a long lunch break.	判事は審理**を休会して**，昼休みをゆっくり取ることにした。
0148 They hoped to get a legal decision that would (n　　　) the terms of the contract.	彼らは契約条件**を無効にする**ような法的判断を望んでいた。
0149 The judge (r　　　) his driver's license after finding him guilty of drunk driving.	飲酒運転で有罪とわかった後，裁判官は彼の運転免許**を取り消した**。
0150 The FBI managed to (t　　　) a terrorist plan to attack government buildings.	FBIは何とか，政府の建物を攻撃しようとするテロリストの計画**を阻止する**ことができた。
0151 The rebel organization announced that they would (d　　　) and give up their weapons.	反乱軍は**解隊して**武器を捨てると宣言した。
0152 They found it difficult to (d　　　) the enemy from their mountain fort.	彼らは，自陣の山の要塞から敵**を退陣させる**ことは困難だと悟った。
0153 The demonstrators were ordered to (d　　　) by the local police.	デモ参加者たちは**解散する**ように地元警察に命じられた。
0154 Smallpox was completely (e　　　) from the village.	天然痘はその村から**根絶された**。
0155 The leader announced a great victory, saying that the army had completely (r　　　) the enemy.	当軍は完全に敵軍**を敗走させた**と言って，指揮官は大勝利を宣言した。
0156 The storm (w　　　) havoc on the village, destroying a number of houses.	嵐は多数の家屋を倒壊させて村に大損害**をもたらした**。
0157 After the accident, the water supply was (c　　　) with chemicals.	事故の後，上水道は化学物質で**汚染**されてしまった。
0158 His mother's attempts to help simply (e　　　) his problem.	母親が助けようと試みたが，彼の問題を単に**悪化させた**だけだった。
0159 The economic crisis was (a　　　) by a fall in the currency.	経済危機は通貨の下落で**悪化した**。
0160 After the revolution, the king was forced to (a　　　) by the rebels.	革命の後，王様は反乱軍によって王位**を退く**ことを強いられた。

Unit 8の復習テスト解答　0141 rebelled　0142 reneged　0143 renounced　0144 reveled　0145 suspended　0146 abort
0147 adjourned　0148 nullify　0149 revoked　0150 thwart　0151 disband　0152 dislodge　0153 disperse　0154 eradicated
0155 routed　0156 wreaked　0157 contaminated　0158 exacerbated　0159 aggravated　0160 abdicate

Unit 10 （0181〜0200）

書いて記憶

単語	1回目	2回目	3回目	意　味
0181 **perish** [périʃ]				死ぬ，滅びる
0182 **ransack** [rǽnsæk]				（場所）を徹底的に捜す，を略奪する
0183 **heave** [hi:v]				を（〜に）投げる〈at, onto〉
0184 **wrench** [rentʃ]				をねじる，を捻挫する，を歪曲する
0185 **beckon** [békən]				に（〜するように）合図する〈to do〉，をおびき寄せる
0186 **deploy** [dɪplɔ́ɪ]				を配置する，（軍隊）を展開させる
0187 **detonate** [détənèɪt]				爆発する
0188 **dispatch** [dɪspǽtʃ]				を急送する，を急派する
0189 **encompass** [ɪnkʌ́mpəs]				を囲む，を含む
0190 **encrypt** [ɪnkrípt]				を暗号化する
0191 **exonerate** [ɪgzá(:)nərèɪt]				を（〜から）無罪とする〈from, of〉
0192 **fetter** [fétər]				を拘束する
0193 **gloat** [gloʊt]				ほくそ笑む，さも満足そうに眺める
0194 **haggle** [hǽgl]				値切る，言い争う
0195 **alienate** [éɪliənèɪt]				を遠ざける
0196 **shun** [ʃʌn]				を避ける
0197 **dissuade** [dɪswéɪd]				に（〜を）思いとどまらせる〈from〉
0198 **admonish** [ədmá(:)nɪʃ]				を（〜が理由で）注意する〈for〉
0199 **slam** [slæm]				をぴしゃりと閉める，をたたきつける
0200 **squander** [skwá(:)ndər]				を浪費する

Unit 9の復習テスト

わからないときは前Unitで確認しましょう。

例文	訳
0161 The bank manager (a　　　) with the money after his theft was revealed.	銀行の支店長は，自身の窃盗が発覚してからお金を持って姿をくらました。
0162 The police were accused of having (t　　　) with the evidence.	警察は証拠を改ざんしたとして告訴された。
0163 The shareholder said the company was (j　　　) its sales figures.	株主は会社が売上高を改ざんしていると言った。
0164 When at first I refused to help, she began to (c　　　) me in a sweet tone of voice.	最初助けることを拒絶したら，彼女は甘い声で私を言いくるめようとし始めた。
0165 He was charged with (d　　　) the insurance company.	彼は保険会社から保険金をだまし取ったことで起訴された。
0166 The old woman was (s　　　) out of her fortune by a con artist.	その高齢の女性は，詐欺師に財産をだまし取られた。
0167 Many members of the public were (d　　　) by the company's promise of quick profits.	すぐにもうかるというその会社の約束に，大衆の多くがだまされた。
0168 His teacher told him to stop (m　　　) and to speak more clearly.	ぼそぼそ言わずに，もっとはっきりしゃべりなさいと，先生は彼に言った。
0169 The frightened little boy (s　　　) out his name and then fell silent.	おびえていたその少年は名前を口ごもりながら言って，それから黙ってしまった。
0170 In a moment of crisis, the man (i　　　) the name of Buddha.	危機の瞬間，その男は仏陀の名を口にして祈った。
0171 The children sat happily, (c　　　) cookies and watching the TV.	子どもたちは楽しげに座って，クッキーをぽりぽりかみながらテレビを見ていた。
0172 The principal scolded the students for (d　　　) in the school parking lot.	校長は，学生たちが構内の駐車場でぐずぐずしていたので叱責した。
0173 The numerous contradictions in her argument (u　　　) her main point.	彼女の論理には多くの矛盾があったので，要点が曖昧になった。
0174 The doctors performed a series of tests but failed to (d　　　) her illness.	医師団は一連の検査を行ったが，彼女の病気を診断することができなかった。
0175 The drizzling rain (b　　　) my vision, making it dangerous to drive further.	そぼ降る雨のため視界がぼやけて，それ以上車で進むのは危険となった。
0176 When the children began to (s　　　) over the dessert, their father lost his temper.	子どもたちがデザートのことで口げんかをし始めた時，父親はカッとなった。
0177 These two students are (v　　　) for valedictory honors.	この2人の学生が卒業生代表の座を競っている。
0178 The intruder (b　　　) his way into the palace by pretending to be a guard.	侵入者は守衛のふりをして虚勢を張り宮殿へ入って行った。
0179 At a certain point in the meeting, I (b　　　) the sensitive matter of etiquette.	会議の途中で，私は礼儀作法に関するデリケートな問題を切り出した。
0180 He (c　　　) his fist and punched the other man.	彼はこぶしを握り締め，もう1人の男を殴った。

Unit 9の復習テスト解答　0161 absconded　0162 tampered　0163 juggling　0164 cajole　0165 defrauding　0166 swindled　0167 duped　0168 muttering　0169 stammered　0170 invoked　0171 crunching　0172 dawdling　0173 undermined　0174 diagnose　0175 blurred　0176 squabble　0177 vying　0178 bluffed　0179 broached　0180 clenched

Unit 11　0201~0220

書いて記憶

　学習日　　月　　日

単語	1回目	2回目	3回目	意味
0201 **subordinate** [səbɔ́ːrdənèɪt]				を(〜に)従属させる ⟨to⟩
0202 **succumb** [səkʌ́m]				(〜に)負ける ⟨to⟩
0203 **tally** [tǽli]				(〜と)符合する ⟨with⟩, を集計する
0204 **teeter** [tíːtər]				ぐらつく, シーソーに乗る
0205 **tout** [taʊt]				を押し売りする, を(〜だと)褒めちぎる ⟨as⟩
0206 **traverse** [trəvə́ːrs]				を横断する
0207 **veer** [vɪər]				進路を変える, (政策などが)転換する
0208 **veto** [víːtoʊ]				(法案など)に拒否権を行使する
0209 **weather** [wéðər]				を切り抜ける
0210 **wince** [wɪns]				顔をしかめる, たじろぐ
0211 **scuttle** [skʌ́tl]				急ぎ足で歩く
0212 **agonize** [ǽɡənàɪz]				(〜で)苦悶する ⟨over⟩
0213 **bask** [bæsk]				日光浴をする, 享受する
0214 **concoct** [kənkɑ́(ː)kt]				をでっち上げる, を混ぜ合わせて作る
0215 **delve** [delv]				(〜を)(徹底的に)調査する ⟨into⟩
0216 **evade** [ɪvéɪd]				を避ける
0217 **interject** [ìntərdʒékt]				(言葉)を差し挟む
0218 **linger** [líŋɡər]				ぶらぶらする, ぐずぐずする
0219 **pawn** [pɔːn]				を質[担保]に入れる
0220 **procure** [prəkjʊ́ər]				を入手する, を調達する

Unit 10の復習テスト

わからないときは前Unitで確認しましょう。

例文	訳
0181 The explorer said that he would reach the North Pole or (p　　　) in the attempt.	その探検家は，自分は北極にたどり着くか，挑戦の途中で死ぬか，どちらかだろうと言った。
0182 The police completely (r　　　) his house in search of drugs.	警察は薬物を探して，彼の家中を徹底的に調べた。
0183 The men (h　　　) the old sofa onto the back of the truck.	男たちはトラックの荷台に古いソファーを投げ入れた。
0184 The force of the accident (w　　　) his torso so forcefully that he broke his back.	事故の時，あまりにも強い力が彼の胴体をひねったので，彼は背骨を折った。
0185 From the edge of the garden I saw her (b　　　) him to follow her.	私は，彼女がついてくるように彼に手招きしているのを，庭の端から目撃した。
0186 America responded to the threat by (d　　　) aircraft carriers to the region.	アメリカは，その海域に航空母艦を配備することでその脅しに対応した。
0187 Fortunately, the bomb failed to (d　　　) and no one was hurt.	幸い，爆弾は爆発しなかったので負傷者は出なかった。
0188 The company promises to (d　　　) all orders on the day that they are received.	発注されたその日にすべての注文品を急送すると，その会社は約束している。
0189 The new housing development is starting to (e　　　) the entire woodland.	新しい宅地開発は，その森全体を取り囲む形になり始めている。
0190 The message was (e　　　) in a mysterious enemy code.	その伝達文は謎めいた敵の符号で暗号化されていた。
0191 As a result of the trial, he was (e　　　) of all the charges.	裁判の結果，彼のすべての容疑が晴れた。
0192 The new president soon found himself (f　　　) by his campaign promises.	新大統領はすぐに自身が選挙の公約に拘束されていることに気付いた。
0193 His enemies within the company (g　　　) when he failed to win promotion.	彼が昇進できなかった時，社内のライバルたちはほくそ笑んだ。
0194 Just when we thought we had reached an agreement, the other party began to (h　　　).	合意に達したと思ったら，相手側が値切り始めた。
0195 Many voters were (a　　　) due to the candidate's aggressive attacks on his opponent.	その候補者が行った対立候補への過剰な攻撃によって，多くの有権者が離反した。
0196 Even after he was released from prison, he was (s　　　) by his former friends.	彼は刑務所から出た後も，以前の友人たちに避けられた。
0197 A social worker managed to (d　　　) the man from jumping to his death.	ソーシャルワーカーはその男性の飛び降り自殺をどうにか思いとどまらせることができた。
0198 When the man (a　　　) the teenagers for smoking, they just laughed.	男性が10代の若者たちに喫煙を注意した時，彼らは笑っただけだった。
0199 He was so angry that he stood up and walked out, (s　　　) the door behind him.	彼はとても腹が立っていたので，立ち上がって，後ろ手にドアをばたんと閉めて出て行った。
0200 That young man is reported to have (s　　　) his entire inheritance.	その若者は相続した全財産を浪費してしまったそうだ。

Unit 10の復習テスト解答　0181 perish　0182 ransacked　0183 heaved　0184 wrenched　0185 beckon　0186 deploying　0187 detonate　0188 dispatch　0189 encompass　0190 encrypted　0191 exonerated　0192 fettered　0193 gloated　0194 haggle　0195 alienated　0196 shunned　0197 dissuade　0198 admonished　0199 slamming　0200 squandered

Unit 12 0221〜0240

書いて記憶

単語	1回目	2回目	3回目	意味
0221 **reclaim** [rìːkléɪm]				を取り戻す, を更生させる, を埋め立てる
0222 **recur** [rɪkə́ːr]				再び起こる
0223 **reminisce** [rèmɪnís]				(〜の)思い出を語る〈about〉, 思い出にふける
0224 **replenish** [rɪplénɪʃ]				を補充する
0225 **scrawl** [skrɔːl]				をぞんざいに書く
0226 **hurtle** [hə́ːrtl]				(猛スピードで)突進する, びゅーんと飛ぶ
0227 **disparage** [dɪspǽrɪdʒ]				を見くびる
0228 **incur** [ɪnkə́ːr]				(負債・損害など)を負う, (怒りなど)を買う
0229 **tarnish** [tɑ́ːrnɪʃ]				を損なわせる
0230 **deplete** [dɪplíːt]				を使い果たす
0231 **project** [prɑ́dʒékt]				を見積もる, を提示する
0232 **founder** [fáʊndər]				失敗する, (船が)浸水して沈没する
0233 **justify** [dʒʌ́stɪfàɪ]				を正当化する, の正当性を示す
0234 **diversity** [dəvə́ːrsəti]				多様性
0235 **extinction** [ɪkstíŋkʃən]				絶滅
0236 **specimen** [spésəmɪn]				標本
0237 **perspective** [pərspéktɪv]				観点, 遠近法, 展望
0238 **enforcement** [ɪnfɔ́ːrsmənt]				(法律などの)施行
0239 **breakthrough** [bréɪkθrùː]				大進歩, 突破
0240 **myriad** [mírɪəd]				無数

Unit 11の復習テスト

わからないときは前Unitで確認しましょう。

例文	訳
0201 He said he would never (s　　　) his family life to his career.	家庭を仕事に従属させるつもりは全くないと，彼は言った。
0202 The man finally (s　　　) to temptation and smoked a cigarette.	その男性はついに誘惑に負けてタバコを吸った。
0203 Their names did not (t　　　) with those on the guest list.	彼らの名前は来賓名簿にある名前と符合しなかった。
0204 The country was (t　　　) on the edge of a war with its neighbor.	その国は，隣国との戦争の間際でぐらついていた。
0205 Some men at the station were (t　　　) tickets for the concert.	駅で何人かの男がコンサートのチケットをしつこく売り込んでいた。
0206 It took the explorers longer than expected to (t　　　) the terrain.	探検家たちがその地域を横断するのに，予想よりも長く時間がかかった。
0207 The driver (v　　　) to avoid a cat and crashed into the fence.	運転手はネコをよけようとして進路を変え，フェンスに激突した。
0208 The President (v　　　) the Congressional bill cutting welfare to the poor.	大統領は貧困層への福祉を削減する議会法案に拒否権を行使した。
0209 The automobile company (w　　　) a period of record high oil prices.	その自動車会社は，記録的な石油高価格の時期を切り抜けた。
0210 As the dentist inserted the needle, the patient (w　　　).	歯科医が注射針を刺した時，患者は顔をしかめた。
0211 The man (s　　　) after his boss, taking notes of what he said.	その男性は上司の言ったことのメモを取りながら，彼の後を急ぎ足で歩いた。
0212 She told him to stop (a　　　) over the decision and to make up his mind.	決断にあたって苦悶することをやめて腹を決めなさいと，彼女は彼に言った。
0213 In the summer, seals could be seen (b　　　) on the rocks.	夏には，岩の上で日光浴をするアザラシの姿を見ることができる。
0214 He tried to (c　　　) a good excuse for not having done his homework.	彼は宿題をやっていなかったことに対するうまい言い訳をでっち上げようとした。
0215 I (d　　　) into that question for over a week but never found an answer.	その疑問点を1週間以上調べたが，答えは見つからなかった。
0216 In order to (e　　　) the police, the fugitive wore a disguise.	警官を避けるために，逃亡者は変装をした。
0217 Please wait until I have finished talking and do not (i　　　) any comments.	批評を差し挟むのは，私が話を終えてからにしてください。
0218 Even after school is over, that group of students likes to (l　　　) around.	放課後になっても，その学生たちのグループはぶらぶら残っていたがる。
0219 He had to (p　　　) his wife's jewelry in order to cover his debts.	彼は借金を補填するため，妻の宝石類を質に入れなければならなかった。
0220 I was able to (p　　　) my visa in three weeks so I could visit the country.	3週間ほどでビザを入手できたので，私はその国を訪問できた。

Unit 11の復習テスト解答　0201 subordinate　0202 succumbed　0203 tally　0204 teetering　0205 touting　0206 traverse
0207 veered　0208 vetoed　0209 weathered　0210 winced　0211 scuttled　0212 agonizing　0213 basking　0214 concoct
0215 delved　0216 evade　0217 interject　0218 linger　0219 pawn　0220 procure

Unit 13 0241~0260

書いて記憶

単語	1回目	2回目	3回目	意味
0241 **perception** [pərsépʃən]				認識，知覚
0242 **endowment** [ɪndáʊmənt]				寄付（金）
0243 **gist** [dʒɪst]				要点，骨子
0244 **influx** [ínflʌks]				流入
0245 **backlash** [bǽklæʃ]				（思想などへの）反発，反動〈against〉，（機械の）緩み
0246 **onset** [á(:)nsèt]				始まり，兆候
0247 **paternity** [pətə́ːrnəṭi]				父親であること
0248 **preservation** [prèzərvéɪʃən]				保存，保護
0249 **verdict** [və́ːrdɪkt]				（陪審員の）評決，決定，判断
0250 **credibility** [krèdəbíləṭi]				信頼，信憑性，確実性
0251 **momentum** [moʊméntəm]				勢い，運動量
0252 **brevity** [brévəṭi]				（時の）短さ，簡潔さ
0253 **buffer** [bʌ́fər]				衝突を和らげる人［物］，緩衝器
0254 **knack** [næk]				（~の）こつ〈of, for〉，要領
0255 **viability** [vàɪəbíləṭi]				実現可能性
0256 **auspice** [ɔ́ːspɪs]				保護，後援
0257 **requisite** [rékwɪzɪt]				（~の）必要条件〈for〉
0258 **prerequisite** [priːrékwəzɪt]				（~に）（前もって）必要なもの〈for〉，前提条件
0259 **feat** [fiːt]				偉業
0260 **gravity** [grǽvəṭi]				重力，引力，重さ，重大さ

Unit 12の復習テスト

わからないときは前Unitで確認しましょう。

例文	訳
0221 He went to (r) his suitcase from the lost property office.	彼は遺失物取扱所にスーツケースを取り戻しに行った。
0222 Doctors hoped her illness would not (r) after a long series of treatments.	一連の長期にわたる治療の後、彼女の病気が再発しないことを医師たちは願った。
0223 We still meet every two years and (r) about old times.	私たちは今でも2年ごとに会い、昔の思い出を語り合う。
0224 Once a week the farmers drive to town to (r) their supplies.	週に1度、農場主たちは生活必需品を補充するために、車で町へ出る。
0225 His signature is unintelligible because he always (s) his name.	彼はいつも自分の名前を走り書きするので、署名が判読しにくい。
0226 He (h) down the hill on his bicycle and crashed into a wall.	彼は自転車で丘を猛スピードで走り下り、壁に激突した。
0227 Even members of the scientific community (d) the cloning of a sheep.	科学団体の人々でさえ、羊のクローン化を見くびっていた。
0228 The student (i) substantial debts as a result of going to college.	その学生は大学進学の結果として多額の借金を負った。
0229 The bribery accusation (t) his reputation forever.	賄賂容疑の告発が長いこと彼の評判を台無しにした。
0230 The explorer doubted if he could survive on his (d) supplies.	その探検家はわずかになってしまった食糧で生存していけるかどうか自信がなかった。
0231 The company has (p) record sales for the next quarter.	その会社は次の四半期に記録的な売上高を見積もっている。
0232 The students all (f) badly on their latest exams.	学生たちはみな最近の試験でひどく失敗した。
0233 The university president tried to (j) the rise in fees to the students.	大学学長は学生たちに対して、授業料値上げを正当化しようとした。
0234 The (d) of the students added much interest to classroom discussions.	生徒の多様性はクラス討議をさらに興味深いものにした。
0235 The rapid (e) of the dinosaurs remains a scientific mystery.	恐竜の急激な絶滅はいまだ科学的な謎である。
0236 The museum contained many (s) of rare plants.	その博物館には多くの希少植物の標本があった。
0237 The specialist provided a sociological (p) on the problems of the inner city.	その専門家はスラム街の抱える問題について社会学的観点を提示した。
0238 The government ordered a stricter (e) of the law to prevent any further incidents.	政府はこれ以上の紛争を回避するため、その法律をより厳格に施行するように指示した。
0239 It took several years to achieve any (b) in AIDS research.	エイズ研究に大進歩が実現するまでに数年かかった。
0240 There were a (m) of famous names at the high society wedding.	その上流社会の結婚式には、無数の著名人が勢ぞろいした。

でる度 A
0241～0260

Unit 12の復習テスト解答
0221 reclaim　0222 recur　0223 reminisce　0224 replenish　0225 scrawls　0226 hurtled
0227 disparaged　0228 incurred　0229 tarnished　0230 depleted　0231 projected　0232 foundered　0233 justify　0234 diversity
0235 extinction　0236 specimens　0237 perspective　0238 enforcement　0239 breakthroughs　0240 myriad

Unit 14　0261〜0280

書いて記憶

単語	1回目	2回目	3回目	意 味
0261 **jinx** [dʒɪŋks]				悪運
0262 **omen** [óumən]				前兆
0263 **precedent** [présɪdənt]				前例
0264 **prelude** [prélju:d]				前兆
0265 **harbinger** [háːrbɪndʒər]				前触れ
0266 **philanthropy** [fɪlǽnθrəpi]				慈善（事業）
0267 **camaraderie** [kàːmərάːdəri]				友愛
0268 **phase** [feɪz]				段階，局面，面
0269 **facet** [fǽsɪt]				（物事の）一面
0270 **facade** [fəsάːd]				（いつわりの）外見，（建物の）正面
0271 **incentive** [ɪnséntɪv]				刺激，動機，報奨金
0272 **morale** [mərǽl]				勤労意欲，士気
0273 **gratuity** [ɡrətjúːəti]				チップ，心付け
0274 **proponent** [prəpóunənt]				支持者，提唱者
0275 **advocate** [ǽdvəkət]				支持者，擁護者
0276 **recipient** [rɪsípiənt]				受賞者，受取人
0277 **pundit** [pʌ́ndɪt]				専門家
0278 **descendant** [dɪséndənt]				子孫
0279 **prosecutor** [prάː)sɪkjùːtər]				検察官
0280 **consort** [kάː)nsɔːrt]				（特に国王・女王の）配偶者

Unit 13の復習テスト

わからないときは前Unitで確認しましょう。

例文	訳
0241 (P) involves more than merely the physiological aspects of the senses.	認識とは，単なる生理学上の知覚以上のものを含む。
0242 A wealthy graduate had left the college a huge (e).	裕福な卒業生は，大学に高額の寄付をした。
0243 The (g) of his speech was that he was against the plan.	彼の演説の要点は，その計画には反対だということだった。
0244 Recently, there has been a large (i) of foreign investment into the U.S.	最近，合衆国への海外からの投資の大量流入が見られる。
0245 Many feminists complained that there had been a (b) against policies designed to help women.	女性を支援しようとする諸政策に対する反発があったと，フェミニストたちの多くは不満を表した。
0246 With the (o) of winter, fuel prices rose dramatically.	冬の到来とともに，燃料価格が急騰した。
0247 A test was carried out to determine the (p) of the child.	子どもの父親であることを決定するために検査が行われた。
0248 The famous artist dedicated much of his life to the (p) of ancient buildings.	その有名な芸術家は，古い建造物の保存に人生の大半をささげた。
0249 The public was shocked by the jury's (v) of 'guilty'.	公衆は陪審員の「有罪」判決にショックを受けた。
0250 It seems his (c) has not been damaged despite the scandal.	スキャンダルにもかかわらず，彼に対する信頼は傷ついていないようだ。
0251 Coaches often say that (m) is an important part of winning a game.	勢いは試合に勝つ重要な要素だと，コーチはよく言っている。
0252 Haiku poets often suggest, at least indirectly, the (b) of life.	俳人は，少なくとも間接的に，人生のはかなさを詠むことが多い。
0253 The manager used his assistant as a (b) between himself and the public.	監督は自分と一般人の間のクッション役に助手を利用した。
0254 It took the little girl a few days to get the (k) of how to ride her bike.	自転車に乗るこつを会得するのに，その幼い少女は数日を要した。
0255 Many questions were raised about the (v) of the policy.	その方針の実現可能性に関して多くの疑問点が挙げられた。
0256 Noh flourished in the Muromachi Period under the (a) of the shogunate.	能は，幕府の保護のもとで，室町時代に栄えた。
0257 One (r) for entering Harvard University is an acceptable score on the entrance exam.	ハーバード大学入学の必要条件の1つは，入試で満足な点数を取ることである。
0258 Strong walking boots are considered a (p) for anyone planning to climb the mountain.	丈夫なウォーキングブーツは，山登りをしようとするすべての人にとって必需品である。
0259 Very few climbers have managed the (f) of climbing Everest.	エベレスト山を登りきる偉業を成し遂げた者は，ごくわずかしかいなかった。
0260 The force of (g) is much weaker on the moon because of its smaller mass.	月面では質量が小さいために，重力がずっと小さい。

Unit 13の復習テスト解答
0241 Perception　0242 endowment　0243 gist　0244 influx　0245 backlash　0246 onset
0247 paternity　0248 preservation　0249 verdict　0250 credibility　0251 momentum　0252 brevity　0253 buffer　0254 knack
0255 viability　0256 auspices　0257 requisite　0258 prerequisite　0259 feat　0260 gravity

Unit 15 0281~0300

書いて記憶

単語	1回目	2回目	3回目	意味
0281 culprit [kʌ́lprɪt]				容疑者, 罪人
0282 fugitive [fjúːdʒətɪv]				逃亡者, 脱走者
0283 adherent [ədhíərənt]				信奉者
0284 mentor [méntɔːr]				良き助言者
0285 novice [nɑ́(ː)vəs]				初心者, 見習い生
0286 recluse [rékluːs]				隠遁者
0287 surrogate [sə́ːrəgət]				代理人
0288 throng [θrɔ(ː)ŋ]				群集
0289 peer [pɪər]				仲間, 同輩, 貴族
0290 prodigy [prɑ́(ː)dədʒi]				神童
0291 counterpart [káʊntərpɑ̀ːrt]				(~に)対応する物[人]〈of〉, 写し, 対の一方
0292 aptitude [ǽptɪtjùːd]				適性, 素質
0293 caliber [kǽləbər]				能力(の程度), 銃の口径
0294 demeanor [dɪmíːnər]				振る舞い, 品行
0295 posture [pɑ́(ː)stʃər]				姿勢, 態度, 状態
0296 prudence [prúːdəns]				慎重
0297 zeal [ziːl]				熱心さ, 熱意
0298 prestige [prestíːʒ]				名声
0299 eminence [émɪnəns]				高名
0300 conviviality [kənvìviǽləti]				陽気な行動

Unit 14の復習テスト

わからないときは前Unitで確認しましょう。

例文	訳
0261 The ship was rumored among sailors to have a (j　　) on it.	その船は船員たちの間で**悪運**を持っているとうわさされていた。
0262 The signs of recent economic instability may be serious (o　　) for the future.	最近の経済不安の表れは、未来への重大な**前兆**かもしれない。
0263 His request was refused because there was no (p　　).	**前例**がなかったので彼の要求は拒否された。
0264 The busy week turned out to be a (p　　) to a frantic year.	その忙しい週は慌ただしい1年の**前触れ**だった。
0265 The border clash proved to be a (h　　) of full-scale war.	国境の衝突は、全面戦争の**前触れ**だということが判明した。
0266 The orphanage depended on the (p　　) of a wealthy businessman.	その児童養護施設は裕福な実業家の**慈善事業**に頼っている。
0267 After he left the army, he missed the (c　　) that he had shared with the soldiers.	軍を除隊した後、彼は兵士たちと共有していた**友愛**を懐かしく思った。
0268 He was very lucky that his illness was detected in its early (p　　).	彼は病気が早い**段階**で見つかって、本当に幸運だった。
0269 The committee was asked to look at every (f　　) of the problem.	委員会はその問題のすべての**側面**を検討するように求められた。
0270 Beneath a (f　　) of respectability, the businessman was engaged in criminal activities.	立派な**表向きの顔**の裏で、その実業家は犯罪活動に手を染めていた。
0271 The birth of his first child was an (i　　) for him to settle down and work harder.	最初の子どもが誕生したことは、彼にとって腰を据えてもっと熱心に働く**刺激**となった。
0272 In an effort to improve (m　　), the boss announced a picnic for all his employees.	**勤労意欲**を高める努力の一環として、上司は全社員参加のピクニックを発表した。
0273 At many restaurants, the expected amount of (g　　) is 15 percent of the meal's cost.	多くのレストランでは、**チップ**の金額は食事代の15パーセントが見込まれている。
0274 The pop star is known as an ardent (p　　) of vegetarianism.	その人気歌手は菜食主義の熱心な**支持者**として知られている。
0275 The missionary is a well-known (a　　) of prison reform.	その宣教師は、刑務所改革の有名な**支持者**である。
0276 The (r　　) of the Nobel Prize for literature has been announced.	ノーベル文学賞の**受賞者**が発表された。
0277 Well-known (p　　) were invited to give their views on the election.	有名な**専門家たち**が選挙についての見解を述べるために招待された。
0278 DNA analysis showed that some inhabitants were (d　　) of Vikings.	DNA分析によって住民の中にはバイキングの**子孫**も存在することが判明した。
0279 The (p　　) did his best to show the witness was lying.	**検察官**は、目撃者が嘘をついていることを証明するために全力を尽くした。
0280 The millionaire's (c　　) was a beautiful young woman.	大富豪の**配偶者**は若くて美しい女性だった。

単語編

でる度 **A**
↓
0281 〜 0300

Unit 14の復習テスト解答 0261 jinx 0262 omens 0263 precedent 0264 prelude 0265 harbinger 0266 philanthropy 0267 camaraderie 0268 phase 0269 facet 0270 facade 0271 incentive 0272 morale 0273 gratuity 0274 proponent 0275 advocate 0276 recipient 0277 pundits 0278 descendants 0279 prosecutor 0280 consort

45

Unit 16 0301~0320

書いて記憶

単語	1回目	2回目	3回目	意味
0301 **elocution** [èləkjúːʃən]				雄弁術
0302 **agility** [ədʒíləti]				敏捷性，機敏さ
0303 **allure** [əlúər]				魅力
0304 **candor** [kǽndər]				率直
0305 **decorum** [dɪkɔ́ːrəm]				礼儀正しさ
0306 **fidelity** [fɪdéləti]				忠誠心
0307 **dexterity** [dekstérəti]				器用さ，利口さ
0308 **ebullience** [ɪbúliəns]				あふれる元気
0309 **exhilaration** [ɪɡzìləréɪʃən]				大喜び
0310 **duplicity** [djuplísəti]				二枚舌
0311 **indiscretion** [ìndɪskréʃən]				軽率な行為
0312 **indolence** [índələns]				怠惰
0313 **audacity** [ɔːdǽsəti]				厚かましさ，大胆さ
0314 **grudge** [ɡrʌdʒ]				恨み
0315 **tenure** [ténjər]				（大学教授の）終身在職権，保有（期間）
0316 **duration** [djuəréɪʃən]				継続[持続]期間
0317 **affinity** [əfínəti]				相性，類似性
0318 **proximity** [prɑ(ː)ksíməti]				近接⟨to, of⟩
0319 **hoax** [hoʊks]				作り話，悪ふざけ
0320 **allegory** [ǽləɡɔ̀ːri]				寓話，たとえ話

Unit 15 の復習テスト

わからないときは前Unitで確認しましょう。

例文	訳
0281 After a long police search, the (c) was apprehended.	長い期間警察が捜索を行った後，その容疑者が逮捕された。
0282 How could anyone know that such a nice young man was a (f) from justice?	そのようなすてきな若者が逃亡犯だったなんて，いったい誰が気付くだろうか。
0283 He became a strong (a) of the new religion.	彼は新興宗教の熱心な信奉者になった。
0284 Most people have found at least one (m) who has helped guide them through life.	たいていの人は，人生の手助けとなってくれた良き助言者を，少なくとも1人は見つけている。
0285 From the first moves, the chess expert could see that his opponent was a (n) at the game.	最初の数手の駒の動きを見て，チェスの名人は相手がゲームの初心者だとわかった。
0286 The famous novelist now lived as a (r) on his own island.	その有名な小説家は今や自分の島で隠遁者として暮らしていた。
0287 He appointed a (s) to run the office while he was away.	彼は，自分の留守中に事務所を管理してくれる代理人を指定した。
0288 He pushed through the (t) of waiting reporters and walked quickly away.	待機しているリポーターたちの群れをかき分けて，彼は素早く歩き去った。
0289 Children at a certain age are more influenced by their (p) than by their parents.	一定の年齢に達した子どもたちは，親よりも仲間により影響される。
0290 Like many (p), his abilities declined as he became an adult.	多くの神童と同様に彼の才能は大人になるにつれて低下した。
0291 The sales manager contacted his (c) in the other company.	営業部長は，他社の同じ地位の人物と連絡を取った。
0292 The SAT is designed to test (a) rather than the memorization of facts.	SAT（大学進学適性試験）は，事実の記憶よりも適性をテストするように作られている。
0293 There are not many lawyers of his (c) in the company.	その会社には彼ほどの高い能力のある弁護士はそれほど多くはいない。
0294 His (d) always appears serious, but actually he is quite a wit.	彼の振る舞いはいつも堅苦しく見えるが，実際には，彼は機知に富んだ男だ。
0295 His father made him sit with a straight back to improve his (p).	彼の父親は，彼の姿勢を良くするために，背筋を真っすぐにして座らせた。
0296 The bank was known for the (p) of its investment decisions.	その銀行は投資決定が慎重であることで有名だった。
0297 While appreciating his (z), his boss would prefer more care and accuracy.	彼の熱心さは評価していても，上司は，もっと注意力と正確さがあればと思うだろう。
0298 At the peak of his career, his (p) was unrivaled.	彼がキャリアの頂点にあった時，彼と名声を競う者はいなかった。
0299 Following his retirement, the professor's (e) grew even greater.	退職後，教授の高名はさらに上がった。
0300 The (c) of the party was spoiled by an argument.	パーティーのお祭り気分は，口論によって台無しにされた。

Unit 15 の復習テスト解答 0281 culprit 0282 fugitive 0283 adherent 0284 mentor 0285 novice 0286 recluse 0287 surrogate 0288 throng 0289 peers 0290 prodigies 0291 counterpart 0292 aptitude 0293 caliber 0294 demeanor 0295 posture 0296 prudence 0297 zeal 0298 prestige 0299 eminence 0300 conviviality

Unit 17　0321〜0340

書いて記憶

単語	1回目	2回目	3回目	意味
0321 **apex** [éɪpeks]				絶頂
0322 **zenith** [zíːnəθ]				絶頂，天頂
0323 **ascension** [əsénʃən]				上昇，即位
0324 **conglomerate** [kənglá(ː)mərət]				巨大複合企業
0325 **offshoot** [ɔ́(ː)fʃùːt]				派生物，子会社
0326 **consignment** [kənsáɪnmənt]				託送，委託商品
0327 **conveyance** [kənvéɪəns]				輸送(機関)，(権利の)譲渡
0328 **durability** [djùərəbíləti]				耐久性
0329 **footage** [fʊ́tɪdʒ]				映画・テレビの特定の場面
0330 **gadget** [gǽdʒɪt]				機器
0331 **glitch** [glɪtʃ]				(機器などの)故障，小さな技術上の問題
0332 **echelon** [éʃəlà(ː)n]				地位，(組織などの)階層
0333 **speculation** [spèkjuléɪʃən]				投機，考察，推測
0334 **hype** [haɪp]				誇大宣伝
0335 **benchmark** [béntʃmàːrk]				基準
0336 **integration** [ìntəgréɪʃən]				統合，差別撤廃による人種統合
0337 **contraband** [ká(ː)ntrəbænd]				密輸品
0338 **liability** [làɪəbíləti]				(〜に対する)責任⟨for⟩，負債
0339 **libel** [láɪbəl]				名誉毀損，中傷
0340 **quota** [kwóʊtə]				割り当て，ノルマ

Unit 16の復習テスト

わからないときは前Unitで確認しましょう。

例文	訳
0301 The young actress studied (e　　　) in order to improve her accent.	その若い女優は，アクセントを直すために**雄弁術**を学んだ。
0302 The old man showed surprising (a　　　) as he climbed the mountain.	その老人は登山をした時に，驚くべき**敏捷性**を見せた。
0303 The young actress could not resist the (a　　　) of Hollywood.	その若い女優はハリウッドの**魅力**にあらがえなかった。
0304 As usual, we spoke with absolute (c　　　) about our different perspectives.	いつものように，我々は異なった見方について極めて**率直**に話し合った。
0305 Students at the girls' school were told to maintain (d　　　) at all times.	その女子校の生徒たちは，常に**礼儀正しさ**を保つように教えられていた。
0306 The assistant was known for his intense (f　　　) to his boss.	そのアシスタントは，自分の上司に対する高い**忠誠心**で知られていた。
0307 The (d　　　) required for certain traditional arts takes years to acquire.	ある種の伝統芸能に必要な**器用さ**は，習得に何年もを要する。
0308 Despite failing the audition, the girl's natural (e　　　) soon returned.	オーディションに落ちたにもかかわらず，その少女はすぐに生まれながらの**情熱**を取り戻した。
0309 The boy's (e　　　) at his exam results was clear.	少年がテスト結果に**大喜び**している様子は，一目瞭然だった。
0310 When we could no longer tolerate her (d　　　), we confronted her directly.	彼女の**二枚舌**にもはや我慢できず，我々は彼女と直接対決した。
0311 The politician's meeting with a gangster was a serious (i　　　).	その政治家の暴力団員との会合は，ただでは済まない**軽率な行為**だった。
0312 The teacher felt irritated by the (i　　　) of his students.	その教師は生徒たちの**怠惰**にいらだちを感じた。
0313 Although I knew she was bold, one time her (a　　　) really took me by surprise.	彼女が出しゃばりなことは知っていたが，ある時，彼女の**厚かましさ**には本当にびっくりした。
0314 Despite his ill treatment, he did not bear a (g　　　) against his former employers.	ひどい扱いを受けたにもかかわらず，彼は以前の雇い主たちに対して**恨み**を抱かなかった。
0315 American university professors must earn (t　　　) to ensure their jobs.	アメリカの大学教授は，仕事を確保するためには**終身在職権**を得なければならない。
0316 The politician was imprisoned for the (d　　　) of the war.	その政治家は，戦時**中**，投獄されていた。
0317 Although we had only met each other twice, we felt a great (a　　　) for each other.	それまでに2度しか会ったことがなかったが，私たちは互いに強い**親近感**を持った。
0318 Those favoring America's free trade with Mexico always stress its close (p　　　).	メキシコとアメリカの自由貿易に賛成する人たちは，両国が非常に**近いこと**をいつも強調する。
0319 The UFO sighting turned out to be a student (h　　　).	UFOの目撃情報は生徒の**作り話**だと判明した。
0320 I explained to the students Plato's (a　　　) of the cave.	私は，学生たちにプラトンの洞穴の**寓話**を説明した。

Unit 16の復習テスト解答　0301 elocution　0302 agility　0303 allure　0304 candor　0305 decorum　0306 fidelity　0307 dexterity
0308 ebullience　0309 exhilaration　0310 duplicity　0311 indiscretion　0312 indolence　0313 audacity　0314 grudge　0315 tenure
0316 duration　0317 affinity　0318 proximity　0319 hoax　0320 allegory

単語編

でる度 A

0321
〜
0340

Unit 18 0341～0360

書いて記憶

単語	1回目	2回目	3回目	意味
0341 **perk** [pə:rk]				諸手当
0342 **annotation** [æ̀nətéɪʃən]				注釈
0343 **backlog** [bǽklɔ̀(:)g]				未処理の山
0344 **collation** [kəléɪʃən]				照合作業, (書物の)ページ合わせ
0345 **counterfeit** [káʊntərfìt]				偽造通貨, 模造品
0346 **forgery** [fɔ́:rdʒəri]				偽造(罪), 偽造品
0347 **asylum** [əsáɪləm]				(政治犯の)亡命に対する庇護, 避難所
0348 **haven** [héɪvən]				避難所, 停泊所
0349 **hub** [hʌb]				中心, 商業や輸送の中心
0350 **venue** [vénju:]				開催地, (犯行などの)現場
0351 **vicinity** [vəsínəti]				近所
0352 **validity** [vəlídəti]				効力, 正当性
0353 **efficacy** [éfɪkəsi]				効力, 有効性
0354 **longevity** [lɑ(:)ndʒévəti]				長寿, 長命
0355 **mortality** [mɔ:rtǽləti]				死亡率, 死ぬ運命
0356 **demise** [dɪmáɪz]				死去, 終焉
0357 **immunity** [ɪmjú:nəti]				(～の)免疫⟨to⟩
0358 **remedy** [rémədi]				(～の)治療(薬), 治療法⟨for⟩
0359 **transfusion** [trænsfjú:ʒən]				輸血
0360 **bout** [baʊt]				発作, 短い期間

Unit 17の復習テスト

わからないときは前Unitで確認しましょう。

例文	訳
0321 At the (a　　　　) of his career, the champion suffered a run of defeats.	そのチャンピオンはキャリアの絶頂期に連敗してしまった。
0322 At the very (z　　　　) of his career, he got involved in scandal.	キャリアの絶頂期に，彼はスキャンダルに巻き込まれた。
0323 The singer's (a　　　　) to the rank of superstar was unusually quick.	その歌手はスーパースターの座へ昇りつめるのが並外れて早かった。
0324 His small business was taken over by a huge (c　　　　).	彼の小さな会社は巨大複合企業に買収された。
0325 The new series was an (o　　　　) of the original drama series set in the same hospital.	新しいシリーズは，同じ病院の設定の原作ドラマシリーズから派生したものである。
0326 The storekeeper said he was expecting a fresh (c　　　　) of eggs that day.	店主はその日，新鮮な卵の入荷があるだろうと言った。
0327 The millionaire paid for the (c　　　　) of the tents to the area affected by the earthquake.	その大富豪は，地震の被災地に送るテントの輸送の費用を負担した。
0328 Doubts were raised as to the (d　　　　) of the new storehouse.	新倉庫の耐久性について懸念が持ち上がった。
0329 The police released (f　　　　) of the riot to the television companies.	警察は暴動の映像をテレビ局に公開した。
0330 The young man's room was full of IT (g　　　　).	その若者の部屋は，IT機器でいっぱいだった。
0331 Suddenly a (g　　　　) in the lighting system threw the theater into darkness.	突然の照明装置の故障で，映画館が真っ暗になった。
0332 People from the company's higher (e　　　　) rarely visited the branch.	会社で高い地位にいる人はめったに支社を訪れなかった。
0333 (S　　　　) in currency is a risky but potentially lucrative business.	通貨への投機はリスクがあるが潜在的には金になるビジネスだ。
0334 He refused to believe all the (h　　　　) about the new invention.	彼はその新しい発明品についてのすべての誇大宣伝を信じようとしなかった。
0335 The program was said to have set a new (b　　　　) for documentaries.	その番組がドキュメンタリー番組の新しい基準を定めたと言われた。
0336 Racial (i　　　　) of schools was eventually mandated by the American government.	学校の人種統合は，最終的にアメリカ政府の権限で実施された。
0337 It was suspected that the boat carried (c　　　　), though none was found.	その船は密輸品を運んだのではないかと疑いをかけられたが，何も見つからなかった。
0338 The judge ordered the man to assume (l　　　　) for the accident.	判事は，その男に事故の責任を取るように命じた。
0339 The tabloid went bankrupt because so many people won (l　　　　) suits against it.	そのタブロイド紙は，あまりにも多くの人が同紙に名誉毀損訴訟で勝訴したので破産した。
0340 Each student was given a (q　　　　) for how many boxes of cookies they should sell.	各学生は，売るべきクッキーの箱の数を割り当てられた。

Unit 17の復習テスト解答　0321 apex　0322 zenith　0323 ascension　0324 conglomerate　0325 offshoot　0326 consignment　0327 conveyance　0328 durability　0329 footage　0330 gadgets　0331 glitch　0332 echelons　0333 Speculation　0334 hype　0335 benchmark　0336 integration　0337 contraband　0338 liability　0339 libel　0340 quota

Unit 19 0361~0380

書いて記憶

単語	1回目	2回目	3回目	意味
0361 **quarantine** [kwɔ́(:)rəntiːn]				隔離（期間），検疫
0362 **contingency** [kəntíndʒənsi]				不慮の出来事，偶然，不確実
0363 **concussion** [kənkʌ́ʃən]				脳震盪
0364 **blister** [blístər]				水膨れ，火膨れ
0365 **prognosis** [prɑ(:)gnóusəs]				（病気の）予後
0366 **penchant** [péntʃənt]				（～の）傾向，（～の）好み〈for〉
0367 **propensity** [prəpénsəti]				（～の）（しばしば好ましくない）傾向，（～の）性癖〈for〉
0368 **savor** [séɪvər]				（～を）思わせるもの〈of〉，風味，嗜好
0369 **banter** [bǽntər]				冗談，ひやかし
0370 **jest** [dʒest]				冗談
0371 **animosity** [ænimá(:)səti]				憎悪，敵意
0372 **aversion** [əvə́:rʒən]				（～への）嫌悪感〈to〉
0373 **acrimony** [ǽkrəmòuni]				とげとげしさ，辛辣さ
0374 **affront** [əfrʌ́nt]				（公然の）侮辱
0375 **misgiving** [mìsgívɪŋ]				（将来の結果に関しての）不安〈about〉，疑念
0376 **scruple** [skrúːpl]				罪の意識，良心の呵責
0377 **grievance** [gríːvəns]				不満，苦情
0378 **eulogy** [júːlədʒi]				追悼，賛辞
0379 **flattery** [flǽṭəri]				お世辞，おべっか
0380 **homage** [há(:)mɪdʒ]				敬意

Unit 18の復習テスト

わからないときは前Unitで確認しましょう。

例文	訳
0341 One of the (p　　　) of the job was regular meals at restaurants.	仕事の諸手当の1つは食堂での三度三度の食事である。
0342 The scholar's (a　　　) to the play were full of errors.	その劇に関する学者の注釈は、間違いだらけだった。
0343 Returning from his holiday, he found a (b　　　) of work waiting for him.	彼が休暇から戻ってくると、仕事の未処理の山が待ち受けていることがわかった。
0344 The (c　　　) of the different texts took a long time.	異なったテキストの照合作業にはかなりの時間を要した。
0345 Although a (c　　　), the hundred-dollar bill fooled almost everyone.	偽札であるにもかかわらず、その100ドル紙幣にはほとんど誰もがだまされた。
0346 I did not know he had been convicted of (f　　　) when I accepted his personal check.	私は彼から個人用小切手を受け取った時、彼が偽造で有罪になっていたのを知らなかった。
0347 The refugees applied for political (a　　　) as soon as they landed.	難民たちは、上陸すると同時に、政治的な亡命に対する庇護を申請した。
0348 In the last days of the Bosnian conflict the U.N. established 'safe (h　　　).'	ボスニア紛争の終わり頃、国連は「安全避難所」を設けた。
0349 New York is not the American capital but it is the (h　　　) of modern American life.	ニューヨークはアメリカの首都ではないが、現代のアメリカの生活の中心となっている。
0350 The sports stadium is also a popular (v　　　) for concerts.	その競技場は、よく知られたコンサートの開催地でもある。
0351 The only drawback to the new house was there were no shops in the immediate (v　　　).	新しい家の唯一の欠点は、すぐ近所に店が1軒もないことだった。
0352 The court said the company's regulations had no legal (v　　　).	裁判所はその会社の規則は法的効力がないと言った。
0353 One must often doubt the (e　　　) of the United Nations in world governance.	国連の世界統治における効力はしばしば疑う必要がある。
0354 In Japan, the pine tree is a symbol of (l　　　).	日本では、松の木は長寿のシンボルだ。
0355 The charity made great efforts to decrease infant (m　　　) among the poor.	その慈善団体は、貧困層の幼児死亡率を減らすことに多大なる努力をしていた。
0356 Smoking and drinking to excess can bring about an early (d　　　).	タバコの吸い過ぎ、酒の飲み過ぎは早期死亡の原因になることがある。
0357 Some people have a natural (i　　　) to the disease.	その病気に対する自然免疫が備わっている人たちもいる。
0358 Honey and lemon is a traditional (r　　　) for a sore throat.	ハチミツとレモンは、のどの痛みに対する伝統的治療薬である。
0359 The accident victim needed an immediate (t　　　) of a rare blood type.	その事故の被害者は、稀少な血液型の輸血を即時に必要とした。
0360 A (b　　　) of malaria generally leaves the victim much weakened.	マラリアの発作は概して被害者をさらに衰弱させる。

Unit 18の復習テスト解答　0341 perks　0342 annotations　0343 backlog　0344 collation　0345 counterfeit　0346 forgery　0347 asylum　0348 havens　0349 hub　0350 venue　0351 vicinity　0352 validity　0353 efficacy　0354 longevity　0355 mortality　0356 demise　0357 immunity　0358 remedy　0359 transfusion　0360 bout

Unit 20 0381~0400

書いて記憶　　　学習日　月　日

単語	1回目	2回目	3回目	意 味
0381 **defiance** [dɪfáɪəns]				反抗，挑戦
0382 **deportation** [dìːpɔːrtéɪʃən]				国外追放
0383 **decadence** [dékədəns]				堕落
0384 **derision** [dɪríʒən]				嘲笑
0385 **disguise** [dɪsgáɪz]				変装
0386 **conjecture** [kəndʒéktʃər]				憶測，推測
0387 **fallacy** [fæləsi]				誤った推論
0388 **decree** [dɪkríː]				法令，布告
0389 **ordinance** [ɔ́ːrdənəns]				条例，法令
0390 **precept** [príːsept]				命令書，行動上の指針，格言
0391 **elimination** [ɪlìmɪnéɪʃən]				除去，予選
0392 **exorcism** [éksɔːrsìzm]				悪魔払い
0393 **transgression** [trænsgréʃən]				違反
0394 **infringement** [ɪnfríndʒmənt]				侵害
0395 **disparity** [dɪspǽrəti]				差異，不均衡
0396 **dissension** [dɪsénʃən]				意見の衝突
0397 **discrepancy** [dɪskrépənsi]				不一致
0398 **dearth** [dəːrθ]				不足，欠乏，飢饉
0399 **deluge** [déljuːdʒ]				大洪水，豪雨
0400 **conflagration** [kàː)nfləgréɪʃən]				大火

Unit 19の復習テスト

わからないときは前Unitで確認しましょう。

例文	訳
0361 All dogs have to spend two weeks in (q　　　) before they enter the country.	すべての犬は入国前に2週間の隔離期間を経なくてはならない。
0362 The mayor insisted on preparing the city for any (c　　　).	市長は，市が不慮の出来事に備えることを主張した。
0363 After falling from her horse, she suffered a severe (c　　　).	彼女は落馬してから，激しい脳震盪にかかった。
0364 We developed (b　　　) because it was cold and dry.	寒くて乾燥していたので，私たちは水膨れができた。
0365 After he had taken some medical tests, the doctor told him that the (p　　　) was good.	いくつかの医学的検査を受けた後に，医師が予後は順調だと彼に告げた。
0366 The professor had a (p　　　) for expensive French restaurants.	その教授は高価なフランス料理店を好む傾向があった。
0367 Despite his (p　　　) for anger, he was a generous and basically kind person.	彼は怒りっぽい傾向があるが，寛大で基本的には親切な人だった。
0368 There was a (s　　　) of sarcasm in Dr. Record's speech.	レコード博士の講演には皮肉の香りが漂っていた。
0369 One eventually tires of mere (b　　　) and wants to talk seriously.	人は単なる冗談にはいつか飽きて，まじめな話がしたくなるものだ。
0370 The announcer's casual (j　　　) offended many viewers.	そのアナウンサーの不用意な冗談は，多くの視聴者の怒りを買った。
0371 It has been hard to overcome the (a　　　) between Israel and its Arab neighbors.	イスラエルとアラブ近隣諸国との間の憎悪を抑えることは難しかった。
0372 The woman said she had an (a　　　) to people smoking near her.	その女性は彼女のそばで喫煙する人に嫌悪感を抱くと言った。
0373 The problems were finally resolved but not without some (a　　　).	問題はやっと解決したが，いくらかのとげとげしさが残った。
0374 The way he was treated at the hotel was an (a　　　) to his dignity.	そのホテルの彼に対する扱いは，彼の尊厳を侮辱するものだった。
0375 Many had serious (m　　　) about the new plan to restructure the company.	会社再建の新計画には，多くの人が非常に不安を覚えた。
0376 The man felt no (s　　　) about betraying his country.	男性は母国を裏切ったことに対して罪の意識を感じなかった。
0377 He has a (g　　　) against his company, which had never rewarded him for all his hard work.	彼は，自分の激務に一度も報いてくれたことがない会社に不満を感じている。
0378 At the funeral, a friend delivered a (e　　　) to the deceased worker.	葬儀でひとりの友人が亡くなった労働者への弔辞を述べた。
0379 The professor usually dismissed the students' compliments as (f　　　) designed to get a better grade.	教授は学生たちの褒め言葉を，成績を上げてもらうためのお世辞としていつも退けた。
0380 Although we didn't always agree with his views, we never ceased to pay him (h　　　).	我々は彼の見解に必ずしも賛成したわけではなかったが，彼には常に敬意を払っていた。

Unit 19の復習テスト解答　0361 quarantine　0362 contingency　0363 concussion　0364 blisters　0365 prognosis
0366 penchant　0367 propensity　0368 savor　0369 banter　0370 jest　0371 animosity　0372 aversion　0373 acrimony　0374 affront
0375 misgivings　0376 scruples　0377 grievance　0378 eulogy　0379 flattery　0380 homage

Unit 21 0401〜0420

書いて記憶

単語	1回目	2回目	3回目	意 味
0401 **spillage** [spílɪdʒ]				流出
0402 **outage** [áʊtɪdʒ]				停止，停電
0403 **hazard** [hǽzərd]				危険
0404 **jeopardy** [dʒépərdi]				危機
0405 **pandemonium** [pæ̀ndəmóʊniəm]				混沌，修羅場
0406 **predicament** [prɪdíkəmənt]				苦境
0407 **mayhem** [méɪhèm]				大混乱
0408 **plight** [plaɪt]				苦境
0409 **hindrance** [híndrəns]				(〜の)障害物，(〜の)邪魔になるもの〈to〉
0410 **impediment** [ɪmpédɪmənt]				(〜の)障害〈to〉
0411 **impasse** [ímpæs]				行き詰まり
0412 **stalemate** [stéɪlmèɪt]				膠着状態
0413 **blunder** [blʌ́ndər]				重大なミス
0414 **fiasco** [fiǽskoʊ]				大失敗
0415 **culpability** [kʌ̀lpəbíləti]				過失の原因
0416 **catalyst** [kǽtəlɪst]				きっかけ，触発するもの
0417 **dispute** [dɪspjúːt]				論争
0418 **feud** [fjuːd]				確執
0419 **hassle** [hǽsl]				口論，わずらわしいこと
0420 **antipathy** [æntípəθi]				(〜への)反感〈to〉

Unit 20の復習テスト

わからないときは前Unitで確認しましょう。

例文	訳
0381 In a gesture of (d　　　), the terrorists pledged to strike again.	反抗的な身ぶりで、テロリストたちは再び攻撃することを誓った。
0382 The government announced the immediate (d　　　) of five diplomats.	政府は、5人の外交官を直ちに国外追放すると発表した。
0383 The preacher denounced the (d　　　) of the media.	牧師はマスコミの堕落を公然と非難した。
0384 Despite the (d　　　) of the critics, the movie was a big success.	批評家たちの嘲笑にもかかわらず、映画は大ヒットとなった。
0385 Nobody recognized the famous pop star through his (d　　　).	変装していたので、有名なポップスターに誰も気づかなかった。
0386 The defense attorney insisted that his client be convicted on facts, not on (c　　　).	依頼人は憶測ではなく事実に基づいて判決を出されるべきであると、被告側の弁護士は主張した。
0387 He said that the idea that price always indicated quality was a (f　　　).	価格が常に品質を示しているという考えは、誤った推論だと彼は言った。
0388 The dictator issued a (d　　　) banning all political parties.	独裁者はすべての政党を禁止する法令を発動した。
0389 A recent (o　　　) against smoking in public places has pleased many citizens.	公的な場所での喫煙を禁じる最近の条例が、多くの市民を喜ばせた。
0390 The mayor issued a formal (p　　　) regulating the use of firearms within the city limits.	市長は市内における銃器使用を規制する正式の令状を発行した。
0391 Green Peace seeks the complete (e　　　) of all nuclear testing.	グリーン・ピースはあらゆる核実験の完全撤廃を求めている。
0392 Even today, (e　　　) are sometimes held in haunted houses.	今日ですら幽霊屋敷ではときどき悪魔払いが行われている。
0393 In the prison, even minor (t　　　) were severely punished.	刑務所では小さな違反でさえ厳しく処罰された。
0394 The article was considered an (i　　　) of the celebrity's privacy.	その記事は有名人のプライバシーの侵害だと見なされた。
0395 Despite the (d　　　) in their ages, the little boy got on very well with his grandfather.	年齢の差があるにもかかわらず、その小さな男の子は祖父と仲良しだった。
0396 There was much (d　　　) when women were admitted to the club.	女性たちがそのクラブに入会を許可された時、多くの意見の衝突が起こった。
0397 An auditor found a large (d　　　) in the accounts of the bank's transactions.	会計検査官は、その銀行の取引の貸借勘定に大きな不一致を見つけた。
0398 A (d　　　) of fresh water required that barren farmland undergo irrigation.	淡水不足のため、不毛な農地は灌漑しなくてはならなかった。
0399 The Biblical story of Noah's Ark describes a great (d　　　) that floods the earth.	ノアの箱舟についての聖書の物語は、地上に氾濫する大洪水を描いている。
0400 Massive (c　　　) have nearly destroyed the city on several occasions.	過去何回も、大火災がその都市を壊滅に近い状態にしてきた。

単語編

でる度 A

0401〜0420

Unit 20の復習テスト解答 　0381 defiance　0382 deportation　0383 decadence　0384 derision　0385 disguise　0386 conjecture
0387 fallacy　0388 decree　0389 ordinance　0390 precept　0391 elimination　0392 exorcisms　0393 transgressions
0394 infringement　0395 disparity　0396 dissension　0397 discrepancy　0398 dearth　0399 deluge　0400 conflagrations

Unit 22　0421〜0440

書いて記憶

単語	1回目	2回目	3回目	意味
0421 **atrocity** [ətrá(:)səti]				残虐
0422 **vandalism** [vǽndəlìzm]				芸術品・公共物などの破壊
0423 **devastation** [dèvəstéɪʃən]				破壊, 荒廃
0424 **havoc** [hǽvək]				大混乱, 破壊
0425 **wreckage** [rékɪdʒ]				残骸
0426 **rubble** [rʌ́bl]				瓦礫, 石片
0427 **regime** [rəʒíːm]				政権, 政体
0428 **exodus** [éksədəs]				大量出国, 移住, (the E-)(イスラエル人の)エジプト脱出
0429 **onslaught** [ɑ́(:)nslɔ̀:t]				猛攻撃
0430 **amnesty** [ǽmnəsti]				恩赦
0431 **barrage** [bərɑ́:ʒ]				(質問などの)集中砲火, 弾幕
0432 **brunt** [brʌnt]				矢面, 攻撃の矛先
0433 **cessation** [seséɪʃən]				停止
0434 **cipher** [sáɪfər]				暗号
0435 **retribution** [rètrɪbjúːʃən]				報い, 仕返し
0436 **repeal** [rɪpíːl]				撤廃, 破棄
0437 **provision** [prəvíʒən]				配給
0438 **repercussion** [rìːpərkʌ́ʃən]				影響, (音の)反響
0439 **reprisal** [rɪpráɪzəl]				報復
0440 **faction** [fǽkʃən]				派閥

Unit 21の復習テスト

わからないときは前Unitで確認しましょう。

例文	訳
0401 The accident led to a (s　　　) of dangerous chemicals.	事故は危険な化学薬品の流出を引き起こした。
0402 The typhoon caused power (o　　　) across the whole region.	台風は地域全体の停電を引き起こした。
0403 The dump site was deemed a health (h　　　) to people in the community.	ごみ投棄場は、地域住民にとって健康上危険であるとされた。
0404 The scandal put the businessman's career in (j　　　).	そのスキャンダルは実業家の経歴を危機に陥れた。
0405 (P　　　) broke out when officials announced that the game would be postponed.	審判が試合は延期されると発表すると、混沌状態となった。
0406 He was saved from his (p　　　) by a loan from his father-in-law.	義父からの融資によって彼は苦境から救われた。
0407 People began to fight and the meeting became (m　　　).	人々はけんかを始めたので、会議は大混乱となった。
0408 Moved by the (p　　　) of the refugees, the millionaire donated a large sum to help them.	難民たちの苦境に心を動かされて、その大富豪は彼らの援助のために多額の寄付をした。
0409 The greatest (h　　　) to their studies was a lack of up-to-date textbooks.	彼らの勉学に対する最大の障害は、最新の教科書が不足していることだった。
0410 A series of environmental disasters created additional (i　　　) to economic recovery.	一連の環境災害が経済復興のさらなる障害となった。
0411 We were locked in an ideological (i　　　) that made it difficult to come to an agreement.	我々はイデオロギー上の行き詰まりに陥り、合意に達するのが難しかった。
0412 After days of fighting, the armies reached a (s　　　).	何日間にもわたる戦いの後、両軍は膠着状態に陥った。
0413 The investigation blamed a series of (b　　　) for the accident.	調査はその事故の原因に一連の重大ミスを挙げた。
0414 Our expedition to the Himalayas was a complete (f　　　).	我々のヒマラヤ遠征は大失敗だった。
0415 The report failed to determine (c　　　) for the accident.	報告ではその事故の過失の原因を特定することができなかった。
0416 The minister's resignation proved to be the (c　　　) for a general election.	大臣の辞任が総選挙のきっかけとなったことがわかった。
0417 The government said it could not interfere in an industrial (d　　　).	労働争議に介入することはできないと、政府は発言した。
0418 The two families had been waging a (f　　　) for years.	両家には多年にわたる確執があった。
0419 I got into a (h　　　) with the tax office over my tax liability.	私は、私の納税義務をめぐって税務署と口論をした。
0420 She felt an (a　　　) to her new boss from the moment she met him.	会ってすぐに、彼女は新しい上司に反感を覚えた。

でる度 **A**
0421～0440

Unit 21の復習テスト解答　0401 spillage　0402 outages　0403 hazard　0404 jeopardy　0405 Pandemonium　0406 predicament
0407 mayhem　0408 plight　0409 hindrance　0410 impediments　0411 impasse　0412 stalemate　0413 blunders　0414 fiasco
0415 culpability　0416 catalyst　0417 dispute　0418 feud　0419 hassle　0420 antipathy

Unit 23 0441~0460

書いて記憶

単語	1回目	2回目	3回目	意味
0441 **rampage** [ræmpeɪdʒ]				狂暴な行動
0442 **menace** [ménəs]				(～に対する)脅威 ⟨to⟩
0443 **upheaval** [ʌphíːvəl]				(社会・政治などの)激変, (地殻の)隆起
0444 **commotion** [kəmóʊʃən]				騒動, 動揺
0445 **concession** [kənséʃən]				譲歩
0446 **curfew** [kə́ːrfjuː]				夜間外出禁止令, 門限
0447 **ultimatum** [ʌ̀ltɪméɪṭəm]				最終通告
0448 **truancy** [trúːənsi]				無断欠席, ずる休み
0449 **hindsight** [háɪndsàɪt]				後知恵
0450 **maxim** [mǽksɪm]				行動原理, 格言
0451 **memento** [məméntoʊ]				記念品, 形見
0452 **cinch** [sɪntʃ]				簡単なこと
0453 **vent** [vent]				通気孔, 穴, はけ口
0454 **solace** [sá(ː)ləs]				慰め, 癒やし
0455 **trance** [træns]				昏睡状態
0456 **felicity** [fəlísəṭi]				慶事
0457 **entity** [éntəṭi]				独立体, 存在, 本質
0458 **premises** [prémɪsɪz]				(建物を含めた)土地
0459 **pretext** [príːtekst]				口実
0460 **creed** [kriːd]				信条

Unit 22の復習テスト

わからないときは前Unitで確認しましょう。

例文	訳
0421 The (a　　　) of the mass killings still causes the survivors to have nightmares.	大量殺戮の残虐性が原因で、生存者たちは今でも悪夢を見る。
0422 The art critic said that the plans for the new city center were simply bureaucratic (v　　　).	その美術批評家は、新しい都市センターの計画は官僚的な文化芸術への破壊行為にすぎないと発言した。
0423 (D　　　) from natural forces can exceed our wildest projections.	自然の力が持つ破壊力は、我々の大胆な予測をも超えることすらある。
0424 The riot at the stadium created general (h　　　) for the fans and officials.	スタジアムの騒動がファンと係員を巻き込む大混乱を引き起こした。
0425 Experts searched the (w　　　) of the crashed airplane for clues.	専門家たちは（事故の原因の）手がかりを得るために、墜落した飛行機の残骸を探した。
0426 Clearing away (r　　　) after the accident was itself a huge task.	事故の後、瓦礫を片付けること自体が大変な仕事だった。
0427 The country was ruled by a military (r　　　) led by a general.	その国は将軍によって率いられた軍事政権に統治されていた。
0428 During the civil war there was a mass (e　　　) by the villagers into neighboring countries.	内戦の間、村人による隣国への大量出国があった。
0429 The little town withstood the enemy's (o　　　) for three days.	その小さな町は、敵軍の3日間にわたる猛攻撃に耐え抜いた。
0430 An (a　　　) for all political prisoners was announced by the new government.	すべての政治犯の恩赦が、新政府によって発表された。
0431 The film star was faced with a (b　　　) of questions about his upcoming divorce.	その映画俳優は今度の離婚に関する質問の集中砲火に直面した。
0432 The capital city bore the (b　　　) of the enemy's bombing campaign.	首都が敵国の爆撃作戦の矢面に立った。
0433 The first step in any peace process is an initial (c　　　) of hostilities.	いかなる和平交渉においても第一歩は、まず敵対行為を停止することである。
0434 During the war, the mathematician had created (c　　　) for the army.	戦時中、数学者は軍隊のために暗号を作り出した。
0435 Christians are supposed to believe that (r　　　) is the right of God alone.	キリスト教徒は、（悪事の）報いは神のみに許された権利と信じるべきとされる。
0436 Many people were calling for the (r　　　) of the harsh new anti-terrorism laws.	新たに制定された厳し過ぎる反テロリズム法の撤廃を、多くの人々が要求していた。
0437 The army was made responsible for the (p　　　) of food to the refugees.	軍隊は避難民への食糧品の配給の責任を担った。
0438 The (r　　　) of the debt crisis included a fall in stock prices.	債務危機の影響は、株価下落を招いた。
0439 Following the rebellion, the government carried out savage (r　　　).	反乱の後をたどるように、政府は激しい報復をした。
0440 Each (f　　　) in the party wanted its candidate to have the job.	その党内の派閥それぞれが、その立候補者にその職に就くことを望んだ。

Unit 22の復習テスト解答　0421 atrocity　0422 vandalism　0423 Devastation　0424 havoc　0425 wreckage　0426 rubble
0427 regime　0428 exodus　0429 onslaught　0430 amnesty　0431 barrage　0432 brunt　0433 cessation　0434 ciphers
0435 retribution　0436 repeal　0437 provision　0438 repercussions　0439 reprisals　0440 faction

Unit 24　0461〜0480

書いて記憶

単語	1回目	2回目	3回目	意味
0461 **quandary** [kwá(:)ndəri]				板挟み，苦境
0462 **depiction** [dipíkʃən]				描写
0463 **farce** [fɑːrs]				道化芝居
0464 **juncture** [dʒʌ́ŋktʃər]				(決定的な)時点，岐路
0465 **misnomer** [mìsnóumər]				誤った名称
0466 **clique** [kliːk]				小集団，派閥
0467 **clout** [klaut]				殴ること，権力，影響力
0468 **gimmick** [gímɪk]				巧妙な仕掛け
0469 **ordeal** [ɔːrdíːl]				厳しい試練，苦難
0470 **polarization** [pòulərəzéɪʃən]				二極化
0471 **prerogative** [prɪrá(:)gətɪv]				特権，大権
0472 **ramification** [ræmɪfɪkéɪʃən]				厄介事，派生問題，分枝
0473 **altruistic** [æltruístɪk]				利他的な
0474 **profound** [prəfáund]				深い，深遠な
0475 **skeptical** [sképtɪkəl]				懐疑的な
0476 **widespread** [wáɪdsprèd]				広範な，広く知られた
0477 **anonymous** [əná(:)nɪməs]				作者不詳の，匿名の
0478 **contentious** [kənténʃəs]				論争好きな
0479 **authentic** [ɔːθéntɪk]				本物の，確実な，信頼できる
0480 **paramount** [pǽrəmàunt]				最高(位)の

Unit 23の復習テスト

わからないときは前Unitで確認しましょう。

例文	訳
0441 The soccer fans went on a (r　　　), breaking shop windows.	サッカーファンは、狂暴な行動に出て、店の窓を割った。
0442 The politician said that young hooligans were becoming an increasing (m　　　) to society.	不良少年たちがますます社会に対する脅威になりつつあると、その政治家は発言した。
0443 Scientists theorize that an environmental (u　　　) caused by a huge meteorite destroyed the dinosaurs.	科学者は、巨大な隕石による環境の激変で恐竜が死に絶えたという理論を立てている。
0444 The teacher heard a (c　　　) going on in a neighboring classroom.	その教師は隣の教室で騒動が起こっているのを聞いた。
0445 However long we negotiated, the enemy refused to make any (c　　　).	長時間の交渉にもかかわらず、敵軍は譲歩することを拒否した。
0446 The government imposed a (c　　　) in an attempt to prevent further protests.	政府は、それ以上の抗議行動を防ぐべく、夜間外出禁止令を敷いた。
0447 The company finally issued him an (u　　　) to work harder or be fired.	会社はついに、もっと一生懸命働くかクビになるかの最後通告を彼に出した。
0448 Parents are held responsible for the (t　　　) of their children.	子どもの無断欠席の責任は両親にある。
0449 With (h　　　), the company realized that it could have prevented a grave mistake.	後から考えると、その会社は重大な過ちを防げたはずだったということに気がついた。
0450 His (m　　　) in business had always been that honesty was the best policy.	仕事における彼の行動原理はずっと、正直こそ最善の策というものだった。
0451 The students gave their teacher a (m　　　) in appreciation of his great teaching.	学生たちは素晴らしい授業に感謝して、先生に記念品を贈った。
0452 After the exam, he said it had been a (c　　　) and he was sure that he had passed.	試験が終わると、彼は、試験は朝飯前だったし合格を確信していると言った。
0453 A blockage in the (v　　　) rendered the air-conditioning system ineffective.	通気孔部分がふさがって、エアコンが効かなくなった。
0454 After his wife died, the man sought (s　　　) in his work.	妻を亡くしてから、男は仕事に慰めを求めた。
0455 The hypnotist put the volunteer into a deep (t　　　).	催眠術師はその志願者を深い昏睡状態に陥らせた。
0456 Beneath a facade of domestic (f　　　), the marriage was in trouble.	家庭の慶事の見せかけの裏で、その結婚は危機に陥っていた。
0457 The university's publishers are a separate (e　　　) from the university and manage their own finances.	大学出版局は大学とは別個の事業体であり、独自に会計を行っている。
0458 No one can enter his (p　　　) without formal approval.	正式な許可なしには、誰も彼の土地に立ち入ることはできない。
0459 He called me under the (p　　　) of inviting me to a party.	彼は、私をパーティーに招くことを口実に、私に電話をかけてきた。
0460 Although they follow different (c　　　), they still decided to marry.	2人は信条は異なるが、それでも結婚することに決めた。

でる度 A

0461 〜 0480

Unit 23の復習テスト解答　0441 rampage　0442 menace　0443 upheaval　0444 commotion　0445 concessions　0446 curfew　0447 ultimatum　0448 truancy　0449 hindsight　0450 maxim　0451 memento　0452 cinch　0453 vents　0454 solace　0455 trance　0456 felicity　0457 entity　0458 premises　0459 pretext　0460 creeds

Unit 25 | 0481~0500

書いて記憶

単語	1回目	2回目	3回目	意 味
0481 **replicate** [réplikət]				複製された
0482 **lucrative** [lú:krətɪv]				儲かる
0483 **clumsy** [klʌ́mzi]				不器用な
0484 **defunct** [dɪfʌ́ŋkt]				使用されていない
0485 **discernible** [dɪsə́:rnəbl]				認識できる
0486 **futile** [fjú:tl]				無駄な
0487 **prolific** [prəlífɪk]				多作の
0488 **inscrutable** [ɪnskrú:təbl]				謎めいた，不可解な
0489 **manifest** [mǽnɪfèst]				明らかな
0490 **ubiquitous** [jubíkwətəs]				遍在する
0491 **occidental** [à(:)ksədéntəl]				西洋の
0492 **exemplary** [ɪgzémpləri]				模範的な
0493 **commensurate** [kəménsərət]				(～に)釣り合った，(～と)同程度の〈with〉
0494 **transient** [trǽnziənt]				はかない
0495 **ostensible** [ɑ(:)sténsəbl]				表向きの，見せかけの，明らかな
0496 **aesthetically** [esθétɪkəli]				美的に
0497 **marginally** [má:rdʒənəli]				かろうじて，わずかに
0498 **indigenous** [ɪndídʒənəs]				土着の，(その土地に)固有の，生まれながらの
0499 **inherent** [ɪnhíərənt]				生来の，固有の
0500 **intrinsic** [ɪntrínsɪk]				固有の，本質的な

Unit 24 の復習テスト

例文	訳
0461 When he was offered both jobs, he found himself in a (q　　　).	両方の仕事の申し出を受けて、彼は板挟みの状態に自分がいることに気付いた。
0462 Some felt that the film's (d　　　) of the queen was disrespectful.	映画での女王の描写が失礼だと感じる人たちもいた。
0463 The comedian first made his name in a theatrical (f　　　).	その喜劇役者が初めて有名になったは、劇場で演じた道化芝居だった。
0464 At this (j　　　), the chairman of the conference announced a short break.	この重大時に、会議の議長は短い休憩を取ると発表した。
0465 It would be a (m　　　) to describe him as a specialist in the subject.	彼をその分野の専門家と評することは間違った呼び方となるだろう。
0466 The group of boys formed an exclusive (c　　　) in the school.	少年のグループは学校で排他的な小集団を作った。
0467 The heavyweight boxer could deliver an incredible (c　　　) with either fist.	そのヘビー級ボクサーは、どちらのこぶしでも、とてつもないパンチを繰り出すことができた。
0468 He dismissed the new policy as just a (g　　　) to attract voters.	新たな政策は有権者を引きつける巧妙な仕掛けにすぎないと、彼は退けた。
0469 She found giving evidence in the trial a terrible (o　　　).	裁判で証言するのは恐ろしい試練だと彼女は感じた。
0470 The growing (p　　　) between rich and poor is threatening the country's social stability.	貧富の二極化の拡大が、その国の社会的安定を脅かしている。
0471 It was the professor's (p　　　) to decide the textbook for the course.	講座の教材を決めるのは、教授の特権だった。
0472 The full (r　　　) of cloning are yet to be understood.	クローンの厄介な問題がどうなるか、すべてわかるのはこれからだ。
0473 The businessman said his donations had been (a　　　) in nature.	その実業家は、自分の寄付は本質的に利他的な性質のものだと述べた。
0474 His last novels are considered (p　　　) meditations on the nature of human evil.	彼の最近の小説は、人間の邪悪さの本質を深く熟考したものと見なされている。
0475 Although he assured me he would help, I remained (s　　　).	彼は助けてくれることを請け合ったが、私は懐疑的なままだった。
0476 The move provoked (w　　　) opposition throughout the country.	その運動は、国中で広範な反対を引き起こした。
0477 Scholars are studying an (a　　　), fifth-century B.C. manuscript.	学者たちは作者不詳の紀元前5世紀の写本を調べている。
0478 It's often hard to deal with his (c　　　) attitude.	彼の論争好きな態度は、往々にして御しがたい。
0479 Van Gogh's "Sunflowers", now in a Tokyo museum, was proven to be (a　　　).	ヴァン・ゴッホの『ひまわり』は今東京のさる美術館にあるが、本物であることが証明された。
0480 Mao Zedong was the (p　　　) leader of the Chinese communist revolution.	毛沢東は中国共産革命の最高指導者だった。

でる度 A
0481〜0500

Unit 24 の復習テスト解答　0461 quandary　0462 depiction　0463 farce　0464 juncture　0465 misnomer　0466 clique
0467 clout　0468 gimmick　0469 ordeal　0470 polarization　0471 prerogative　0472 ramifications　0473 altruistic　0474 profound
0475 skeptical　0476 widespread　0477 anonymous　0478 contentious　0479 authentic　0480 paramount

Unit 26　0501~0520

書いて記憶

単語	1回目	2回目	3回目	意味
0501 **latent** [léɪtənt]				潜在的な
0502 **extrinsic** [ekstrínsɪk]				外的な，非本質的な
0503 **covert** [kóʊvəːrt]				秘密の
0504 **clandestine** [klændéstɪn]				秘密の，人目をはばかる
0505 **classified** [klǽsɪfàɪd]				機密扱いの，分類された
0506 **ulterior** [ʌltíəriər]				隠された，ずっと遠い
0507 **surreptitiously** [sə̀ːrəptíʃəsli]				こっそりと
0508 **equivalent** [ɪkwívələnt]				(~と)等価の⟨to⟩
0509 **tantamount** [tǽntəmàʊnt]				(~と)等しい⟨to⟩
0510 **rigorous** [rígərəs]				厳しい
0511 **stringent** [stríndʒənt]				厳しい
0512 **austere** [ɔːstíər]				厳しい
0513 **caustic** [kɔ́ːstɪk]				辛辣な
0514 **scarce** [skeərs]				希少な，珍しい
0515 **subtle** [sʌ́tl]				微妙な，鋭い
0516 **meager** [míːgər]				(収入・食事などが)乏しい，やせた
0517 **sophisticated** [səfístɪkèɪtɪd]				洗練された，複雑な
0518 **sublime** [səbláɪm]				荘厳な，崇高な
0519 **exquisite** [ɪkskwízɪt]				絶妙な，洗練された
0520 **susceptible** [səséptəbl]				(~に)影響されやすい⟨to⟩

Unit 25の復習テスト

例文	訳
0481 He created a (r) volume that looked exactly like the original book.	彼は原本とうり二つの複製版を作った。
0482 I knew a man who built a very (l) business from the repair and resale of junk appliances.	私は，ガラクタの電化製品を修理・販売して，非常に儲かる商売を築き上げた男を知っていた。
0483 She was a (c) girl who often dropped or spilled things.	彼女は，たびたび物を落としたりこぼしたりするような，不器用な女の子だった。
0484 The factory had long been (d) and was now a ruin.	工場は長い間，使用されていなかったので，今では荒廃した状態になっていた。
0485 His teacher said there had been no (d) improvement in his work.	彼の学業成績に認識できる成果は上がっていないと先生は言った。
0486 Having failed to get into university, the students' years of study appear to have been (f).	その学生たちは大学に入れなかったので，長年の勉強が無駄だったように思われる。
0487 The author Isaac Asimov astonished everyone with his (p) output.	作家アイザック・アシモフはその多作で皆を驚かせた。
0488 The smile of the "Mona Lisa" is said to be (i).	『モナリザ』の微笑みは謎とされている。
0489 The problem was (m) to all those at the conference.	会議に出席しているすべての人々にとって，その問題は明らかだった。
0490 At certain times of the year in Bali, tourists seem to be (u).	バリ島では毎年ある時期になると観光客が至る所にいるようだ。
0491 That professor is well versed in both Oriental and (O) philosophy.	その教授は東洋，西洋両方の哲学に詳しい。
0492 She was an (e) student who gained straight 'A's.	彼女は成績がオールAの模範的な学生だった。
0493 We want to keep our expenditures (c) with our income.	支出を収入に釣り合ったものにし続けたい。
0494 The (t) nature of all living things is the essence of Buddhism.	すべての生きとし生けるものははかないという自然の理法は，仏教の本質である。
0495 His (o) purpose was to deliver a present, but actually he had another aim.	彼の表向きの目的は贈り物を届けることだったが，彼には実は別の目的があった。
0496 The car was cheap and yet had an (a) satisfying design.	その車は安かったが，それにもかかわらず美的な満足感を与えてくれるデザインだった。
0497 The student's grades improved (m) in his second year.	その生徒の成績は2年生の時にかろうじて上がった。
0498 The (i) peoples of many countries have been persecuted or killed.	多くの国の先住民が迫害されたり殺害されたりしてきた。
0499 Human beings possess an (i) ability to acquire language.	人類は言語を習得する生来の能力を持っている。
0500 Humans and some apes have an (i) ability to walk on two legs.	人類とある種の類人猿は2足歩行という固有の能力を持っている。

Unit 25の復習テスト解答
0481 replicate　0482 lucrative　0483 clumsy　0484 defunct　0485 discernible　0486 futile
0487 prolific　0488 inscrutable　0489 manifest　0490 ubiquitous　0491 Occidental　0492 exemplary　0493 commensurate
0494 transient　0495 ostensible　0496 aesthetically　0497 marginally　0498 indigenous　0499 inherent　0500 intrinsic

Unit 27 0521〜0540

書いて記憶

単語	1回目	2回目	3回目	意 味
0521 **vulnerable** [vʌ́lnərəbl]				(〜に)傷つきやすい⟨to⟩, もろい
0522 **impervious** [ɪmpə́ːrviəs]				(〜に)影響されない⟨to⟩
0523 **impending** [ɪmpéndɪŋ]				差し迫った
0524 **imminent** [ímɪnənt]				切迫した
0525 **frugal** [frúːgəl]				倹約的な, 質素な
0526 **thrifty** [θrífti]				倹約する, つましい
0527 **adamant** [ǽdəmənt]				断固とした
0528 **obstinate** [ɑ́(ː)bstɪnət]				頑固な
0529 **stubborn** [stʌ́bərn]				頑固な
0530 **candid** [kǽndɪd]				率直な
0531 **meekly** [míːkli]				素直に
0532 **affluent** [ǽfluənt]				裕福な, 豊富な
0533 **superfluous** [supə́ːrfluəs]				過剰の, 余分な
0534 **engrossed** [ɪŋgróust]				(〜に)夢中になって⟨in⟩
0535 **exuberant** [ɪgzjúːbərənt]				熱狂的な, あふれるばかりの
0536 **frenetic** [frənétɪk]				熱狂した
0537 **infatuated** [ɪnfǽʃuèɪtɪd]				(〜に)夢中な⟨with⟩
0538 **ecstatic** [ɪkstǽtɪk]				有頂天の, 恍惚とした
0539 **dubious** [djúːbiəs]				半信半疑の
0540 **ambivalent** [æmbívələnt]				相反する感情を持った, 曖昧な

Unit 26の復習テスト

わからないときは前Unitで確認しましょう。

例文	訳
0501 All his (l) hostility to his father was brought out by the incident.	父親に対して抱いていた彼の潜在的な憎悪が全部，その出来事によって噴出した。
0502 He studied hard not because he enjoyed it but for the (e) rewards good grades would bring.	彼が一生懸命勉強したのは，勉強が楽しいからではなく，良い成績がもたらす外的な褒美のためであった。
0503 The (c) activities of the CIA have been roundly condemned.	CIAの秘密工作が厳しく非難された。
0504 Their meeting always had to be (c) and brief.	彼らの会議は，いつも秘密裡に行われ，かつ手短でなくてはならなかった。
0505 The clerk said that the information was (c) and so could not be released.	情報は機密扱いなので公表できないと，その事務員は言った。
0506 Their job offer to me was so generous that I suspected an (u) motive.	彼らの仕事の条件はあまりに気前よかったので，私は隠された目的があるのではないかと疑った。
0507 He tried to read the letter (s) but his wife noticed it.	彼はその手紙をこっそり読もうとしたが，彼の妻は気付いた。
0508 The scientist said that the cut in funding was (e) to canceling the research altogether.	この財政的支援の削減は研究の完全中止に等しいと，その科学者は発言した。
0509 His silence was (t) to an admission of guilt.	彼の沈黙は罪を認めたことに等しかった。
0510 Medical science is usually thought to be a (r) intellectual challenge.	医学は厳しい知的な試練の場だと普通は考えられている。
0511 The standards set for passing the exam were quite (s).	その試験の合格基準は極めて厳しかった。
0512 His (a) expression and manner belied the kindness underneath.	彼の厳しい表情と態度のために，根底にある親切心が伝わらなかった。
0513 Susie was offended by his (c) remarks.	スージーは彼の辛辣な批評に気分を害していた。
0514 Crows used to be common here, but now they have grown quite (s).	カラスはこの辺りによくいたものだが，現在ではかなり希少になっている。
0515 He learned to recognize the (s) differences between one butterfly and another.	彼はチョウとチョウとの微妙な違いを見分けられるようになった。
0516 The young couple can barely live on their (m) income.	その若い夫婦は乏しい収入でやっと暮らしていくことができる。
0517 Her manner is charming but not what one would call (s).	彼女の振る舞いは愛嬌があるが，洗練されていると言えるものではない。
0518 The poetry of Dante's "Divine Comedy" is (s).	ダンテの『神曲』の詩は荘厳だ。
0519 This lady's spring kimono is of (e) design and quality.	この女性用の春物の着物は絶妙なデザインと品質だ。
0520 People with a poor diet are especially (s) to colds and the flu.	貧弱な食生活をしている人たちは，特に風邪やインフルエンザにかかりやすい。

でる度 A
0521〜0540

Unit 26の復習テスト解答　0501 latent　0502 extrinsic　0503 covert　0504 clandestine　0505 classified　0506 ulterior　0507 surreptitiously　0508 equivalent　0509 tantamount　0510 rigorous　0511 stringent　0512 austere　0513 caustic　0514 scarce　0515 subtle　0516 meager　0517 sophisticated　0518 sublime　0519 exquisite　0520 susceptible

Unit 28 0541〜0560

書いて記憶

学習日　　月　　日

単語	1回目	2回目	3回目	意味
0541 **precarious** [prɪkéəriəs]				不安定な
0542 **inclusive** [ɪnklúːsɪv]				包括的な
0543 **exclusive** [ɪksklúːsɪv]				独占的な，(〜に)専用の〈to〉
0544 **abject** [ǽbdʒekt]				絶望的な，悲惨な
0545 **deplorable** [dɪplɔ́ːrəbl]				嘆かわしい
0546 **abridged** [əbrídʒd]				要約された
0547 **succinct** [sʌksíŋkt]				簡潔な
0548 **adroit** [ədrɔ́ɪt]				巧みな，器用な
0549 **adept** [ədépt]				(〜に)熟練した〈at, in〉
0550 **inept** [ɪnépt]				不適切な
0551 **vigorous** [vígərəs]				積極的な
0552 **avid** [ǽvɪd]				熱心な，渇望している
0553 **antagonistic** [æntǽgənístɪk]				敵対的な
0554 **arbitrary** [ɑ́ːrbətrèri]				独断的な，専制的な，気まぐれな
0555 **belligerent** [bəlídʒərənt]				けんか腰の，好戦的な，交戦中の
0556 **sinister** [sínɪstər]				陰険な，邪悪な，不吉な
0557 **blatantly** [bléɪtəntli]				露骨に
0558 **bluntly** [blʌ́ntli]				ぶっきらぼうに，そっけなく
0559 **curtly** [kəːrtli]				ぶっきらぼうに，そっけなく
0560 **aloof** [əlúːf]				よそよそしい，冷淡な

Unit 27の復習テスト

わからないときは前Unitで確認しましょう。

No.	例文	訳
0521	The AIDS virus makes its victims (v) to normally minor illnesses.	エイズ・ウイルスに感染すると，患者は普通は大したことのない病気にも弱くなる。
0522	His mother begged him to study but he was (i) to her appeals.	母親は彼に勉強するように願ったが，彼は母親の訴えに耳を貸さなかった。
0523	Weather forecasters warned of an (i) storm from the hurricane.	気象予報士たちはハリケーンによる差し迫った暴風雨を警告した。
0524	Most seismologists predict that a big earthquake is (i) in the country.	ほとんどの地震学者は，大地震がその国に迫っていると予測している。
0525	Despite years of (f) management, the company is still struggling.	倹約的な経営を何年も続けたにもかかわらず，会社は依然として苦闘している。
0526	Even after he made his fortune, he remained very (t) about money.	彼は一財産築いた後でさえ，お金に対してとても倹約家のままだった。
0527	The accused man was (a) that he was innocent despite the evidence against him.	被告人は証拠が不利であるにもかかわらず，自分は無罪であるとして譲らなかった。
0528	She knew that her husband, with his (o) character, would be difficult to persuade.	頑固な性格の夫の説得が難しいであろうことを，彼女はわかっていた。
0529	Her husband's (s) refusal even to listen to her suggestion infuriated her.	彼女の忠告に耳を貸すことさえも頑固に拒絶する夫に，彼女は激怒した。
0530	Political meetings hardly ever seem to be constructive and (c).	政治集会が建設的で率直であることはほとんどないようだ。
0531	Despite his fame, the scientist (m) accepted the student's criticisms.	名声があるにもかかわらず，その科学者は素直に学生の批判を受け入れた。
0532	As a population grows more (a), it naturally begins to buy more luxury goods.	人々が裕福になればなるほど，必然的によりぜいたくなものを買い始める。
0533	Sometimes we tire of (s) rules and regulations.	私たちは時に過度の決まりや規則が嫌になる。
0534	He was so (e) in the movie that he failed to hear the doorbell.	彼はその映画にとても夢中になっていたので，ドアのベルが聞こえなかった。
0535	Her (e) and passionate acting debut won her wide acclaim.	彼女の熱狂的で情熱的な演技のデビューは広く喝采を浴びた。
0536	With his rural background, he found it hard to adjust to the (f) pace of the city.	彼は地方出身で，都会の熱狂したようなペースに適応するのに困難を覚えた。
0537	The student became (i) with her glamorous literature professor.	学生は(彼女の)魅力的な文学の教授に夢中になった。
0538	When the president saw the excellent sales figures, he felt (e).	すば抜けた売上高の数字を見て，社長は有頂天になった。
0539	He assured me that things were fine, but I remained somewhat (d).	事態はうまくいっていると彼は私に断言したが，私はいくぶん半信半疑のままだった。
0540	He felt (a) about his promotion because it would involve more work.	昇進すると仕事が増えるので，彼は曖昧な感情を抱いていた。

でる度 **A**
0541〜0560

Unit 27の復習テスト解答
0521 vulnerable　0522 impervious　0523 impending　0524 imminent　0525 frugal　0526 thrifty
0527 adamant　0528 obstinate　0529 stubborn　0530 candid　0531 meekly　0532 affluent　0533 superfluous　0534 engrossed
0535 exuberant　0536 frenetic　0537 infatuated　0538 ecstatic　0539 dubious　0540 ambivalent

Unit 29　0561〜0580

書いて記憶

単語	1回目	2回目	3回目	意味
0561 **apathetic** [æpəθétɪk]				無関心な
0562 **contagious** [kəntéɪdʒəs]				伝染性の
0563 **epidemic** [èpɪdémɪk]				蔓延している, 伝染性の
0564 **endemic** [endémɪk]				特有の
0565 **infectious** [ɪnfékʃəs]				伝染性の
0566 **infested** [ɪnféstɪd]				はびこっている
0567 **pandemic** [pændémɪk]				(世界的に)流行性の
0568 **pervasive** [pərvéɪsɪv]				蔓延する
0569 **rife** [raɪf]				(好ましくないことに)満ちて〈with〉, 広まって
0570 **contemplative** [kəntémplətɪv]				沈思黙考する, めい想する
0571 **scrupulous** [skrúːpjʊləs]				慎重な
0572 **meticulous** [mətíkjʊləs]				細かいことに気を遣う
0573 **cursory** [kɔ́ːrsəri]				大ざっぱな, ぞんざいな, 上っ面の
0574 **erratic** [ɪrǽtɪk]				不規則な, 風変わりな
0575 **erroneous** [ɪróʊniəs]				誤った, 間違った
0576 **derogatory** [dɪrɑ́(ː)gətɔ̀ːri]				軽蔑的な
0577 **detrimental** [dètrɪméntəl]				(〜に)有害な〈to〉
0578 **diffident** [dífɪdənt]				自信のない
0579 **dissident** [dísɪdənt]				異論を持つ, 反体制の
0580 **disgruntled** [dɪsgrʌ́ntld]				不満な, 不機嫌な

Unit 28 の復習テスト

わからないときは前Unitで確認しましょう。

例文	訳
0541 Peace in this country depends on a (p　　　) balance of force and diplomacy.	この国の平和は武力と外交の危ういバランスに依存している。
0542 He said he wanted to create an (i　　　) society in which everybody felt valued.	誰もが自分が尊重されていると実感できるような包括的な社会を作りたいと，彼は言った。
0543 The prime minister granted an (e　　　) interview to one newspaper.	首相は新聞社1社に対して独占インタビューを許可した。
0544 In his later years, the artist fell into (a　　　) poverty and died penniless.	その芸術家は晩年には絶望的な貧困に陥り，無一文で亡くなった。
0545 The decision to expel the refugees was a (d　　　) one.	難民を国外に追放するという決定は嘆かわしいものだった。
0546 An (a　　　) edition for non-specialists was also published.	専門家でない人たちのための要約版も出版された。
0547 The White House issued a (s　　　) statement denying all allegations.	ホワイトハウスはすべての申し立てを否定する簡潔な声明を発表した。
0548 In the final moments of the game he made an (a　　　) pass that led to a winning goal.	試合のラスト数分で，彼は巧みなパスを出して，決勝点を導いた。
0549 The spokesperson was (a　　　) at handling difficult questions and answered smoothly.	その広報担当官は，難しい質問を処理することにたけており，よどみなく答えた。
0550 The coach admitted to the press that his team's play had been (i　　　).	コーチは自分のチームのプレーが不適切だったことを報道陣に対して認めた。
0551 The new government took a (v　　　) approach and cut taxes sharply.	新政府は積極的な取り組みを行い，大幅減税を行った。
0552 The professor was an (a　　　) reader of detective fiction in his spare time.	その教授は余暇には，探偵小説を熱心に読んでいた。
0553 He made some (a　　　) remarks, designed to show his opposition to the new policy.	彼は敵意に満ちた発言をいくつか行ったが，それは新政策に対する自分の異議を示すためのものであった。
0554 The President was criticized for the (a　　　) nature of his decisions.	大統領は，決定の際の独断的な性向を非難された。
0555 The tone of his voice sounded unnecessarily (b　　　) given the circumstances.	状況から考えて，彼の声のトーンは不必要にけんか腰のように聞こえた。
0556 I was taken aback by the (s　　　) look in his eyes.	彼の陰険な目つきに，私はびっくりした。
0557 Even some of the president's supporters were (b　　　) critical of him.	支持者でさえ露骨に大統領を非難する者がいる。
0558 The woman told the man (b　　　) that she did not like him.	その女性は男性に，彼のことを好きではないとぶっきらぼうに言った。
0559 He answered (c　　　), signaling his irritation with the journalist.	彼はぶっきらぼうに答え，そのジャーナリストにいらだちを見せた。
0560 Some of his colleagues resented his (a　　　) attitude towards them.	彼の同僚の中には，自分たちに対する彼のよそよそしい態度に腹を立てた者もいた。

Unit 28 の復習テスト解答　0541 precarious　0542 inclusive　0543 exclusive　0544 abject　0545 deplorable　0546 abridged　0547 succinct　0548 adroit　0549 adept　0550 inept　0551 vigorous　0552 avid　0553 antagonistic　0554 arbitrary　0555 belligerent　0556 sinister　0557 blatantly　0558 bluntly　0559 curtly　0560 aloof

Unit 30 0581~0600

書いて記憶

単語	1回目	2回目	3回目	意味
0581 **demoralized** [dɪmɔ́(ː)rəlàɪzd]				意気消沈して
0582 **destitute** [déstɪtjùːt]				極貧の, (～を)全く持たない〈of〉
0583 **dilapidated** [dɪlǽpɪdèɪtɪd]				荒廃した
0584 **emaciated** [ɪméɪʃièɪtɪd]				やつれた
0585 **unscathed** [ʌ̀nskéɪðd]				痛手を受けていない
0586 **unprecedented** [ʌ̀nprésɪdènṭɪd]				前例のない
0587 **ferocious** [fəróʊʃəs]				凶暴な
0588 **filthy** [fílθi]				不潔な, わいせつな
0589 **flagrant** [fléɪgrənt]				目に余る, 極悪の
0590 **grueling** [grúːəlɪŋ]				極度にきつい
0591 **immaculate** [ɪmǽkjʊlət]				汚れのない, 欠点のない
0592 **impeccable** [ɪmpékəbl]				申し分のない
0593 **pristine** [prísti:n]				汚されていない, 初期の
0594 **intangible** [ɪntǽndʒəbl]				不可解な, 無形の
0595 **invincible** [ɪnvínsəbl]				不屈の, 克服しがたい
0596 **incoherent** [ìnkoʊhíərənt]				取り乱した, 支離滅裂な
0597 **incessant** [ɪnsésənt]				絶え間ない
0598 **intermittently** [ìnṭərmíṭəntli]				断続的に
0599 **sporadic** [spərǽdɪk]				散発的な, 突発的な
0600 **omniscient** [ɑ(ː)mníʃənt]				博学な, 全知の

Unit 29 の復習テスト

例文	訳
0561 He did his best to stimulate the students but they remained (a　　　).	彼は生徒たちにやる気を起こさせるために最善を尽くしたが、生徒たちは無関心なままだった。
0562 As the disease was (c　　　), the patients were isolated from others.	その病気は伝染性のものなので、患者たちはほかの人から隔離された。
0563 The report said that drug use was (e　　　) among the prison population.	その報告書には、ドラッグの使用が囚人たちに蔓延していることが記されていた。
0564 One problem was the (e　　　) corruption in the bureaucracy.	一つの問題は官僚制に特有の腐敗だった。
0565 The most essential aspect of controlling (i　　　) diseases is sanitation.	伝染性の病気を抑制するのに最も不可欠な点は、公衆衛生である。
0566 The deserted house turned out to be (i　　　) with mice.	人の住んでいないその家は、ネズミがはびこっていることがわかった。
0567 The disease was once (p　　　) but is now quite rare.	その病気はかつては流行性のものだったが、今ではめったに発生しない。
0568 Amid the (p　　　) gloom, the good news was very welcome.	蔓延する沈滞ムードの中で、良いニュースが歓迎された。
0569 The news agency claimed that Iran was (r　　　) with spies.	その通信社は、イランにはスパイがはびこっていると主張した。
0570 He was a (c　　　) boy, mainly interested in philosophy.	彼は沈思黙考するタイプの男の子で、主に哲学に興味があった。
0571 Her (s　　　) attention to detail makes her an excellent editor.	彼女は細かな点に慎重な配慮ができるので、優秀な編集者である。
0572 Gene mapping involves a (m　　　) procedure to isolate human genes.	遺伝子地図作製には、人の遺伝子を分離する綿密な作業が含まれる。
0573 I could see that the job was poorly done after only a (c　　　) glance.	大ざっぱに見ただけでも、その仕事はきちんとできていないことがわかった。
0574 Since his wife passed away, his habits have become quite (e　　　).	妻が亡くなって以来、彼の生活習慣は極めて不規則になってきた。
0575 They came to the (e　　　) conclusion that he was responsible for the accident.	彼らは、その事故の責任が彼にあるという誤った結論に達した。
0576 I read an extremely (d　　　) column about the President in a local paper.	私は地元の新聞で、大統領についての極めて軽蔑的なコラムを読んだ。
0577 The boy's bad behavior was (d　　　) to the school's atmosphere.	少年の悪い行動は学校の雰囲気に有害なものだった。
0578 He always seemed so (d　　　), so his speech was all the more impressive.	彼はいつもは自信なさげに見えたので、彼のスピーチはなおさら印象的だった。
0579 Despite a few (d　　　) voices, most people supported the prime minister's reforms.	2,3の反対意見はあったものの、大多数の人々は首相の改革を支持した。
0580 I knew he had become (d　　　), but not that he was going to resign.	彼が不満を持つようになったことは知っていたが、辞めるつもりだとは知らなかった。

Unit 29 の復習テスト解答　0561 apathetic　0562 contagious　0563 epidemic　0564 endemic　0565 infectious　0566 infested　0567 pandemic　0568 pervasive　0569 rife　0570 contemplative　0571 scrupulous　0572 meticulous　0573 cursory　0574 erratic　0575 erroneous　0576 derogatory　0577 detrimental　0578 diffident　0579 dissident　0580 disgruntled

Unit 31　0601~0620

書いて記憶

単語	1回目	2回目	3回目	意味
0601 **pedantic** [pɪdǽntɪk]				知識をひけらかすような, 衒学的な
0602 **inquisitive** [ɪnkwízətɪv]				好奇心が強い
0603 **insatiable** [ɪnséɪʃəbl]				貪欲な
0604 **perceptible** [pərséptəbl]				目に見えた
0605 **notable** [nóʊtəbl]				目立った
0606 **benign** [bənáɪn]				優しい, 温和な, (気候などが) 穏やかな, (病理学的に) 良性の
0607 **affable** [ǽfəbl]				愛想のよい, 気軽に話せる
0608 **robust** [roʊbʌ́st]				強健な
0609 **buoyant** [bɔ́ɪənt]				活気がある, 浮かんでいる
0610 **resplendent** [rɪspléndənt]				光輝くばかりの, まばゆい
0611 **tenacious** [tɪnéɪʃəs]				粘り強い
0612 **lenient** [líːniənt]				寛大な
0613 **negligent** [néɡlɪdʒənt]				不注意な, 怠慢な
0614 **perfunctory** [pərfʌ́ŋktəri]				おざなりの, いい加減な
0615 **spurious** [spjʊ́əriəs]				うさん臭い, にせの
0616 **treacherous** [trétʃərəs]				不誠実な, 裏切りの, 当てにならない
0617 **devious** [díːviəs]				不誠実な
0618 **drab** [drǽb]				くすんだ, 単調な
0619 **eerie** [íəri]				不気味な
0620 **menial** [míːniəl]				(仕事が) 単純で退屈な, 卑しい

Unit 30 の復習テスト

わからないときは前Unitで確認しましょう。

例文	訳
0581 The fans felt (d　　　) by their team's weak performance.	ファンたちはそのチームの低迷している成績に意気消沈した。
0582 After the war, many soldiers found themselves (d　　　) and homeless.	終戦後，兵士たちの多くは自分たちが極貧で家すらないと気付いた。
0583 The valuable papers were found in a (d　　　) hut in the garden.	貴重な書類が庭にある荒れ果てた小屋で見つかった。
0584 The hostages finally were rescued alive but dangerously (e　　　).	人質たちはついに生きて救助されたが，危険なほどにやつれていた。
0585 He seemed (u　　　) by his long years serving a prison sentence.	彼は長い刑務所での服役後も，痛手を受けていないように見えた。
0586 The political party won an (u　　　) share of the vote.	その政党は前例のない得票率を得た。
0587 It can be argued that the most (f　　　) animals on earth are people.	地上で最も凶暴な動物は人間であると言えよう。
0588 My apartment was so (f　　　) when I first moved in I had to clean it twice.	私のアパートは，初めて引っ越してきた時，あまりに汚れていて，2度も掃除を必要とした。
0589 Such (f　　　) disregard for international law will not be tolerated.	国際法に対するそのような甚だしい無視は許されない。
0590 After their (g　　　) journey across the mountains, they were exhausted.	彼らは極度にきつい山岳旅行の後で疲れ果てていた。
0591 That politician was elected because of his (i　　　) reputation.	その政治家は汚れのない名声のおかげで当選した。
0592 Although his financial judgment is poor, his personal taste is (i　　　).	彼のお金に対する判断は駄目だが，個人的嗜好は申し分ない。
0593 Just walking on the (p　　　) white carpet made him feel uncomfortable.	汚れのない白いじゅうたんの上を歩くだけで，彼は窮屈な思いをした。
0594 He sensed an (i　　　) atmosphere of tension in the room.	彼はその部屋の中で緊張した不可解な雰囲気を感じ取った。
0595 The man we thought to be (i　　　) suddenly died from heart failure.	我々が不屈だと思っていた人が心不全で急死した。
0596 He was so excited that he became quite (i　　　).	彼はとても興奮していたので全く取り乱してしまった。
0597 The teachers' (i　　　) complaining made life difficult for the principal.	先生たちが絶えず文句を言ったので，校長の生活は厳しいものとなった。
0598 During his final illness, he was only (i　　　) conscious.	死に至る病の床で，彼は途切れ途切れにしか意識がなかった。
0599 He made only (s　　　) efforts to prepare for the entrance examinations.	彼は入試の準備には時たま努力をしただけだった。
0600 The expert had an apparently (o　　　) knowledge of his field.	その専門家は自分の分野において明らかに博学な知識を持っていた。

単語編 / でる度 A → 0601〜0620

Unit 30 の復習テスト解答　0581 demoralized　0582 destitute　0583 dilapidated　0584 emaciated　0585 unscathed
0586 unprecedented　0587 ferocious　0588 filthy　0589 flagrant　0590 grueling　0591 immaculate　0592 impeccable　0593 pristine
0594 intangible　0595 invincible　0596 incoherent　0597 incessant　0598 intermittently　0599 sporadic　0600 omniscient

Unit 32 0621~0640

書いて記憶

単語	1回目	2回目	3回目	意味
0621 **morbid** [mɔ́ːrbɪd]				病的な
0622 **lethargic** [ləθɑ́ːrdʒɪk]				気だるい，昏睡状態の
0623 **subdued** [səbdjúːd]				沈んだ，控え目な
0624 **tepid** [tépɪd]				生ぬるい
0625 **gullible** [gʌ́ləbl]				だまされやすい
0626 **imprudent** [ɪmprúːdənt]				軽率な
0627 **heedless** [híːdləs]				(～に)無頓着な〈of〉，不注意な
0628 **inadvertently** [ìnədvə́ːrtəntli]				不注意に
0629 **haphazardly** [hæphǽzərdli]				無計画に
0630 **gaudy** [gɔ́ːdi]				けばけばしい
0631 **flamboyantly** [flæmbɔ́ɪəntli]				華麗に
0632 **hereditary** [hərédətèri]				遺伝する，世襲の
0633 **homogeneous** [hòʊmədʒíːniəs]				同質の
0634 **hygienic** [haɪdʒiénɪk]				衛生的な
0635 **deceased** [dɪsíːst]				亡くなった
0636 **terrestrial** [təréstriəl]				地球上の
0637 **torrid** [tɔ́(ː)rəd]				灼熱の
0638 **traumatic** [trəmǽtɪk]				精神的外傷を引き起こす
0639 **gregarious** [grɪgéəriəs]				群れを成す，社交的な
0640 **palatable** [pǽlətəbl]				美味な，口に合う，好ましい

Unit 31の復習テスト

わからないときは前Unitで確認しましょう。

例文	訳
0601 The professor dismissed the criticisms of his book as trivial and (p　　　).	教授は自著に対する批判を，末梢的でありかつ知識をひけらかしているとして退けた。
0602 Young mammals are characteristically and relentlessly (i　　　).	哺乳動物の子どもは，特性として，どこまでも好奇心が強い。
0603 King Henry the Eighth of England was an (i　　　) glutton.	イングランドのヘンリー8世は，貪欲な大食漢だった。
0604 After the speech, there was a (p　　　) change in the audience's attitude.	スピーチの後で聴衆の態度には目に見えた変化があった。
0605 There was a (n　　　) absence of young people at the party.	そのパーティーでは若者の欠席が目立っていた。
0606 His intentions are always (b　　　), though sometimes poorly communicated.	彼の意志は，時にはよく伝わっていないが，いつも優しい。
0607 Although the stranger seemed (a　　　), Bill sensed an underlying hostility.	そのよそ者は愛想のよい感じがしたが，ビルは隠れた敵意を感じ取った。
0608 Even at the age of eighty, Picasso was intellectually and physically (r　　　).	80歳になってもピカソは知的にも肉体的にも強健だった。
0609 When she won first prize in the speech contest, she felt (b　　　).	彼女はスピーチ・コンテストで優勝した時，浮き浮きした気持ちだった。
0610 The bride wore a (r　　　) dress made of lace.	花嫁はレースでできた光輝くばかりのドレスを着ていた。
0611 The (t　　　) effort of our team finally won us the match in overtime.	チームの粘り強い努力の結果，我々は延長戦でようやく試合に勝った。
0612 The students admitted to breaking the rules but asked that we be (l　　　).	学生たちはルールを破ったことを認めたが，私たちに寛大な処置を願った。
0613 Although he was not guilty of murder, his behavior was certainly (n　　　).	彼は殺人罪では無実となったが，彼の行為は確かに不注意だった。
0614 Her attitude in the classroom seems (p　　　) and mechanical.	教室での彼女の態度はおざなりで自発性に欠けているように思える。
0615 The defendant told the court a story too (s　　　) to be believed.	被告は法廷でいかにもうさん臭い信じられないような話をした。
0616 He made a (t　　　) speech in which he attacked his former boss.	彼は以前の上司を攻撃するような不誠実な話をした。
0617 Few people believed the man's (d　　　) explanations for his behavior.	男性の行動についての不誠実な弁明を信じる者はほとんどいなかった。
0618 The gray walls with green trim gave the room such a (d　　　) appearance.	緑の縁取りがついた灰色の壁のために，その部屋はとてもくすんで見えた。
0619 The sound of the wind over the dark moor has an (e　　　) effect.	暗い荒地の上を吹く風の音が不気味さを加える。
0620 Despite his qualifications, the immigrant doctor was forced to take (m　　　) jobs to survive.	移住してきた医者は，資格があるにもかかわらず，生存するために単純労働をすることを強いられた。

でる度 A
0621〜0640

Unit 31の復習テスト解答　0601 pedantic　0602 inquisitive　0603 insatiable　0604 perceptible　0605 notable　0606 benign
0607 affable　0608 robust　0609 buoyant　0610 resplendent　0611 tenacious　0612 lenient　0613 negligent　0614 perfunctory
0615 spurious　0616 treacherous　0617 devious　0618 drab　0619 eerie　0620 menial

Unit 33 0641~0660

書いて記憶

単語	1回目	2回目	3回目	意味
0641 **fiscal** [fískəl]				財政の, 国庫の
0642 **indicative** [ɪndíkətɪv]				(~を)示す〈of〉
0643 **auspicious** [ɔːspíʃəs]				縁起のよい
0644 **illustrious** [ɪlʌ́striəs]				著名な
0645 **pinpoint** [pínpɔ̀ɪnt]				非常に正確な
0646 **eloquent** [éləkwənt]				雄弁な
0647 **arduous** [ɑ́ːrdʒuəs]				(仕事などが)骨の折れる, 大変な
0648 **laudable** [lɔ́ːdəbl]				称賛に値する
0649 **dainty** [déɪnti]				優美な, きゃしゃな
0650 **conducive** [kəndjúːsɪv]				(~に)貢献する〈to〉
0651 **innocuous** [ɪnɑ́(ː)kjuəs]				無害な
0652 **integral** [íntɪgrəl]				不可欠の, 完全な, 整数の
0653 **valiant** [vǽljənt]				勇敢な
0654 **serene** [səríːn]				平穏な
0655 **fraught** [frɔːt]				(~を)伴う, (~に)満ちた〈with〉
0656 **reclusive** [rɪklúːsɪv]				隠遁している
0657 **flimsy** [flímzi]				見え透いた, 壊れやすい
0658 **catastrophically** [kæ̀təstrɑ́(ː)fɪkəli]				恐ろしいまでに
0659 **dogmatic** [dɔ(ː)gmǽtɪk]				独断的な
0660 **insular** [ínsələr]				偏狭な, (島のように)孤立した

Unit 32の復習テスト

わからないときは前Unitで確認しましょう。

例文	訳
0621 The American poet Emily Dickinson had a (m　　　) fascination with death.	アメリカの詩人，エミリー・ディキンソンは，死について病的なまでに魅せられていた。
0622 The humid weather made him feel (l　　　) and irritable.	湿気を含んだ天気が，彼を気だるくいらいらとさせた。
0623 After the election defeat, the atmosphere in the party was (s　　　).	選挙での敗北後，党の雰囲気は沈んでいた。
0624 The water was too (t　　　) to make a nice cup of tea with.	おいしいお茶を入れるには，湯が生ぬる過ぎた。
0625 Those children are too (g　　　) for their own good.	その子どもたちは，だまされやすくて損している。
0626 His (i　　　) criticisms of his boss got him into trouble.	上司に対する軽率な批判が彼をトラブルに巻き込んだ。
0627 The man walked casually up to the lion, apparently (h　　　) of the danger he was in.	男は自分が置かれている危険には無頓着らしく，気安くライオンの方に歩いて行った。
0628 On the train, he (i　　　) stepped on another passenger's foot.	電車の中で彼はうっかりほかの乗客の足を踏んでしまった。
0629 The cheap furniture was arranged (h　　　) around the room.	安い家具が無計画に部屋中に配置されていた。
0630 The disco was full of teenagers wearing (g　　　) clothes.	そのディスコはけばけばしい服を着た10代の若者でいっぱいだった。
0631 The film star dressed (f　　　) for every occasion.	その映画スターはどんな場合も華麗に着飾っていた。
0632 Scientists have learned that Alzheimer's disease is often (h　　　).	アルツハイマー病は遺伝性であることが多いと，科学者たちは知った。
0633 Despite having distinct ethnic groups, Japan is considered a (h　　　) society.	明らかに異なる民族集団がいるにもかかわらず，日本は同質の社会と見なされている。
0634 The old hospital was not as (h　　　) as it should have been.	その古い病院は，本来そうであるべきほどには衛生的ではなかった。
0635 Now that his siblings are all (d　　　), he feels completely alone.	兄弟姉妹が全員亡くなって，彼は完全な孤独感を味わっている。
0636 Any alien life form would likely differ dramatically from (t　　　) ones.	地球外の生物はどれでも，地球上の生物と著しく異なるだろう。
0637 Years of life in the (t　　　) climate damaged his health.	長年の灼熱の気候下での生活ために彼は健康を害した。
0638 War sometimes leads to a lifetime of (t　　　) memories.	戦争は時として，一生精神的外傷を引き起こす記憶として残る。
0639 Dogs are (g　　　) creatures that travel in packs.	犬は群れになって移動する群居性の動物だ。
0640 I seldom find British cuisine very (p　　　).	私はイギリスの料理が本当においしいとはめったに思わない。

Unit 32の復習テスト解答　0621 morbid　0622 lethargic　0623 subdued　0624 tepid　0625 gullible　0626 imprudent　0627 heedless　0628 inadvertently　0629 haphazardly　0630 gaudy　0631 flamboyantly　0632 hereditary　0633 homogeneous　0634 hygienic　0635 deceased　0636 terrestrial　0637 torrid　0638 traumatic　0639 gregarious　0640 palatable

Unit 34 0661~0680

書いて記憶

単語	1回目	2回目	3回目	意味
0661 **intimidated** [ɪntímɪdèɪtɪd]				恐れて
0662 **languishing** [læŋgwɪʃɪŋ]				沈滞する
0663 **obsequious** [əbsíːkwiəs]				こびへつらうような
0664 **squeamish** [skwíːmɪʃ]				神経質な，（血などを見て）すぐ吐き気を催す
0665 **uncouth** [ʌnkúːθ]				粗野な，ぎこちない
0666 **petrified** [pétrɪfàɪd]				石のように固い，怖がる
0667 **ponderous** [pá(ː)ndərəs]				冗長な，重苦しい
0668 **rowdy** [ráʊdi]				騒々しい
0669 **somber** [sá(ː)mbər]				重苦しい，薄暗い
0670 **banal** [bənáːl]				通俗な，陳腐な
0671 **relentless** [rɪléntləs]				容赦ない
0672 **elusive** [ɪlúːsɪv]				理解しにくい，捕まえにくい
0673 **excruciatingly** [ɪkskrúːʃièɪtɪŋli]				極度に
0674 **fraudulent** [frɔ́ːdʒələnt]				詐欺的な
0675 **irreparably** [ɪrépərəbli]				修復できないほど
0676 **lackluster** [lǽklʌ̀stər]				精彩を欠いた，ぱっとしない
0677 **lurid** [lúrəd]				ぞっとするような，燃えるように真っ赤な
0678 **roundabout** [ráʊndəbàʊt]				回りくどい，遠回しの
0679 **shrewd** [ʃruːd]				鋭い，抜け目のない
0680 **voraciously** [vərέɪʃəsli]				むさぼるように

Unit 33の復習テスト

わからないときは前Unitで確認しましょう。

例文	訳
0641 Leaders of many nations in the world ignore their (f　　　) responsibilities.	世界の多くの国々の指導者は，財政上の責任を無視している。
0642 That new policy was (i　　　) of the government's indifference to environmental issues.	その新しい政策は政府の環境問題に対する無関心を示すものであった。
0643 His first match was an (a　　　) start for the spring sumo tournament.	彼の初日の取組は，大相撲春場所の幸先のよい始まりとなった。
0644 The college boasts many (i　　　) graduates.	その大学は多くの著名な卒業生を誇りとしている。
0645 Technology now allows (p　　　) military strikes from the air.	技術が発達したため，今や，空からの極めて正確な軍事攻撃が可能である。
0646 The young lecturer was known as a witty and (e　　　) debater.	その若い講師は機知に富んだ雄弁な討論者として知られていた。
0647 Although the task of digging the pond was (a　　　), he enjoyed it.	池を掘る作業は骨の折れるものだったが，彼は楽しんでやっていた。
0648 The team made a (l　　　) effort but they could not win the match.	そのチームは称賛に値する努力をしたが，試合に勝つことはできなかった。
0649 The cat walked among the flowers with (d　　　) steps.	そのネコは優美な足取りで花の間を歩いた。
0650 The beautiful new university library is very (c　　　) to study.	その美しい新大学図書館は研究に大いに貢献する。
0651 He seemed so (i　　　), no one believed he could actually harm anyone.	彼はあまりに無害に見えたので実際に人を傷つけるとは誰も思わなかった。
0652 An (i　　　) part of athletic excellence is a knowledge of the fundamentals.	運動能力に優れるための不可欠な要素は基礎知識である。
0653 The firefighter made a (v　　　) attempt to enter the house but he was driven back by the heat.	消防士は勇敢にも家の中に入ろうとしたが，熱で追い返された。
0654 He enjoyed the (s　　　) atmosphere of the little country village.	彼は小さな田舎の村の平穏な雰囲気を楽しんだ。
0655 The direction of this policy is (f　　　) with dangers.	この政策のやり方には危険が伴う。
0656 After the film star retired, she lived a (r　　　) life on her own in the country.	映画スターは引退した後，田舎に1人で隠遁して暮らした。
0657 The teacher refused to believe the boy's (f　　　) excuse.	その教師は少年の見え透いた言い訳を信じようとしなかった。
0658 The nuclear scientist had made a (c　　　) foolish error.	原子物理学者は恐ろしいまでに愚かな間違いを犯した。
0659 He criticized the economist's (d　　　) belief in free trade.	彼はそのエコノミストの自由貿易についての独断的な考えを批判した。
0660 The young woman felt irritated by the villagers' (i　　　) attitudes.	その若い女性は村人たちの偏狭な態度にいらだった。

Unit 33の復習テスト解答 0641 fiscal　0642 indicative　0643 auspicious　0644 illustrious　0645 pinpoint　0646 eloquent
0647 arduous　0648 laudable　0649 dainty　0650 conducive　0651 innocuous　0652 integral　0653 valiant　0654 serene
0655 fraught　0656 reclusive　0657 flimsy　0658 catastrophically　0659 dogmatic　0660 insular

Unit 35　0681~0700

書いて記憶

単語	1回目	2回目	3回目	意味
0681 sedentary [sédəntèri]				座りがちの、ほとんど体を動かさない
0682 archaic [ɑːrkéɪɪk]				古風な、古代の
0683 embedded [ɪmbédɪd]				埋め込まれた
0684 inclement [ɪnklémənt]				(天候が)荒れ模様の、厳しい
0685 facetious [fəsíːʃəs]				滑稽な、ひょうきんな
0686 docile [dá(ː)səl]				従順な
0687 momentous [mouméntəs]				重大な
0688 nonchalant [nà(ː)nʃəláːnt]				平然としている
0689 pragmatic [præɡmǽṭɪk]				実利的な、実用的な、実用主義の
0690 retroactively [rètrouǽktɪvli]				遡及して
0691 salient [séɪliənt]				目立った、顕著な
0692 prostrate [prá(ː)streɪt]				伏せた
0693 obligatory [əblíɡətɔ̀ːri]				義務的な、強制的な
0694 oblivious [əblíviəs]				(~に)気付いていない⟨of⟩、(~を)忘れている⟨of⟩
0695 teeming [tíːmɪŋ]				あふれている
0696 appalled [əpɔ́ːld]				唖然としている
0697 implicit [ɪmplísɪt]				暗に示された、暗黙の、絶対の
0698 bellicose [bélɪkòus]				好戦的な、けんか好きな
0699 vibrant [váɪbrənt]				活気のある、反響する
0700 subsequent [sʌ́bsɪkwənt]				その後の

Unit 34の復習テスト

わからないときは前Unitで確認しましょう。

例文	訳
0661 The boy was so (i　　　) by the man he could hardly speak.	その少年は男性をとても恐れていたので、ほとんど話すことができなかった。
0662 The finance ministry attempted to revive the (l　　　) economy.	財務省は沈滞する経済を復興させようとした。
0663 Wearing an (o　　　) expression, the man apologized.	こびへつらうような表情で、その男性は謝罪した。
0664 This movie is not for the (s　　　).	この映画は神経質な人には向かない。
0665 Though uneducated and (u　　　), this young man is quite intelligent.	教育もなく粗野だが、この若い男は極めて頭がよい。
0666 The girl was (p　　　) to find a snake on her pillow.	その少女は枕の上にヘビを見つけて石のように固くなっていた。
0667 Despite its (p　　　) style, the book was actually very interesting.	その本は冗長なスタイルにもかかわらず、実際はとても面白かった。
0668 On the last day of the term, the students became quite (r　　　).	学期の最終日には生徒たちはかなり騒々しくなった。
0669 The growing international tension gave a (s　　　) atmosphere to the negotiations.	国際的な緊迫の高まりのために、交渉には重苦しい雰囲気が漂っていた。
0670 His speech was well-enough organized, but its content was rather (b　　　).	彼の演説はしっかり構成されていたが、内容はかなり通俗的だった。
0671 It is hard to endure the (r　　　) winter cold of the American Midwest.	アメリカ中西部の容赦ない冬の寒さに耐えるのは厳しい。
0672 Many readers found his argument in the book somewhat (e　　　).	多くの読者は、その本の中における彼の論点を理解しにくいと思った。
0673 The paintings in the exhibition were (e　　　) bad.	展示されている絵画は極端にひどかった。
0674 When I suspected his dealings were (f　　　), I cut off all negotiations.	彼の取引は詐欺的だと思って、私はすべての交渉を打ち切った。
0675 The technician said the computer was (i　　　) damaged.	技術者はコンピューターが修復できないほど損傷してしまっていると言った。
0676 Following a (l　　　) season, the footballer announced that he was retiring.	精彩を欠いたシーズンの後、そのフットボール選手は引退を宣言した。
0677 The face of Count Dracula appeared (l　　　) and evil in the candlelight.	ドラキュラ伯の顔がろうそくの灯火の中でぞっとするような邪悪な相を呈した。
0678 The man spoke in such a (r　　　) way that it was hard to understand just what his complaint was.	男はあまりにも回りくどい話し方をしたので、彼の不満が正確には何なのか、理解するのは難しかった。
0679 Though now criticized, Freud was a (s　　　) observer of human behavior.	今では批判はあるが、フロイトは人間行動の鋭い観察者であった。
0680 As a young man, he read (v　　　) about his subject.	若かりし頃、彼は専攻科目についての本をむさぼるように読んだ。

でる度 A
→ 0681 ～ 0700

Unit 34の復習テスト解答
0661 intimidated　0662 languishing　0663 obsequious　0664 squeamish　0665 uncouth
0666 petrified　0667 ponderous　0668 rowdy　0669 somber　0670 banal　0671 relentless　0672 elusive　0673 excruciatingly
0674 fraudulent　0675 irreparably　0676 lackluster　0677 lurid　0678 roundabout　0679 shrewd　0680 voraciously

Unit 35の復習テスト

わからないときは前Unitで確認しましょう。

例文	訳
0681 A (s　　　) life can lead to heart problems and other health disorders.	座りがちの生活をしていると、心臓病やほかの健康障害につながることがあり得る。
0682 Using (a　　　) language in writing is usually considered poor style.	書き言葉に古風な言語を使うことは、普通は悪文と考えられている。
0683 A number of fossils were (e　　　) deep within the rock.	多くの化石が岩の中にしっかりと埋まっていた。
0684 The tournament was cancelled due to the (i　　　) weather.	荒れ模様の天候のため、試合は中止された。
0685 I didn't realize at first that his comments were intended to be (f　　　).	私は最初のうちは、彼の発言が滑稽であることを狙ったものとは気付かなかった。
0686 The farmer said that the dog was usually (d　　　) but could attack if threatened.	その犬は普段は従順だが脅されると攻撃する可能性があると、農場主は言った。
0687 The (m　　　) decision to go to war was made.	戦争を始めるという重大な決定が下された。
0688 The woman seemed quite (n　　　) before her job interview.	その女性は就職の面接の前にずいぶん平然としているように見えた。
0689 Despite his strong religious convictions, he took a (p　　　) attitude toward the issue.	強い宗教的な信念を持っているにもかかわらず、彼はその問題に対しては実利的な態度をとった。
0690 To the annoyance of the business world, the tax was applied (r　　　).	財界にとって非常に困ったことに、税金が遡及して適用された。
0691 The most (s　　　) aspect of our trip was the incessant rainfall.	我々の旅行で最も目立ったことと言えば、絶え間なく降る雨だった。
0692 He tripped while descending the stairs and fell (p　　　) on the floor.	彼は階段を降りる時につまずき、床にうつ伏せに倒れた。
0693 Attendance at faculty meetings is (o　　　) for all staff members.	教授会への出席は、全教員に義務付けられている。
0694 She was so intoxicated that she seemed (o　　　) of her actions.	彼女はあまりにも酒が回り過ぎて、自分のしていることに気付いていないようだった。
0695 The square was (t　　　) with pop fans going to a concert.	その広場はコンサートに行くポピュラーミュージックファンであふれていた。
0696 She looked (a　　　) by the news of her husband's accident.	彼女は夫の事故の知らせに唖然としているように見えた。
0697 The country's actions were an (i　　　) rejection of the request for compromise.	その国の行為は歩み寄りの要請に対する拒絶を暗に示すものであった。
0698 Even if one disagrees, one need not be (b　　　) about expressing it.	たとえ不賛成であっても、それを表現するのに好戦的になる必要はない。
0699 The city has a (v　　　) night life, with plenty of clubs and bars.	その都市にはたくさんのクラブやバーがあって、夜遊びに活気がある。
0700 We hope that all his (s　　　) novels will be turned into films.	彼のその後の小説がすべて映画化されるといいが。

Unit 35の復習テスト解答 0681 sedentary 0682 archaic 0683 embedded 0684 inclement 0685 facetious 0686 docile 0687 momentous 0688 nonchalant 0689 pragmatic 0690 retroactively 0691 salient 0692 prostrate 0693 obligatory 0694 oblivious 0695 teeming 0696 appalled 0697 implicit 0698 bellicose 0699 vibrant 0700 subsequent

単語編

でる度 **B** 覚えておきたい単語 **700**

Unit 36 〜 Unit 70

Q 覚えた単語が読解問題や英字新聞の中で出てくると、「勉強した単語だ！」ということはわかっても、すぐに意味が思い出せないことがよくあります。どうしたらよいでしょうか。

A 見たことのある単語なのに意味が思い出せない経験はだれにでもあるでしょう。これは覚えた単語が「長期記憶」として定着していないためです。「単語の効果的な学習法」（p.6〜）の中で紹介した3Rのうち、「検索（Retrieval）」が必要な状態と考えられます。

　解決法としてすべきことは大きく2つ考えられます。第1に、**その単語のみを見て思い出そうとしない**ことです。動詞であれば主語は何か？　目的語は何か？　また、形容詞であればどの名詞を修飾しているのか？　何の補語になっているのか？　を文型から考えてみましょう。さらにはセンテンス単位ではなく、文脈から推測することも大切です。ストーリーの流れからその単語のおおよその意味がとれれば、思い出すきっかけにもなります。決してすぐに辞書を引くのではなく、辞書なしで見当をつけることを習慣づけてください。

　第2に、**時間を置いてその単語を辞書で確認**しましょう。英字新聞などを電車で読んでいる場合なども後で確認しましょう。辞書で引いた単語をメモしたり、電子辞書であれば「単語帳登録」などの機能を利用することも効果的です。このひと手間をかけることによって記憶が定着し、次回出会ったときにはスムーズに「検索」が行われることでしょう。

単語学習の不安を先生に相談してみよう！

Unit 36 0701~0720

書いて記憶

単語	1回目	2回目	3回目	意味
0701 **stimulate** [stímjulèit]				を刺激する
0702 **retrieve** [rɪtríːv]				を取り戻す，を検索する
0703 **fuel** [fjúːəl]				を煽る，に燃料を補給する
0704 **halt** [hɔːlt]				止まる，を止める
0705 **heed** [hiːd]				に気を付ける
0706 **expand** [ɪkspǽnd]				を拡大する
0707 **forebode** [fɔːrbóʊd]				(悪いこと)を予言する，虫が知らせる
0708 **clarify** [klǽrəfàɪ]				を明らかにする
0709 **elongate** [ɪlɔ́ːŋgeɪt]				を長くする
0710 **liken** [láɪkən]				を(〜に)例える〈to〉
0711 **spurn** [spəːrn]				をきっぱりと拒絶する
0712 **stray** [streɪ]				(〜から)はぐれる〈from〉
0713 **predominate** [prɪdá(ː)mɪnèɪt]				優位を占める
0714 **elaborate** [ɪlǽbərèɪt]				(〜について)詳述する〈on〉
0715 **retain** [rɪtéɪn]				を保つ
0716 **bestow** [bɪstóʊ]				(称号・栄誉など)を(〜に)授ける〈on〉
0717 **improvise** [ímprəvàɪz]				即興で演奏する，を即席で作る
0718 **uphold** [ʌphóʊld]				を守る，支持する
0719 **mesmerize** [mézməràɪz]				を魅了する，に催眠術をかける
0720 **stipulate** [stípjulèɪt]				を明記する

単語編

でる度 **B**

↓

0701 〜 0720

Unit 37 0721～0740

書いて記憶

単語	1回目	2回目	3回目	意 味
0721 **guarantee** [gæ̀rəntíː]				を確約する，を保証する
0722 **reconcile** [rékənsàɪl]				を(～と)和解させる〈with〉
0723 **revert** [rɪvə́ːrt]				(財産などが)(～に)復帰する，(元の状態に)戻る〈to〉
0724 **rebate** [rɪbéɪt]				を払い戻す
0725 **reimburse** [rìːɪmbə́ːrs]				に払い戻す
0726 **remit** [rɪmít]				を送金する，を免じる
0727 **reciprocate** [rɪsíprəkèɪt]				に返礼する，を交換する
0728 **redeem** [rɪdíːm]				(紙幣)を兌換する，を買い戻す，(名誉など)を回復する
0729 **accentuate** [əkséntʃuèɪt]				を強調する
0730 **accelerate** [əkséləreɪt]				加速する
0731 **rejuvenate** [rɪdʒúːvənèɪt]				を再活性化させる
0732 **revitalize** [riːváɪṭəlàɪz]				に新しい活力を与える
0733 **emigrate** [émɪɡrèɪt]				(～へ)移住する〈to〉
0734 **migrate** [máɪɡreɪt]				(鳥などが)渡る，移住する
0735 **reinforce** [rìːɪnfɔ́ːrs]				を補強する
0736 **recapitulate** [rìːkəpítʃulèɪt]				を要約する
0737 **revise** [rɪváɪz]				を改訂する，を改正する
0738 **redress** [rɪdrés]				(損害など)を償う，(問題など)を是正する
0739 **refurbish** [riːfə́ːrbɪʃ]				を改装する，を一新する
0740 **suffocate** [sʌ́fəkèɪt]				窒息(死)する

Unit 36の復習テスト

わからないときは前Unitで確認しましょう。

例文	訳
0701 The economist said the tax cuts should (s　　　) the economy.	減税は当然経済を刺激するだろうと，そのエコノミストは語った。
0702 It took years of hard work to (r　　　) his family's former wealth.	彼の家族の昔の資産を取り戻すには，何年にも及ぶ大変な努力を要した。
0703 The dismal economic news only (f　　　) the widespread dissatisfaction with the government.	その悪い状況の経済ニュースは，政府に対する広範な不満を煽るだけだった。
0704 The weary climbers decided to (h　　　) for a brief rest.	疲れきった登山者たちは少し休むために立ち止まることにした。
0705 If he had (h　　　) his parents' warning, the accident would never have happened.	彼が両親の注意に気を付けていたら，事故は起こらなかっただろうに。
0706 The university has decided to (e　　　) its popular MBA program by 50 places.	その大学は，人気のMBA（経営学修士）課程を50か所に拡大することを決定している。
0707 The oracles at Delphi often (f　　　) ill fortune for ancient Greeks.	デルフォイの神託は，しばしば，古代ギリシャ人に凶事を予言した。
0708 The professor asked the student to (c　　　) one or two points in his explanation.	教授は学生に彼の説明のうち1，2点を明確にするように言った。
0709 He used tongs to (e　　　) and shape the soft glass.	彼はやわらかいガラスを長くし成形するためにトングを使用した。
0710 The minister (l　　　) the economy to a ship in a violent storm.	大臣は経済を激しい嵐の中の船に例えた。
0711 She (s　　　) the offer of a job at her company's chief rival.	彼女は最大のライバル会社の仕事の誘いをきっぱりと拒絶した。
0712 Visitors who (s　　　) from the path sometimes get lost in the woods.	観光客は道から外れると，森の中で迷子になってしまうことが時々ある。
0713 By and large, male students still (p　　　) in engineering courses.	概して，工学課程ではいまだ男子学生が数の上で優位を占めている。
0714 The committee asked her to (e　　　) on her proposals for reform.	委員会は彼女にその改革の提案について詳述するように依頼した。
0715 Although she lost her fortune, she (r　　　) the mansion and surrounding fields.	彼女は財産を失ったが，大邸宅と周囲の畑を手放さなかった。
0716 His family still owns the land that the king (b　　　) on them in the 17th century.	彼の家族は，17世紀に王が与えた土地をいまだに所有している。
0717 Jazz musicians must (i　　　) as they play their music.	ジャズ音楽家は演奏中に即興で演奏しなければならない。
0718 The principal promised to (u　　　) the school's tradition of excellence.	校長先生は質の高い学校の伝統を守ることを約束した。
0719 Students were (m　　　) by his astonishing lectures.	学生たちは彼の驚くべき講義に魅了された。
0720 The rule (s　　　) that students can not use calculators.	規則では生徒は計算機を使うことはできないと明記している。

Unit 36の復習テスト解答　0701 stimulate　0702 retrieve　0703 fueled　0704 halt　0705 heeded　0706 expand　0707 foreboded　0708 clarify　0709 elongate　0710 likened　0711 spurned　0712 stray　0713 predominate　0714 elaborate　0715 retained　0716 bestowed　0717 improvise　0718 uphold　0719 mesmerized　0720 stipulates

Unit 38　0741〜0760

書いて記憶

単語	1回目	2回目	3回目	意味
0741 **smother** [smʌ́ðər]				(火)を(〜で)覆って消す〈with〉, を窒息(死)させる
0742 **drain** [dreɪn]				の水を排出する
0743 **drench** [drentʃ]				びしょぬれになる, 水浸しになる
0744 **decant** [dɪkǽnt]				を(〜へ)注ぐ〈into〉
0745 **deregulate** [diːrégjulèɪt]				の規制を緩和する
0746 **extract** [ɪkstrǽkt]				を(〜から)抽出する, を(〜から)抜粋する〈from〉
0747 **exterminate** [ɪkstə́ːrmɪnèɪt]				を絶滅させる
0748 **extort** [ɪkstɔ́ːrt]				(金)をゆすり取る
0749 **repel** [rɪpél]				を追い払う
0750 **retort** [rɪtɔ́ːrt]				言い返す, に反論する
0751 **encapsulate** [ɪnkǽpsəlèɪt]				を要約する
0752 **entrust** [ɪntrʌ́st]				を(〜に)預ける, を(〜に)ゆだねる〈to〉
0753 **entail** [ɪntéɪl]				を(必然的に)伴う, を余儀なくさせる
0754 **induce** [ɪndjúːs]				に(〜をするように)説得する〈to do〉
0755 **integrate** [íntəgrèɪt]				(〜に)溶け込む, を(〜に)統合する〈into〉
0756 **ingratiate** [ɪngréɪʃièɪt]				(〜に)気に入られるようにする〈with〉
0757 **jeer** [dʒɪər]				(〜を)あざける〈at〉
0758 **sneer** [snɪər]				(〜を)あざ笑う〈at〉
0759 **deride** [dɪráɪd]				を嘲笑する, をあざける
0760 **discharge** [dɪstʃɑ́ːrdʒ]				を退院させる, を解雇する, を放出する

Unit 37 の復習テスト

わからないときは前 Unit で確認しましょう。

例文	訳
0721 The government (g　　　) to compensate bank account holders.	政府は銀行の口座保有者に対して預金保障を行うことを確約した。
0722 After a bloody and bitter war, the two enemies were finally (r　　　).	血なまぐさい激戦の末、その敵軍両者はついに和解した。
0723 On his death, the house would (r　　　) to its original owners.	彼の死によって、家は元の所有者に復帰することになるだろう。
0724 The city council decided to (r　　　) local taxes by ten percent.	市議会は、地方税を10パーセント払い戻すことを決定した。
0725 The company agreed to (r　　　) him for his travel expenses.	会社は旅費を彼に払い戻すことを承諾した。
0726 I agreed to (r　　　) the balance of my account within thirty days.	私は30日以内に勘定の残高を送金することに同意した。
0727 He felt obligated to (r　　　) the giving of any gifts he received.	彼は、受け取ったすべての贈り物に返礼しなければならない義務があると感じていた。
0728 Theoretically, American dollars can be (r　　　) in gold at certain banks.	理論的には、アメリカのドルは特定の銀行で金と兌換することができる。
0729 The politician tried to (a　　　) the positive achievements of the government.	その政治家は政府の上向きの業績を強調しようとした。
0730 As the police tried to overtake the car, it suddenly (a　　　).	警察が車に追いつこうとすると、その車は突然、加速した。
0731 The new young chairman set about (r　　　) the old company.	その若い新取締役社長はその古い会社を再活性化することに取り掛かった。
0732 The government moved some ministries there in order to (r　　　) the local economy.	政府は地域経済を再活性化するために、いくつかの省庁をそこへ動かした。
0733 As the economy worsened, many people (e　　　) to other countries.	経済状態が悪化したので、多くの人たちがほかの国々へ移住した。
0734 The geese were beginning to (m　　　) south for the winter.	ガンは冬に備えて、南へ渡り始めていた。
0735 The architect had to (r　　　) the foundations of his latest building.	その建築家は自分が最近建てた建物の基礎を補強しなければならなかった。
0736 At the end of his lecture, the professor always (r　　　) his main points.	教授はいつも講義の終わりに主要な点を要約する。
0737 The science textbook had to be (r　　　) every few years.	科学の教科書は数年ごとに改訂されなければばらない。
0738 The victims demanded that their pain and suffering be (r　　　).	被災者たちは、痛みと苦しみが償われることを要求した。
0739 He bought the house, intending to (r　　　) it completely.	彼は、そっくり改装するつもりでその家を購入した。
0740 Most of the fire's victims had (s　　　) in the smoke.	火事の犠牲者のほとんどは煙で窒息死した。

でる度 B
0741〜0760

Unit 37 の復習テスト解答　0721 **guaranteed**　0722 **reconciled**　0723 **revert**　0724 **rebate**　0725 **reimburse**　0726 **remit**
0727 **reciprocate**　0728 **redeemed**　0729 **accentuate**　0730 **accelerated**　0731 **rejuvenating**　0732 **revitalize**　0733 **emigrated**
0734 **migrate**　0735 **reinforce**　0736 **recapitulates**　0737 **revised**　0738 **redressed**　0739 **refurbish**　0740 **suffocated**

Unit 39 0761~0780

書いて記憶

単語	1回目	2回目	3回目	意 味
0761 **dispel** [dɪspél]				を追い散らす
0762 **displace** [dɪspléɪs]				を強制退去させる，を移動させる
0763 **distend** [dɪsténd]				膨らむ，を膨らませる
0764 **oust** [aʊst]				を追い出す，(財産など)を取り上げる
0765 **evict** [ɪvíkt]				を立ち退かせる
0766 **expel** [ɪkspél]				を追放する
0767 **evacuate** [ɪvǽkjuèɪt]				を(~から)避難させる，を(~から)立ち退かせる〈from〉
0768 **relegate** [réləgèɪt]				を(~に)追いやる，を(~に)委託する〈to〉
0769 **dismantle** [dɪsmǽntl]				を分解する
0770 **disrupt** [dɪsrʌ́pt]				を中断[混乱]させる
0771 **discard** [dɪskάːrd]				を捨てる，を解雇する
0772 **ditch** [dɪtʃ]				を捨てる
0773 **soar** [sɔːr]				舞い上がる，(価格が)急騰する
0774 **surge** [sərdʒ]				(波が)押し寄せる，急上昇する
0775 **skyrocket** [skάɪrὰ(ː)kət]				急騰する
0776 **contend** [kənténd]				(~を)競う
0777 **contradict** [kὰ(ː)ntrədíkt]				に反論する，と矛盾する
0778 **belittle** [bɪlítl]				を見くびる，を卑下する
0779 **deprecate** [déprəkèɪt]				を軽んじる
0780 **deface** [dɪféɪs]				の表面を(~で)汚す〈with〉

Unit 38の復習テスト   わからないときは前Unitで確認しましょう。

例文	訳
0741 When the oil in the pan caught fire, she tried to (s　　　) the flames with a blanket.	フライパンの中の油が引火した時、彼女は炎を毛布で覆って消そうとした。
0742 The swimming pool was (d　　　) and cleaned once a month.	その水泳プールは、1か月に1度水を抜き取られ清掃された。
0743 He caught a cold after becoming (d　　　) in a sudden rainstorm.	突然の暴風雨でずぶぬれになった後に、彼は風邪をひいた。
0744 He (d　　　) some of the wine from the barrel into a jug.	彼は樽から水差しにいくらかワインを注いだ。
0745 America frequently asks Japan to (d　　　) its economy.	アメリカは日本に経済を自由化するよう、頻繁に求めている。
0746 Researchers are continuously (e　　　) new medicines from tropical plants.	研究者たちは絶えず熱帯植物から新しい薬を抽出している。
0747 The wolves were eventually (e　　　) by settlers in the area.	オオカミはその地域の入植者によって、ついに絶滅させられた。
0748 The criminal gang was (e　　　) money from local shopkeepers.	その犯罪者集団は、地元の商店主たちから金をゆすり取っていた。
0749 In the tropics, we must use special ointments to (r　　　) disease-bearing insects.	熱帯地方では、病気を運ぶ昆虫を追い払うために、特別な塗り薬を使わなければならない。
0750 The comedian could always (r　　　) in a witty way to any comment.	その喜劇役者はいつも、どんなコメントにも機知に富んだ答えを返すことができた。
0751 The professor began by (e　　　) his previous lectures on the subject.	教授はその主題について、彼の以前の講義を要約することから始めた。
0752 Before he left, the man (e　　　) the key to his safe to his deputy.	出発する前に、男は代理人に金庫の鍵を預けた。
0753 At the interview, the girl took the chance to ask just what the job (e　　　).	面接で、彼女は仕事に伴う内容を尋ねる機会を得た。
0754 The teacher (i　　　) his students to study abroad to broaden their views.	先生は生徒たちに視野を広げるために留学するよう説得した。
0755 The students quickly (i　　　) into the life of their new school.	生徒たちは、新しい学校生活に素早く溶け込んだ。
0756 The employee did her best to (i　　　) herself with her older colleagues.	その従業員は、先輩に気に入られるようにベストを尽くした。
0757 The unruly soccer fans (j　　　) at the referee and threw bottles.	乱暴なサッカーファンが審判にやじを飛ばし、びんを投げた。
0758 Some scientists simply (s　　　) at Einstein's early theories of relativity.	一部の科学者はアインシュタインの初期の相対性理論をただあざ笑った。
0759 The government's policy on global warming was (d　　　) as farcical by environmentalists.	地球温暖化に対する政府の政策は、環境問題専門家たちから茶番だとして嘲笑された。
0760 After a few days' rest, the patient was (d　　　) from the hospital.	数日の静養を経て、患者は病院から退院した。

Unit 38の復習テスト解答　0741 smother　0742 drained　0743 drenched　0744 decanted　0745 deregulate　0746 extracting
0747 exterminated　0748 extorting　0749 repel　0750 retort　0751 encapsulating　0752 entrusted　0753 entailed　0754 induced
0755 integrated　0756 ingratiate　0757 jeered　0758 sneered　0759 derided　0760 discharged

Unit 40　0781〜0800

書いて記憶

単語	1回目	2回目	3回目	意味
0781 **defame** [dɪféɪm]				の名誉を傷つける
0782 **mediate** [míːdièɪt]				(〜を)調停する⟨in⟩, とりなす
0783 **meditate** [médɪtèɪt]				(〜について)熟考する, めい想する⟨on⟩
0784 **contemplate** [kɑ́(ː)ntəmplèɪt]				を熟考する, 沈思黙考する
0785 **deteriorate** [dɪtíəriərèɪt]				悪化する
0786 **decay** [dɪkéɪ]				崩壊する, 腐食する
0787 **adorn** [ədɔ́ːrn]				を(〜で)飾る⟨with⟩
0788 **emblazon** [ɪmbléɪzən]				を(〜で)飾る⟨with⟩
0789 **divert** [dəvə́ːrt]				を(〜から)そらす⟨from⟩
0790 **deflect** [dɪflékt]				をそらす, 外れる
0791 **diverge** [dəvə́ːrdʒ]				分岐する, をそらす
0792 **empathize** [émpəθàɪz]				(に)共感する⟨with⟩
0793 **empower** [ɪmpáʊər]				に権力を持たせる, を力づける
0794 **embolden** [ɪmbóʊldən]				を励ます, を大胆にする
0795 **embody** [ɪmbɑ́(ː)di]				を体現する, を具体的に表現する
0796 **materialize** [mətíəriəlàɪz]				具体化する
0797 **embezzle** [ɪmbézl]				を横領する
0798 **embark** [ɪmbɑ́ːrk]				(事業などに)乗り出す⟨on⟩, 乗船する, を乗せる
0799 **embrace** [ɪmbréɪs]				を受諾する, を抱きしめる
0800 **obstruct** [əbstrʌ́kt]				を妨害する

Unit 39の復習テスト
わからないときは前Unitで確認しましょう。

例文	訳
0761 The arrival of soldiers (d) the angry crowd.	兵士たちが到着すると，怒れる群衆は追い払われた。
0762 Thousands of people were (d) from their homes by the flood.	洪水のため，何千人もの人々が自宅から強制退去させられた。
0763 The sight of the children, their stomachs (d) with hunger, moved the journalist to tears.	飢餓のために腹を膨らませている子どもたちの光景は，ジャーナリストを涙ぐませた。
0764 The army (o) the government and began to rule the country itself.	軍隊は政府を追い出して，自ら国を統治し始めた。
0765 It took over six months to (e) them legally from the property.	その土地から合法的に彼らを立ち退かせるのに半年以上かかった。
0766 After the boy was caught cheating, he was (e) from the school.	カンニングが見つかった後にその少年は退学になった。
0767 People were (e) from their homes because of the danger of an eruption.	噴火の危険があるので，人々は自宅から避難させられた。
0768 The once-great star was (r) to a reserve position on the national soccer team.	かつての偉大なスターは，サッカーの代表チームの控えの地位に追いやられた。
0769 The new recruits were taught how to (d) and clean their guns.	新兵たちは，銃を分解し掃除する方法を教えられた。
0770 A group of demonstrators attempted to (d) the meeting.	デモ参加者の一団が会議を中断させようとした。
0771 We were surprised to see that someone had (d) such nice furniture.	我々は，誰かがそのような立派な家具を捨てたのを見て驚いた。
0772 The bicycle was broken so he (d) it and carried on on foot.	自転車が壊れたので，彼はそれを捨て，歩き続けた。
0773 The eagle looks proud and majestic as it (s) above the mountains.	ワシが山の上空に舞い上がる時，それは誇らしく堂々として見える。
0774 The waves began to (s) and toss as the storm grew more intense.	嵐が強くなるにつれて，波が押し寄せてうねり始めた。
0775 During the crisis, oil prices (s) throughout the globe.	石油危機の時，石油価格が世界中で急騰した。
0776 A number of professors were (c) for the post of dean.	複数の教授が学部長の座を目指して競っていた。
0777 He hesitated to (c) openly what his superior had said.	彼は上司の発言に対して，あからさまに反論することをためらった。
0778 In his speech, the politician tried to (b) his rival's achievements.	スピーチの中で，その政治家はライバルの業績をけなそうとした。
0779 He (d) his own work as something of little value.	彼は価値がほとんどないと自分の仕事を軽んじた。
0780 A gang of youths (d) the statue with spray paint.	若者の一団はスプレー式塗料でその像を汚した。

でる度 **B**
0781 〜 0800

Unit 39の復習テスト解答 0761 dispelled 0762 displaced 0763 distended 0764 ousted 0765 evict 0766 expelled 0767 evacuated 0768 relegated 0769 dismantle 0770 disrupt 0771 discarded 0772 ditched 0773 soars 0774 surge 0775 skyrocketed 0776 contending 0777 contradict 0778 belittle 0779 deprecated 0780 defaced

Unit 41 0801〜0820

書いて記憶

単語	1回目	2回目	3回目	意 味
0801 **hamper** [hǽmpər]				を妨げる
0802 **hinder** [híndər]				を妨げる
0803 **transcend** [trænsénd]				を越える
0804 **transpose** [trænspóuz]				を(〜に)置き換える〈to〉
0805 **uncover** [ʌnkʌ́vər]				を暴露する, を見いだす
0806 **undertake** [ʌ̀ndərtéɪk]				を引き受ける
0807 **unearth** [ʌnə́ːrθ]				を発掘する
0808 **unfold** [ʌnfóʊld]				を広げる
0809 **unsettle** [ʌ̀nsétl]				を動揺させる
0810 **incriminate** [ɪnkrímɪnèɪt]				に罪を負わせる, を告発する
0811 **instill** [ɪnstíl]				を教え込む
0812 **enroll** [ɪnróʊl]				(〜に)入学[入会]する〈in〉, を登録する
0813 **engulf** [ɪŋgʌ́lf]				を飲み込む
0814 **engender** [ɪndʒéndər]				を生み出す
0815 **ensue** [ɪnsjúː]				結果として起こる
0816 **enforce** [ɪnfɔ́ːrs]				(法律など)を執行する
0817 **stagger** [stǽgər]				よろめく, (勤務時間など)をずらす
0818 **waver** [wéɪvər]				(信念などの点で)心が揺らぐ〈in〉, 動揺する
0819 **exasperate** [ɪgzǽspərèɪt]				を憤慨させる
0820 **resent** [rɪzént]				に憤る, を恨みに思う

Unit 40の復習テスト

わからないときは前Unitで確認しましょう。

例文	訳
0781 The journalist was accused of (d　　　) an honest businessman.	そのジャーナリストは，誠実な実業家の名誉を傷つけたとして告訴された。
0782 The superpower attempted to (m　　　) in the dispute between its allies.	その超大国は同盟国間の紛争を調停しようとした。
0783 The great actor would (m　　　) on a new part for weeks before he started rehearsals.	その大物俳優は，リハーサルに入る数週間も前から，新しい役について熟考したものだった。
0784 His heart sank as he (c　　　) the pile of work that lay on his desk.	机の上に積まれた仕事の山のことを考えるにつけ，彼の気持ちは沈んだ。
0785 As the war continued, the food situation began to (d　　　).	戦争が続くにしたがって，食糧事情は悪化し始めた。
0786 The valuable wooden furniture had been left to (d　　　).	高価な木製の家具は放置されていたためにぼろぼろになった。
0787 To welcome the soldiers home, the station was (a　　　) with flags.	兵士の帰国を歓迎するために，駅は国旗で飾られた。
0788 The walls of the castle were (e　　　) with bright banners.	城壁は明るい色の旗で飾られていた。
0789 Police were posted near the accident site to (d　　　) curiosity seekers.	やじ馬を退けるため，事故現場近くに警察官が配置された。
0790 Sunglasses are designed to (d　　　) UV rays of direct sunlight.	サングラスは直射日光の紫外線をそらすことを目的として作られている。
0791 As they grew older, their interests (d　　　) and the two friends lost contact.	その2人の友人は，年を取るにつれて関心が分かれ，連絡を取らなくなった。
0792 Although he (e　　　) with the protestor's feelings, he did not support them.	彼はその抗議者の感情に共感したが，支持しなかった。
0793 The project was designed to (e　　　) local women farmers.	そのプロジェクトは地元の女性農業者たちに権限を持たせるために計画された。
0794 (E　　　) by the success of the product, the company decided to produce two more models.	製品の成功に励まされ，その企業はさらに2つのモデルを生産することを決定した。
0795 His professor (e　　　) everything he admired in a scholar.	その教授は彼が称賛する学者としてのあらゆるものを体現していた。
0796 If funding (m　　　), they will start the research the following year.	資金（調達）が具体化したら彼らは次の年に研究を始めるだろう。
0797 The banker was eventually sent to prison because he (e　　　) funds.	その銀行家は預金を横領したため，結局は刑務所に入れられた。
0798 They (e　　　) on a journey to the moon.	彼らは月旅行の事業に乗り出した。
0799 To the ecologist's surprise, the government (e　　　) his proposals for cutting carbon emissions.	環境保護論者が驚いたことには，政府は二酸化炭素排出削減に関する彼の提案を受け入れた。
0800 The government was accused of trying to (o　　　) the inquiry.	政府はその調査を妨害しようとしたことを非難された。

Unit 40の復習テスト解答　0781 defaming　0782 mediate　0783 meditate　0784 contemplated　0785 deteriorate　0786 decay　0787 adorned　0788 emblazoned　0789 divert　0790 deflect　0791 diverged　0792 empathized　0793 empower　0794 Emboldened　0795 embodied　0796 materializes　0797 embezzled　0798 embarked　0799 embraced　0800 obstruct

Unit 42 0821〜0840

書いて記憶

単語	1回目	2回目	3回目	意味
0821 **surmount** [sərmáunt]				に打ち勝つ
0822 **surpass** [sərpǽs]				を上回る
0823 **impair** [ɪmpéər]				を損なう
0824 **jeopardize** [dʒépərdàɪz]				を危険に陥れる
0825 **mar** [mɑːr]				を損なう
0826 **mortify** [mɔ́ːrṭəfàɪ]				に恥をかかせる
0827 **humiliate** [hjumílièɪt]				に恥をかかせる
0828 **proclaim** [prəkléɪm]				を宣言する，を公表する
0829 **profess** [prəfés]				(〜である)と自称する〈to do〉
0830 **scatter** [skǽṭər]				散り散りになる，をまき散らす
0831 **congregate** [kɑ́(ː)ŋgrɪgèɪt]				集まる
0832 **allocate** [ǽləkèɪt]				を(〜に)配分する〈to〉
0833 **synthesize** [sínθəsàɪz]				を統合する
0834 **pledge** [pledʒ]				を誓約する
0835 **waive** [weɪv]				(権利など)を放棄する
0836 **assimilate** [əsíməlèɪt]				(〜に)同化する〈into〉，を吸収する
0837 **merge** [məːrdʒ]				合併する，を合併する
0838 **censure** [sénʃər]				を(〜のことで)非難する〈for〉
0839 **supplant** [səplǽnt]				の地位を奪い取る
0840 **stabilize** [stéɪbəlàɪz]				を安定させる

Unit 41の復習テスト

わからないときは前Unitで確認しましょう。

例文	訳
0801 The police investigation was (h　　　　) by the uncooperative attitude of local people.	警察の捜査は地元の人々の非協力的な態度により妨げられた。
0802 Work on repairing the bridge was (h　　　　) by strong winds.	橋の修理工事は強風によって妨げられた。
0803 In order to succeed, we must (t　　　　) our greatest weaknesses.	成功するには，我々は自己の最大の弱みを超越しなければならない。
0804 The setting of the classic novel was (t　　　　) to a modern one.	その古典小説の舞台は現代に置き換えられた。
0805 A persistent journalist had first (u　　　　) the crime.	粘り強いジャーナリストが最初にその犯罪を暴いた。
0806 The soldiers (u　　　　) the responsibility to defend their country.	兵士たちは，母国を守る責任を引き受けた。
0807 The construction workers accidentally (u　　　　) the remains of a Roman villa.	建設現場の労働者たちは，たまたま古代ローマの大邸宅の遺跡を掘り当てた。
0808 The guide (u　　　　) a large map and showed them the route.	ガイドは大きな地図を広げて，彼らにルートを教えた。
0809 Reports of a series of burglaries (u　　　　) the local inhabitants.	一連の強盗事件の報道は地元の住民たちを動揺させた。
0810 In American courts, suspects cannot be forced to (i　　　　) themselves.	アメリカの法廷では，容疑者は自分の罪を認めるように強いられることはない。
0811 We always try to (i　　　　) strong moral values in our children.	我々は常に子どもたちに強い倫理観を教え込もうとする。
0812 My brother will (e　　　　) in Stanford University next fall.	私の弟は，来秋スタンフォード大学に入学する。
0813 The typhoon totally (e　　　　) that small fishing community.	台風は完全にその小さな漁村を飲み込んだ。
0814 They hoped that our research would (e　　　　) further efforts to cure cancer.	我々の研究が，がん治療のさらなる努力を喚起することを，彼らは期待した。
0815 She spoke her mind clearly, not caring what might (e　　　　).	彼女は何が結果として起きるかを気にせず，気持ちをはっきりと打ち明けた。
0816 The police rarely (e　　　　) the local laws against fishing.	警察は釣りに関しては地域法を執行することはほとんどなかった。
0817 The intoxicated man was (s　　　　) dangerously near the train tracks.	その酔った男は鉄道線路の近くで危なっかしくよろよろ歩いていた。
0818 No matter how much pressure he felt, he never (w　　　　) in his decision.	いかに多くの圧力を感じても，彼の決心は揺るがなかった。
0819 She was so (e　　　　) by her husband's complaints that she threw the meal at him.	彼女は夫の言う不満にとても憤慨したので，食べ物を夫に投げつけた。
0820 Young writers should try not to (r　　　　) constructive criticism.	若手作家は建設的な批評に腹を立てないようにすべきだ。

Unit 41の復習テスト解答　0801 hampered　0802 hindered　0803 transcend　0804 transposed　0805 uncovered　0806 undertook　0807 unearthed　0808 unfolded　0809 unsettled　0810 incriminate　0811 instill　0812 enroll　0813 engulfed　0814 engender　0815 ensue　0816 enforced　0817 staggering　0818 wavered　0819 exasperated　0820 resent

Unit 43 0841~0860

書いて記憶

単語	1回目	2回目	3回目	意味
0841 **intrigue** [ɪntríːg]				(〜と)共謀する〈with〉, 陰謀を企てる
0842 **penetrate** [pénətrèɪt]				に侵入する, を貫通する
0843 **probe** [proʊb]				を厳密に調査する, を精査する
0844 **abuse** [əbjúːz]				を悪用する, 濫用する
0845 **poach** [poʊtʃ]				を密猟する, を侵害する
0846 **cease** [siːs]				を終える, 終わる
0847 **circulate** [sə́ːrkjulèɪt]				広がる
0848 **claim** [kleɪm]				を主張する
0849 **ratify** [rǽtəfàɪ]				を批准する
0850 **forfeit** [fɔ́ːrfət]				を失う, を没収される
0851 **implicate** [ímplɪkèɪt]				を(犯罪などに)巻き込む, を意味する
0852 **perpetrate** [pə́ːrpətrèɪt]				(犯罪・過失など)を犯す
0853 **monopolize** [mənɑ́(ː)pəlàɪz]				を独占する
0854 **smuggle** [smʌ́gl]				を密輸する
0855 **expire** [ɪkspáɪər]				満期になる, 終了する, 死ぬ
0856 **compile** [kəmpáɪl]				(書物など)を編集する
0857 **hatch** [hætʃ]				卵が孵化する
0858 **hibernate** [háɪbərnèɪt]				冬眠する
0859 **metabolize** [mətǽbəlàɪz]				を新陳代謝する
0860 **reap** [riːp]				を刈り取る

Unit 42の復習テスト

わからないときは前Unitで確認しましょう。

例　文	訳
0821 He had to (s　　　　) a number of legal problems before he could set up the new company.	彼は新しい会社を設立する前に，多くの法律上の問題を乗り越えなくてはならなかった。
0822 The athlete finally (s　　　　) the previous world record in 2009.	その運動選手は，ついに2009年樹立の過去の世界記録を上回った。
0823 His hearing was (i　　　　) from years of playing in a rock band.	彼の聴力は長年のロック・バンドでの演奏活動によって損なわれた。
0824 The whole agreement was (j　　　　) by his failure to produce the promised documents in time.	彼が約束していた書類を時間までに仕上げられなかったために，契約全体が危うくなった。
0825 The Olympic Games were (m　　　　) by a lethal bomb explosion.	そのオリンピックは殺害目的の爆弾の爆発で台無しになった。
0826 My mother was sometimes (m　　　　) by the behavior of her children in public.	私の母は人前での子どもたちの行動によって時々恥をかかされた。
0827 His father (h　　　　) him by telling him off in front of his friends.	友人の目の前で叱り飛ばして，父親は彼に恥をかかせた。
0828 After making a speech, the mayor (p　　　　) the sports meet open.	スピーチをした後で，市長はスポーツ大会の開催を宣言した。
0829 I don't (p　　　　) to be an expert in economics, but I enjoy reading about the subject.	私は経済学の専門家を自称することはないが，経済学に関するものを読むのは楽しい。
0830 The crowd of students (s　　　　) before the oncoming tanks.	学生の群れは近づいて来る戦車を前にして，散り散りになった。
0831 The principal told the children to (c　　　　) in front of the school at 8 a.m.	校長先生は子どもたちに，午前8時に学校前に集合するように言った。
0832 He sat at the desk (a　　　　) to him and began to take the test.	彼はあてがわれた机に座り，テストを受け始めた。
0833 The book (s　　　　) the research of many different experts.	その本は多くのさまざまな専門家の研究を統合していた。
0834 A medieval knight was required to (p　　　　) allegiance to his lord.	中世の騎士は，領主に忠誠を誓うことを要求された。
0835 He agreed to (w　　　　) some of his rights in return for a reduced sentence.	彼は減刑判決の交換条件として，自分の権利のいくつかを放棄することに同意した。
0836 Immigrant workers sometimes found it difficult to (a　　　　) into society.	移民労働者たちは時々社会に同化することが難しいと感じた。
0837 When the two companies (m　　　　), they became the largest conglomerate in the chemical industry.	両社が合併したことで，化学工業界で最大の複合企業が誕生した。
0838 After he was publicly (c　　　　) by the President, he resigned from office.	大統領に公然と譴責された後，彼は辞職した。
0839 The prime minister suspected the man of trying to (s　　　　) him.	首相は，その男性が自分の地位を奪い取ろうとしているのだと疑った。
0840 The government introduced measures to (s　　　　) the price of oil, which had been fluctuating wildly.	激しく変動していた石油価格を安定させる政策を政府は導入した。

単語編

でる度 B

0841〜0860

Unit 42の復習テスト解答　0821 surmount　0822 surpassed　0823 impaired　0824 jeopardized　0825 marred　0826 mortified
0827 humiliated　0828 proclaimed　0829 profess　0830 scattered　0831 congregate　0832 allocated　0833 synthesized
0834 pledge　0835 waive　0836 assimilate　0837 merged　0838 censured　0839 supplant　0840 stabilize

Unit 44 0861〜0880

書いて記憶

単 語	1回目	2回目	3回目	意 味
0861 **saturate** [sǽtʃərèɪt]				を飽和状態にする，を完全に浸す
0862 **inoculate** [ɪnɑ́(:)kjulèɪt]				に (〜の) 予防接種をする 〈against〉
0863 **evolve** [ɪvɑ́(:)lv]				(〜から) 進化する 〈from〉
0864 **inject** [ɪndʒékt]				を (〜に) 注射する，を (〜に) 注入する 〈into〉
0865 **erupt** [ɪrʌ́pt]				噴火する，(感情が) 爆発する，(戦争が) 勃発する
0866 **wriggle** [rígl]				体をくねらせる
0867 **guzzle** [gʌ́zl]				をがぶがぶ飲む，をがつがつ食べる
0868 **nudge** [nʌdʒ]				を (肘で) そっとつつく
0869 **sprawl** [sprɔːl]				手足を伸ばして寝そべる
0870 **jiggle** [dʒígl]				を小刻みに動かす
0871 **dangle** [dǽŋgl]				を (〜の前に) ぶら下げる 〈before, in front of〉
0872 **invert** [ɪnvə́ːrt]				を逆さにする
0873 **fumble** [fʌ́mbl]				手探りする
0874 **quiver** [kwívər]				震える
0875 **assault** [əsɔ́(:)lt]				に暴行する，を攻撃する
0876 **bombard** [bɑ(:)mbɑ́ːrd]				に (質問などを) 浴びせる 〈with〉
0877 **incapacitate** [ìnkəpǽsɪtèɪt]				を無力化する
0878 **devastate** [dévəstèɪt]				を破壊する
0879 **excel** [ɪksél]				(〜において) 優れている，(〜において) に勝る 〈in〉
0880 **esteem** [ɪstíːm]				を尊敬する，を高く評価する

Unit 43の復習テスト

わからないときは前Unitで確認しましょう。

例文	訳
0841 The supermarkets were accused of (i　　　) with each other to fix prices.	複数のスーパーマーケットが互いに共謀して価格設定を行ったため、告発された。
0842 The government offices admitted that their computers had been (p　　　) by hackers.	コンピューターがハッカーたちによって侵入されたことを、政府は認めた。
0843 The Justice Department has (p　　　) allegations of presidential wrongdoing.	司法省は大統領の不正行為の申し立てを厳密に調査した。
0844 The accountant had (a　　　) his position to enrich himself.	その公認会計士は、私腹を肥やすために自分の地位を悪用した。
0845 In the past, (p　　　) animals from the royal forests was punishable by death.	昔は、王家の森で動物を密猟することは、死をもって罰せられていた。
0846 The moment he (c　　　) speaking, the audience burst into applause.	彼が話し終えるとすぐに観客からどっと拍手が沸いた。
0847 Rumors about the mayor began to (c　　　) through the town.	市長についてのうわさが、町中に広がり始めた。
0848 The arrested man (c　　　) the police had mistreated him.	逮捕された男性は、警察が虐待したと主張した。
0849 Congress will often not (r　　　) bills proposed by the President.	議会は大統領が提出した法案を批准しないことがよくある。
0850 If we cannot afford to complete the deal now, we may (f　　　) our investment.	もし、今取引を完了することができなければ、我々は投資金を失うかもしれない。
0851 The statement he gave to the police (i　　　) many important businessmen.	警察での彼の供述は、多くの有力な実業家を巻き込むこととなった。
0852 The crooked businessman was found guilty of (p　　　) fraud.	その悪徳業者は詐欺行為を犯して有罪判決を受けた。
0853 The tennis courts tended to be (m　　　) by the older students.	テニスコートは先輩の学生たちに独占されがちである。
0854 Some tribes of Myanmar successfully (s　　　) drugs into Thailand.	ミャンマーの一部の部族がタイに首尾よく麻薬を密輸した。
0855 The lease on my apartment will (e　　　) in two years.	私のアパートの賃貸契約は2年後に期限が切れる。
0856 The scholar worked for years (c　　　) a dictionary of the Basque language.	その学者はバスク語の辞書の編纂に長年取り組んだ。
0857 The mother bird sits on the eggs until they (h　　　) a week later.	親鳥は、ヒナがかえるまで1週間、卵を抱く。
0858 Before the bears (h　　　), they eat as much food as possible.	熊は冬眠する前に可能な限り大量に食べる。
0859 Usually, the substance is (m　　　) by the liver and does no harm.	通常、その物質は肝臓で新陳代謝されるので害にならない。
0860 The local farmers helped each other to (r　　　) the wheat.	地元の農業者たちはお互いに助け合い小麦を刈り取った。

Unit 43の復習テスト解答 0841 intriguing　0842 penetrated　0843 probed　0844 abused　0845 poaching　0846 ceased　0847 circulate　0848 claimed　0849 ratify　0850 forfeit　0851 implicated　0852 perpetrating　0853 monopolized　0854 smuggled　0855 expire　0856 compiling　0857 hatch　0858 hibernate　0859 metabolized　0860 reap

Unit 45 0881~0900

書いて記憶

学習日　月　日

単語	1回目	2回目	3回目	意味
0881 **overrun** [òʊvərrÁn]				にはびこる, にあふれる, を侵略する
0882 **simulate** [símjulèɪt]				を模擬実験する, のふりをする
0883 **collaborate** [kəlǽbərèɪt]				(〜と)協力する〈with〉
0884 **commence** [kəméns]				始まる
0885 **provoke** [prəvóʊk]				を挑発する, をいらだたせる
0886 **evaporate** [ɪvǽpərèɪt]				消滅する, 蒸発する
0887 **amplify** [ǽmplɪfàɪ]				を詳述する, を増幅する
0888 **scrutinize** [skrúːtənàɪz]				を綿密に調べる
0889 **submerge** [səbmə́ːrdʒ]				潜水する, を水中に沈める
0890 **permeate** [pə́ːrmièɪt]				に広まる, に浸透する
0891 **affix** [əfíks]				を(〜に)取り付ける, を(〜に)添付する, を(〜に)書き添える〈to〉
0892 **discern** [dɪsə́ːrn]				(…ということ)がわかる〈that〉, を見分ける
0893 **coax** [kóʊks]				をなだめて〜させる〈into〉
0894 **denote** [dɪnóʊt]				(記号などが)を示す
0895 **exemplify** [ɪgzémplɪfàɪ]				を例証する
0896 **harness** [háːrnɪs]				(自然の力)を利用する, (馬)に馬具を付ける
0897 **chafe** [tʃeɪf]				(〜に)いらだつ〈at, under〉, を擦りむく
0898 **loom** [luːm]				ぼんやり現れる
0899 **rumble** [rÁmbl]				ごろごろと鳴る
0900 **snare** [sneər]				をわなに掛ける

Unit 44の復習テスト

わからないときは前Unitで確認しましょう。

例文	訳
0861 The market for television sets is completely (s　　　) in some countries.	テレビの市場が完全に飽和状態になっている国もある。
0862 All children should be (i　　　) against certain childhood diseases.	すべての子どもは，ある種の幼児期の病気の予防接種を受けるべきだ。
0863 Darwin believed that humans (e　　　) from less developed species of primates.	ダーウィンは，人間は低い発達段階の霊長類から進化したと信じていた。
0864 The doctor (i　　　) the vaccine into the patient's arm.	医師は患者の腕にワクチンを注射した。
0865 Government scientists said that there were fears that the volcano might (e　　　) at any time.	その火山はいつ何時にも噴火する恐れがあると，政府系科学者は述べた。
0866 The little girl began to (w　　　) uncomfortably on her chair.	少女はいすの上で落ち着きなくもじもじし始めた。
0867 The little boy (g　　　) his lemonade and ran out to meet his friends.	男の子はレモネードをがぶがぶ飲んでから，友達に会いに外に走って行った。
0868 When the meeting opened, my colleague (n　　　) me to be quiet.	会議が始まった時，同僚は静かにするよう私を肘でそっとつついた。
0869 He turned on the television and (s　　　) on the sofa.	彼はテレビをつけ，ソファーに手足を伸ばして寝そべった。
0870 He (j　　　) the power switch a few times but nothing happened.	彼は電源スイッチを数回動かしたが，何も起こらなかった。
0871 The boss persuaded him to cooperate by (d　　　) the prospect of promotion before him.	目の前に昇進の可能性をぶら下げることで，上司は協力するよう彼を説得した。
0872 Even when we (i　　　) the position of the painting it looked the same.	我々が絵の位置を上下逆にしてみても，それは同じに見えた。
0873 The woman (f　　　) in her bag for the key to the front door.	その女性は玄関のドアのカギをかばんの中を手探りして捜した。
0874 When we found the lost puppy, it was (q　　　) in fear.	迷子になった子犬を見つけた時，子犬は不安げに震えていた。
0875 The prisoner was punished for (a　　　) one of the guards.	囚人は看守の1人に暴行したために罰せられた。
0876 Reporters (b　　　) the film star with questions about her health.	レポーターたちは，その映画スターに彼女の健康に関する質問を浴びせた。
0877 The guerillas planned to use grenades to (i　　　) the army's tanks.	ゲリラは戦車を無力化するために手榴弾を使う計画を立てた。
0878 The whole region was (d　　　) by floods.	地域全体が，洪水によって破壊された。
0879 Asian Americans often (e　　　) in school at all levels of education.	すべての教育段階において，アジア系アメリカ人は学校の成績が優れていることが多い。
0880 The woman is highly (e　　　), even by her political opponents.	政敵たちにさえも，その女性は大いに尊敬されている。

単語編

でる度 B

0881 〜 0900

Unit 44の復習テスト解答　0861 saturated　0862 inoculated　0863 evolved　0864 injected　0865 erupt　0866 wriggle　0867 guzzled　0868 nudged　0869 sprawled　0870 jiggled　0871 dangling　0872 inverted　0873 fumbled　0874 quivering　0875 assaulting　0876 bombarded　0877 incapacitate　0878 devastated　0879 excel　0880 esteemed

Unit 46　0901〜0920

書いて記憶

単語	1回目	2回目	3回目	意　味
0901 **steer** [stɪər]				を導く，の舵を取る
0902 **evoke** [ɪvóuk]				を呼び起こす
0903 **dub** [dʌb]				(いくつかの録音)を合成する，(音・映像)を複製する，を(別の言語に)吹き替える
0904 **grapple** [grǽpl]				(〜と)真剣に取り組む〈with〉
0905 **exert** [ɪgzə́ːrt]				を行使する，を働かせる
0906 **grumble** [grʌ́mbl]				文句を言う〈about〉
0907 **hover** [hʌ́vər]				空中に停止する
0908 **precede** [prɪsíːd]				に先んじる，より重要な位置にいる
0909 **reside** [rɪzáɪd]				住む
0910 **specify** [spésəfàɪ]				を具体的に述べる
0911 **topple** [tá(ː)pl]				バランスが崩れて倒れる
0912 **usher** [ʌ́ʃər]				を(〜へ)案内する〈to〉
0913 **withhold** [wɪðhóuld]				を与えない，抑える，差し控える
0914 **shatter** [ʃǽtər]				を粉砕する，(健康など)を害する
0915 **dice** [daɪs]				をさいの目に切る
0916 **garble** [gáːrbl]				を文字化けさせる
0917 **flourish** [fləː́rɪʃ]				栄える
0918 **dart** [dɑːrt]				突進する
0919 **diversify** [dəvə́ːrsɪfàɪ]				を多様化する
0920 **rationale** [ræ̀ʃənǽl]				理論的根拠

Unit 45 の復習テスト

例文	訳
0881 The city was completely (o　　　) by crime.	その市では犯罪がすっかりはびこっていた。
0882 At the Army training camp, the soldiers must (s　　　) a battle operation.	陸軍の訓練キャンプで兵士たちは戦闘の模擬演習をしなければならない。
0883 Those who had (c　　　) with the enemy were later punished.	敵に協力した人たちは，後に処罰された。
0884 The term had not yet (c　　　) and the campus was empty.	学期はまだ始まっていなかったので，大学構内に人がいなかった。
0885 The drunk man tried to (p　　　) the other customer into fighting him.	酔っぱらいは，もう1人の客を挑発して自分とけんかさせようとした。
0886 His wife's enthusiasm for the idea (e　　　) when she heard how much the new car would cost.	新車の金額を聞いて，彼の妻の買おうという情熱は消え失せた。
0887 The expert was asked to write a report (a　　　) his reservations about the project.	その専門家は，プロジェクトに留保条件を付けている訳を詳述する報告書を書くように求められた。
0888 I had to (s　　　) the students' papers before I could pass them.	学生たちを及第させる前に，私は彼らの答案を精査しなければならなかった。
0889 The submarine (s　　　) as soon as enemy ships approached.	敵艦が近づくやいなや，潜水艦は水中に潜った。
0890 Anxiety about the future had (p　　　) every part of the company.	将来への不安が会社中に広まっていた。
0891 He (a　　　) some Christmas lights to the roof of his house.	彼は自宅の屋根にいくつかクリスマス用の照明を取り付けた。
0892 The teacher was able to (d　　　) that her student was deeply troubled.	教師は，自分の生徒が深く悩んでいることがわかった。
0893 The police officer tried to (c　　　) the old lady's cat into coming down from the tree.	警官はそのおばあさんが飼っているネコをなだめすかして木から降りて来させようとした。
0894 In many cultures, black clothes (d　　　) a state of mourning.	多くの文化において，黒い衣服は喪に服していることを示す。
0895 His paintings are considered to (e　　　) the style known as abstract expressionism.	彼の絵画は抽象表現主義として知られる様式を例証するものと目されている。
0896 Scientists are finding better ways to (h　　　) the limitless energy of the sun.	科学者たちは太陽の持つ無限のエネルギーを利用する，より優れた方法を模索している。
0897 The students were (c　　　) under the strict rules introduced by the new principal.	新任の校長が導入した厳しい規則に学生たちはいらだっていた。
0898 In spite of the good weather forecast, a dark cloud (l　　　) on the horizon.	天気予報では晴天のはずだったのに，黒雲が地平線上の空にぼんやりと現れた。
0899 As we headed home, thunder (r　　　) in the western sky.	家に向かう途中，西の空で雷がごろごろと鳴った。
0900 When I was young, an uncle taught me how to (s　　　) rabbits.	子どもの頃，おじがウサギをわなで捕まえる方法を教えてくれた。

Unit 45 の復習テスト解答　0881 overrun　0882 simulate　0883 collaborated　0884 commenced　0885 provoke
0886 evaporated　0887 amplifying　0888 scrutinize　0889 submerged　0890 permeated　0891 affixed　0892 discern　0893 coax
0894 denote　0895 exemplify　0896 harness　0897 chafing　0898 loomed　0899 rumbled　0900 snare

Unit 47　0921~0940

書いて記憶

単語	1回目	2回目	3回目	意味
0921 **restraint** [rɪstréɪnt]				抑制，遠慮
0922 **stem** [stem]				茎，幹，船首
0923 **gorge** [gɔːrdʒ]				(渓流の流れる)渓谷，小峡谷
0924 **zest** [zest]				熱意，興味，痛快味
0925 **complex** [ká(ː)mplèks]				集合体，強迫観念
0926 **artifact** [ɑ́ːrtɪfæ̀kt]				工芸品
0927 **reversal** [rɪvə́ːrsəl]				逆転，転換
0928 **altruism** [ǽltruɪzm]				利他主義，利他心
0929 **mimicry** [mímɪkri]				物まね
0930 **coincidence** [kouínsɪdəns]				偶然の一致
0931 **oversight** [óuvərsàɪt]				見落とし，監督，管理
0932 **privilege** [prívəlɪdʒ]				特典，特権
0933 **liaison** [líːəzà(ː)n]				連絡，連絡係，密通
0934 **assessment** [əsésmənt]				査定，評価
0935 **bias** [báɪəs]				えこひいき，先入観，傾向
0936 **incidence** [ínsɪdəns]				発生率，影響の範囲
0937 **amity** [ǽməti]				友好
0938 **pageant** [pǽdʒənt]				華麗な行列，山車
0939 **paragon** [pǽrəgà(ː)n]				模範
0940 **parameter** [pərǽmətər]				限界

Unit 46の復習テスト

わからないときは前Unitで確認しましょう。

例文	訳
0901 My parents always tried to (s　　　) me in the right direction.	両親はいつも正しい方向に私を導こうとした。
0902 The film I just saw (e　　　) memories of my childhood in the Midwest.	私がたった今見た映画は，中西部での子ども時代の記憶を呼び起こした。
0903 We tried to (d　　　) additional voices onto the old soundtrack.	我々は元のサウンド・トラックに追加の音声を合成することを試みた。
0904 Junior colleges around Japan must (g　　　) with lower future enrollments.	日本中の短大はこれから続く入学生数の減少に取り組まねばならない。
0905 Few of the employees have (e　　　) their right to paternity leave.	父親育児休暇の権利を行使する従業員はほとんどいない。
0906 His son (g　　　) but agreed to do what he was asked.	彼の息子は文句を言ったが，頼まれたことをすることには同意した。
0907 The helicopter (h　　　) for a few minutes before landing.	そのヘリコプターは，着陸する前に数分間，空中に停止していた。
0908 Many famous scientists had (p　　　) him in the post.	多くの有名な科学者が彼の前任者としていた。
0909 After the couple retired, they (r　　　) in a small seaside town.	その夫婦は引退した後，小さな海辺の町に住んだ。
0910 The inspector (s　　　) a number of improvements that were necessary.	その検査員は改良が必要な点をいくつも具体的に述べた。
0911 The tall pile of books (t　　　) and fell across his desk.	高く積まれた本の山のバランスが崩れて倒れ，彼の机に落ちた。
0912 A waiter (u　　　) the group of guests to a private room.	ウエーターは個室に客のグループを案内した。
0913 The government was accused of (w　　　) information about the disease.	政府はその病気についての情報を公開しないことを責められた。
0914 The baseball (s　　　) the huge picture window of a nearby house.	野球のボールが近くの家の大きな見晴らし窓を粉々に砕いた。
0915 She (d　　　) the carrots and then put them on to boil.	彼女はニンジンをさいの目に切り，ゆでた。
0916 When he opened the file, the letters were completely (g　　　).	彼がファイルを開けた時，完全に文字化けしていた。
0917 The small company (f　　　) under the guiding hand of the innovative entrepreneur.	その小さな会社は革新的な起業家の手腕によって栄えた。
0918 Trying to evade the dog which was chasing it, the squirrel (d　　　) across the street.	追いかけてくる犬から逃れようとして，リスは素早く通りを駆け抜けた。
0919 Many farmers (d　　　) crops to hedge against unpredictable weather and climate.	多くの農民が予期できない気候とその地域を防衛するために穀物の種類を多様化する。
0920 The finance minister explained the (r　　　) behind the tax reforms.	財務大臣は，税制改革の背後にある理論的根拠を説明した。

でる度 B ／ 0921〜0940

Unit 46の復習テスト解答　0901 steer　0902 evoked　0903 dub　0904 grapple　0905 exerted　0906 grumbled　0907 hovered　0908 preceded　0909 resided　0910 specified　0911 toppled　0912 ushered　0913 withholding　0914 shattered　0915 diced　0916 garbled　0917 flourished　0918 darted　0919 diversify　0920 rationale

Unit 48 0941~0960

書いて記憶

単語	1回目	2回目	3回目	意 味
0941 **patronage** [pǽtrənɪdʒ]				後援
0942 **erudition** [èrjudíʃən]				博学
0943 **expertise** [èkspə(ː)rtíːz]				専門知識 [技術]
0944 **affiliation** [əfìliéɪʃən]				協力関係, 併合, 提携
0945 **platitude** [plǽtətjùːd]				ありきたりの決まり文句
0946 **tinge** [tɪndʒ]				かすかな意味合い
0947 **travesty** [trǽvəsti]				まがい物
0948 **abundance** [əbʌ́ndəns]				豊富
0949 **metaphor** [métəfɔ̀(ː)r]				隠喩
0950 **infirmity** [ɪnfə́ːrməṭi]				病気, 欠点
0951 **deficiency** [dɪfíʃənsi]				不足, 不完全(性)
0952 **hygiene** [háɪdʒiːn]				衛生管理, 清潔
0953 **antibiotic** [æ̀nṭibaɪá(ː)ṭɪk]				抗生物質
0954 **tantrum** [tǽntrəm]				かんしゃく, 不機嫌
0955 **cramp** [kræmp]				(筋肉の)痙攣, 生理痛
0956 **spasm** [spǽzm]				(筋肉の)ひきつり
0957 **tumor** [tjúːmər]				腫瘍
0958 **diagnosis** [dàɪəgnóʊsɪs]				診断
0959 **qualm** [kwɑːm]				(~に対する)良心の呵責, (~に対する)不安〈about〉
0960 **enzyme** [énzaɪm]				酵素

Unit 47の復習テスト

わからないときは前Unitで確認しましょう。

例文	訳
0921 The crowd showed great (r　　　), waiting patiently for hours to get their tickets.	集まった人々は大いに我慢して、チケットを手に入れるために何時間も辛抱強く待っていた。
0922 The flowers in my garden died because parasites attacked their (s　　　).	寄生植物が茎に取り付いたので、庭の花が枯れてしまった。
0923 They peered over the edge of the (g　　　) and looked at the stream far below.	彼らは峡谷のへり越しにのぞき込み、そして、はるか下にある小川を眺めた。
0924 The girl does everything with such (z　　　) that it is hard not to admire her spirit.	その少女は、何でも熱心にやるので、その心意気を称賛しないではいられない。
0925 The institute was housed in a (c　　　) of old buildings.	その機関は古い建物の集合体の中にあった。
0926 Various primitive (a　　　) were discovered by the archeologists.	多種多様な原始時代の工芸品が考古学者によって発見された。
0927 In a dramatic (r　　　) of policy, the refugees were accepted by the country.	方針が大きく逆転されて、難民たちはその国に受け入れられた。
0928 He was renowned all over the world for his (a　　　).	彼は利他主義で世界中に知られていた。
0929 The little boy's brilliant (m　　　) of the teacher made the others laugh.	少年の見事な先生の物まねを見て、ほかの人たちは笑った。
0930 Meeting her on the street after so many years was quite a (c　　　).	何年ぶりかで街で彼女に出会ったのは、全くの偶然だった。
0931 By an (o　　　), he failed to grade one of the students' essays.	見落としで、彼は生徒の作文の成績を1人分つけ損なった。
0932 Railway employees have the (p　　　) of being allowed to travel on any train for free.	鉄道会社の社員は、どんな電車にも無料で乗れるという特典を持っている。
0933 They formed a (l　　　) between two countries.	彼らは2つの国の間の連絡をした。
0934 The school is now undergoing a formal (a　　　) for accreditation.	その学校は今、認可のための公的査定を受けている。
0935 The judge was accused of showing a (b　　　) towards the defendant.	判事は被告人寄りの姿勢を示したことで非難された。
0936 Authorities were concerned about the increasing (i　　　) of violent crime.	暴力犯罪の発生率が増加していることを当局は憂慮していた。
0937 The festival was intended to promote (a　　　) between the nations.	その祭りは国家間の友好の促進を目的としていた。
0938 Every year, a (p　　　) is held to celebrate the town's history.	毎年、その町の歴史を祝うために華麗な行列が開催される。
0939 The old couple saw their granddaughter as a (p　　　) of virtue.	老夫婦は自分の孫娘を美徳の模範と見なした。
0940 The budget imposed strict (p　　　) on their spending.	予算は支出に厳しい限界を課した。

Unit 47の復習テスト解答
0921 restraint　0922 stems　0923 gorge　0924 zest　0925 complex　0926 artifacts　0927 reversal
0928 altruism　0929 mimicry　0930 coincidence　0931 oversight　0932 privilege　0933 liaison　0934 assessment　0935 bias
0936 incidence　0937 amity　0938 pageant　0939 paragon　0940 parameters

Unit 49　0961〜0980

書いて記憶

単語	1回目	2回目	3回目	意味
0961 **graft** [græft]				移植
0962 **mutation** [mjutéɪʃən]				変異型
0963 **microbe** [máɪkroʊb]				病原菌, 微生物
0964 **epicenter** [épɪsèntər]				震源地, 核心
0965 **coma** [kóʊmə]				昏睡
0966 **paralysis** [pəræləsɪs]				麻痺
0967 **parasite** [pærəsàɪt]				寄生生物, 居候
0968 **autopsy** [ɔ́:tà(:)psi]				検死
0969 **incubator** [íŋkjubèɪtər]				保育器, 起業支援者
0970 **hypnosis** [hɪpnóʊsɪs]				催眠術
0971 **limb** [lɪm]				手足
0972 **delusion** [dɪlú:ʒən]				妄想, 錯覚
0973 **deprivation** [dèprɪvéɪʃən]				（必需品の）欠如, （特権などの）剥奪
0974 **disposal** [dɪspóʊzəl]				処分
0975 **dissolution** [dìsəlú:ʃən]				解体, 分解, （議会などの）解散
0976 **disgust** [dɪsgʌ́st]				嫌悪
0977 **deference** [défərəns]				敬意, 服従
0978 **diversion** [dəvə́:rʒən]				迂回路, 転換
0979 **detour** [dí:tʊ̀ər]				回り道, 迂回
0980 **thesis** [θí:sɪs]				論文, 論題

Unit 48の復習テスト

わからないときは前Unitで確認しましょう。

例文	訳
0941 The promising scientist enjoyed the (p　　　) of a powerful professor.	その有望な科学者は権力のある教授の後援を受けた。
0942 The book showed the (e　　　) typical of its author.	本はその著者特有の博学を示していた。
0943 The ad said the company needed someone with computer (e　　　).	広告には，その会社がコンピューターの専門知識を持つ人を求めていると書かれていた。
0944 The lawsuit certainly terminated his (a　　　) with that institution.	訴訟によって，その機関と彼との協力関係が終息したことは間違いない。
0945 The ambassador's speech was full of (p　　　) about the need for peace.	その大使のスピーチは，平和の必要性についてありきたりの決まり文句が並べられていた。
0946 Her comments about the company contained a (t　　　) of resentment.	会社に対する彼女のコメントには，怒りのかすかな意味合いが含まれていた。
0947 Critics denounced the production as a (t　　　) of Shakespeare's play.	評論家たちはその作品をシェークスピア劇のまがい物だとして非難した。
0948 Today's (a　　　) of food is very unusual in historical terms.	今日，食料が豊富であることは歴史的に言うと極めてまれである。
0949 The study of (m　　　) is a fascinating look into a special aspect of language use.	隠喩の研究は，言語使用の特別な一面を興味深く注視することである。
0950 He suffered from an (i　　　) that made it difficult to breathe.	彼は呼吸困難になる病気を患っていた。
0951 In this century, the world may face a severe energy (d　　　).	今世紀中に，世界は深刻なエネルギー不足に直面することになるかもしれない。
0952 Some children learn proper (h　　　) only in school since it is not taught to them at home.	一部の子どもたちは，適切な衛生管理を家庭で教わらないので，学校で学ぶだけだ。
0953 Doctors fear that the overuse of (a　　　) will lead to increasing resistance to them.	医師たちは，抗生物質の過剰投与は，危険な耐性を生み出すのではないかと心配する。
0954 The mother was embarrassed when her child threw a (t　　　) at the party.	その母親は，子どもがパーティーでかんしゃくを起こして，恥ずかしい思いをした。
0955 A (c　　　) forced the star player out of the game at a crucial moment.	筋肉の痙攣のため，スター選手は大事な時に試合を降りなければならなかった。
0956 As he bent over, he felt a (s　　　) of pain in his back.	彼は腰を曲げた時，背中にひきつりによる痛みを感じた。
0957 The doctors were trying hard to determine the extent of their patient's (t　　　).	医師たちは，その患者の腫瘍の広がりを見極めようと一生懸命だった。
0958 Accurate (d　　　) of the condition is not easy for doctors.	病気の正確な診断は医師にとって簡単なことではない。
0959 He had no (q　　　) about telling a lie to his mother.	彼は母親に嘘をつくことに一切の良心の呵責を感じなかった。
0960 (E　　　) are catalysts for many significant biochemical reactions.	酵素は多くの重要な生化学上の反応の触媒である。

単語編

でる度 B
→
0961
〜
0980

Unit 48の復習テスト解答　0941 patronage　0942 erudition　0943 expertise　0944 affiliation　0945 platitudes　0946 tinge
0947 travesty　0948 abundance　0949 metaphor　0950 infirmity　0951 deficiency　0952 hygiene　0953 antibiotics　0954 tantrum
0955 cramp　0956 spasm　0957 tumors　0958 diagnosis　0959 qualms　0960 Enzymes

Unit 50 0981~1000

書いて記憶

単語	1回目	2回目	3回目	意 味
0981 discourse [dískɔːrs]				講演, 論文, 会話
0982 dissertation [dìsərtéɪʃən]				論文
0983 inception [ɪnsépʃən]				初め, 開始
0984 advent [ǽdvènt]				出現, 到来
0985 yardstick [jɑ́ːrdstìk]				基準, 尺度
0986 criterion [kraɪtíəriən]				基準, 標準
0987 expenditure [ɪkspéndɪtʃər]				支出, 消費
0988 proceeds [próʊsiːdz]				収益, 収入
0989 premium [príːmiəm]				報奨金, 保険料
0990 utility [juːtíləti]				(電気・ガス・水道などの)公益事業, 有用性
0991 balance [bǽləns]				残高
0992 dividend [dívɪdènd]				(株の)配当金
0993 surplus [sə́ːrplʌs]				黒字
0994 deficit [défəsɪt]				赤字
0995 deduction [dɪdʌ́kʃən]				控除(額), 差し引き, 推論, 演繹法
0996 dues [djuːz]				会費
0997 insinuation [ɪnsìnjuéɪʃən]				ほのめかし, 当てこすり
0998 innuendo [ìnjuéndoʊ]				暗示
0999 connotation [kɑ̀(ː)nətéɪʃən]				言外の意味
1000 craze [kreɪz]				熱狂的な流行

Unit 49の復習テスト
わからないときは前Unitで確認しましょう。

例文	訳
0961 The bomb victims needed extensive skin (g　　　) for their burns.	被爆者は火傷跡に広範囲な皮膚の移植を必要とした。
0962 The new flu was said to be a (m　　　) of an earlier virus.	新型インフルエンザは，以前に発生したウイルスの変異型だと言われている。
0963 Many diseases are caused by (m　　　) that are invisible to the naked eye.	多くの病気は，肉眼では見えない病原菌によって引き起こされる。
0964 Seismologists are trying to locate the probable (e　　　) for future earthquakes.	地震学者たちは将来の地震の可能性が高い震源地を特定しようとしている。
0965 The pilot was in a (c　　　) for a week in a hospital.	パイロットは1週間，病院で昏睡状態だった。
0966 Following the stroke, he suffered (p　　　) of his left arm.	脳卒中の後で，彼は左腕の麻痺に苦しんだ。
0967 Doctors finally identified the (p　　　) that had caused the epidemic.	医師たちは，ついに流行病の原因となっていた寄生生物を突き止めた。
0968 An (a　　　) showed that the murdered woman had been poisoned by someone.	検死によって，殺害された女性は誰かに毒を盛られていたことがわかった。
0969 The baby was kept in an (i　　　) for a few days after she was born.	その赤ちゃんは，生後数日間は保育器の中に入れられていた。
0970 Some doctors have tried using (h　　　) to treat the condition.	病気を治療するのに催眠術を使うことを試みた医師もいる。
0971 Some of the veterans had lost eyes or (l　　　) in the conflict.	退役軍人の中にはその紛争で視力や手足をなくした人もいた。
0972 The man suffered from the (d　　　) that he was from another planet.	その男性は，自分が別の惑星からやって来たという妄想に取り付かれていた。
0973 His childhood (d　　　) caused him to save money all his life.	彼は幼少期の貧困ゆえに，生涯，金を節約するようになった。
0974 The official was responsible for the (d　　　) of unwanted files.	その職員は不要なファイルの処分を担当していた。
0975 The issue of slavery once threatened the (d　　　) of the United States.	奴隷問題のために，合衆国はかつて分裂の危機に直面した。
0976 The crime filled many people with a sense of (d　　　).	その犯罪は多くの人に嫌悪感を抱かせた。
0977 In Asia particularly, one is expected to treat the elderly with (d　　　).	特にアジアでは，高齢者を敬意をもって遇するよう期待されている。
0978 There was a (d　　　) to another route because of the roadwork.	道路工事のために別のルートへの迂回路があった。
0979 They took a (d　　　) on the way so that he could see the university.	彼が大学を見られるように，彼らは回り道をした。
0980 My students are working hard to finish their graduation (t　　　) before the deadline.	私が担当する学生たちは，頑張って期限までに卒業論文を終えようとしている。

Unit 49の復習テスト解答　0961 grafts　0962 mutation　0963 microbes　0964 epicenters　0965 coma　0966 paralysis　0967 parasite　0968 autopsy　0969 incubator　0970 hypnosis　0971 limbs　0972 delusion　0973 deprivation　0974 disposal　0975 dissolution　0976 disgust　0977 deference　0978 diversion　0979 detour　0980 thesis

Unit 51 1001~1020

書いて記憶

学習日　　月　　日

単語	1回目	2回目	3回目	意味
1001 **fad** [fæd]				一時的流行
1002 **infusion** [ɪnfjúːʒən]				注入
1003 **intake** [íntèɪk]				入学者数，摂取
1004 **archaeologist** [àːrkiɑ́(ː)lədʒɪst]				考古学者
1005 **counterfeiter** [káʊntərfìtər]				偽造者
1006 **mediator** [míːdièɪtər]				仲裁者
1007 **debtor** [détər]				債務者
1008 **outcast** [áʊtkæst]				追放された人，浮浪者
1009 **upstart** [ʌ́pstàːrt]				成り上がり者，成金
1010 **bigot** [bígət]				排他的な人
1011 **proprietor** [prəpráɪətər]				所有者
1012 **beneficiary** [bènɪfíʃièri]				恩恵を受ける人
1013 **warden** [wɔ́ːrdən]				監督者
1014 **matrimony** [mǽtrəmòʊni]				結婚
1015 **spouse** [spaʊs]				配偶者
1016 **naturalization** [nætʃərəlaɪzéɪʃən]				帰化すること
1017 **infancy** [ínfənsi]				初期段階，幼児期
1018 **lineage** [líniɪdʒ]				家系，血統
1019 **condolence** [kəndóʊləns]				お悔やみ，弔辞，哀悼
1020 **leftover** [léftòʊvər]				(食事の)残り物

Unit 50 の復習テスト

わからないときは前Unitで確認しましょう。

例文	訳
0981 The visiting professor's (d　　　) was both erudite and lucid.	客員教授の講演は学究的かつ明快だった。
0982 The scholar spent years writing his doctoral (d　　　).	学者は博士論文を書くのに何年も費やした。
0983 January 1st represents the (i　　　) of the New Year and symbolizes renewal.	元日は新年の初めを表しており、刷新を象徴している。
0984 The (a　　　) of television changed forever the way news was reported.	テレビの出現はニュースの報道方法を決定的に変えた。
0985 The book was hailed as a new (y　　　) for the field.	その本は、その分野の新しい基準として大いに認められた。
0986 We had trouble deciding on the primary (c　　　) for a promotion decision.	我々は昇進決定のための第一基準を決めるのに苦労した。
0987 The new administration announced an increase in (e　　　) on health.	新政府は、保健に対する支出の増額を発表した。
0988 The (p　　　) of the concert were used to help third-world children.	コンサートの収益金は第三世界の子どもたちを助けるために使われた。
0989 He earned a handsome (p　　　) as payment for his services.	彼は尽力に対する支払いとして、かなりの額の報奨金をもらった。
0990 The cost of (u　　　) in Tokyo is higher than that of most American cities.	東京の公共サービスの料金は、ほとんどのアメリカの都市のそれと比べて高い。
0991 The group decided to use the (b　　　) of the money on an excursion.	そのグループはお金の残額を小旅行に使うことに決めた。
0992 We waited anxiously for the payment of our (d　　　) at the end of the year.	我々は年末の配当金の支払いを気をもみながら待った。
0993 The EU's representative expressed dissatisfaction with China's growing trade (s　　　) with Europe.	EU（欧州連合）の代表は、中国の対欧貿易黒字の増大に対する不満を表明した。
0994 The nation had to take steps to reduce the national (d　　　).	その国は赤字を減らす対策を講じなければならなかった。
0995 Citizens with school-age children receive a (d　　　) from their tax liability.	就学年齢の子どもがいる市民は、納税義務から一定額の控除を受けられる。
0996 Many members had not paid their annual (d　　　) to the society.	多くの会員はクラブに年会費を支払っていなかった。
0997 The students resented the (i　　　) that they were lazy.	学生たちは、自分たちが怠け者だとほのめかされて腹を立てた。
0998 He resented the (i　　　) that he owed his success to his father.	彼の成功は父親のおかげだと言うほのめかしに彼は怒った。
0999 Understanding the (c　　　) of foreign words can be difficult.	外国語の言外の意味を理解するのは難しいことがある。
1000 There was a (c　　　) among young people for flying kites.	若者の間で凧揚げが熱狂的な流行だった。

でる度 B
1001〜1020

Unit 50 の復習テスト解答　0981 discourse　0982 dissertation　0983 inception　0984 advent　0985 yardstick　0986 criterion
0987 expenditure　0988 proceeds　0989 premium　0990 utilities　0991 balance　0992 dividends　0993 surplus　0994 deficit
0995 deduction　0996 dues　0997 insinuation　0998 innuendo　0999 connotations　1000 craze

Unit 52 1021~1040

書いて記憶

単語	1回目	2回目	3回目	意 味
1021 **amenity** [əmíːnəṭi]				快適さ，生活を快適にするもの
1022 **keepsake** [kíːpseɪk]				記念品
1023 **thrift** [θrɪft]				倹約
1024 **subsistence** [səbsístəns]				生計，生存，（最低必要な）生活手段
1025 **habitat** [hǽbɪtæt]				生息環境，居住地
1026 **inhabitant** [ɪnhǽbəṭənt]				住民
1027 **foliage** [fóʊliɪdʒ]				木の葉
1028 **fertility** [fə(ː)rtíləṭi]				豊かさ，肥沃，出生率
1029 **ebb** [eb]				衰退，減退，引き潮
1030 **primate** [práɪmeɪt]				霊長類
1031 **pesticide** [péstɪsaɪd]				殺虫剤
1032 **famine** [fǽmɪn]				飢饉
1033 **irrigation** [ɪrɪɡéɪʃən]				灌漑，水を引くこと
1034 **palate** [pǽlət]				味覚，好み
1035 **guise** [ɡaɪz]				見せかけ，外見
1036 **pretense** [príːtens]				ふり
1037 **morsel** [mɔ́ːrsəl]				一口，わずか
1038 **ratio** [réɪʃioʊ]				割合
1039 **modicum** [mɑ́(ː)dɪkəm]				少量
1040 **intervention** [ɪntərvénʃən]				介入

Unit 51の復習テスト

わからないときは前Unitで確認しましょう。

例文	訳
1001 For a couple of years, there was a (f　　　) for studying philosophy.	2, 3年の間, 哲学の勉強が一時的に流行した。
1002 The banks requested an (i　　　) of capital from the government.	銀行は政府からの資金注入を要請した。
1003 That year's (i　　　) of students was the best they had ever had.	その年の生徒の入学者数は今までの中で一番多かった。
1004 We owe most of our knowledge of ancient civilizations to (a　　　).	私たちは, 古代文明に関する知識の大部分を, 考古学者に負っている。
1005 The false banknotes were traced to a (c　　　) working abroad.	偽の紙幣は海外の偽造者によるものだと突き止められた。
1006 A respected churchman offered to act as a (m　　　) in the dispute.	尊敬されている聖職者が, 争いの仲裁者の役割をすることを申し出た。
1007 Many (d　　　) are forced to borrow even more money to pay interest.	多くの債務者は, 利子を支払うためにさらにお金を借りることを強いられる。
1008 The village treated him as an (o　　　) and refused to talk to him.	その村は彼をのけ者扱いして, 話しかけようともしなかった。
1009 The king's favorite was considered a mere (u　　　) by the other courtiers.	その王の寵臣は, ほかの廷臣たちからはただの成り上がり者と見なされていた。
1010 The student said that only (b　　　) opposed further immigration.	その学生は, 排他的な人だけがさらなる移住に反対していると言った。
1011 My grandfather was the (p　　　) of a small general store for many years.	私の祖父は長い間, 小さな雑貨店の所有者だった。
1012 On my life insurance policy, I listed my wife and children as (b　　　).	私は自分の生命保険証券に, 妻と子どもの名を受取人として載せた。
1013 The math teacher was also (w　　　) of the student dorm.	数学の教師は学生寮の監督者でもあった。
1014 The magistrate had the power to join people in (m　　　).	その判事には人を結婚させる権限があった。
1015 I was asked to fill in a form which included questions about my (s　　　).	私は, 配偶者についての質問を含んだ書類に記入するように求められた。
1016 It was not easy for a foreigner to receive (n　　　).	外国人にとって帰化することは簡単ではなかった。
1017 The subject of genetic research was still in its (i　　　).	遺伝子研究の問題は, まだ初期段階にあった。
1018 He was enormously proud of the distinguished (l　　　) of his family.	彼は自分の高貴な家系をとても誇りに思っていた。
1019 I sent a card to my friend offering my (c　　　) over his recent loss.	友人の最近の不幸に対し, 私はお悔やみを述べたカードを送った。
1020 After the party, the maid collected the (l　　　) to take home.	パーティー終了後, メイドは家に持って帰るために料理の残り物を集めた。

Unit 51の復習テスト解答 1001 fad 1002 infusion 1003 intake 1004 archaeologists 1005 counterfeiter 1006 mediator 1007 debtors 1008 outcast 1009 upstart 1010 bigots 1011 proprietor 1012 beneficiaries 1013 warden 1014 matrimony 1015 spouse 1016 naturalization 1017 infancy 1018 lineage 1019 condolences 1020 leftovers

Unit 53 1041~1060

書いて記憶

単語	1回目	2回目	3回目	意味
1041 **collision** [kəlíʒən]				衝突
1042 **agenda** [ədʒéndə]				協議事項(リスト)
1043 **elevation** [èlɪvéɪʃən]				昇進, 高度
1044 **entrepreneur** [à:ntrəprəné:r]				起業家
1045 **luminary** [lú:mənèri]				権威者, 天体
1046 **monopoly** [məná(:)pəli]				独占(権), 専売(権)
1047 **stake** [steɪk]				株, 投資, 利害関係
1048 **coverage** [kʌ́vərɪdʒ]				報道, 取材範囲
1049 **hallmark** [hɔ́:lmà:rk]				特質, 品質証明
1050 **remuneration** [rɪmjù:nəréɪʃən]				報酬, 給料
1051 **confiscation** [kà(:)nfɪskéɪʃən]				没収
1052 **conspiracy** [kənspírəsi]				共謀, 陰謀
1053 **asset** [ǽsèt]				資産, 長所
1054 **commitment** [kəmítmənt]				責任, 献身
1055 **inauguration** [ɪnɔ̀:gjəréɪʃən]				就任(式), 開始
1056 **bankruptcy** [bǽŋkrʌptsi]				倒産
1057 **embargo** [ɪmbá:rgoʊ]				輸出入禁止, 出入港禁止命令, 禁止
1058 **rundown** [rʌ́ndàʊn]				概要(報告), 漸減
1059 **debit** [débət]				(銀行口座の)引き落とし, (帳簿の)借方
1060 **bribery** [bráɪbəri]				贈収賄

Unit 52の復習テスト

わからないときは前Unitで確認しましょう。

例文	訳
1021 After working hard all his life, he wanted to enjoy the (a　　　　) of living in a cabin by the lake.	生涯働きづめだったので、彼は退職後、湖のほとりの小屋で暮らす**快適さ**を味わいたかった。
1022 The family presented her with the picture as a (k　　　　) of her visit.	その家族は彼女に訪問してくれた**記念品**として絵をプレゼントした。
1023 She knew that it had been her parents' (t　　　　) that had sent her through college.	彼女は、自分が大学に行けたのは両親の**倹約**のおかげだとわかっていた。
1024 He ensures his (s　　　　) only by selling hot sweet potatoes on street corners in Tokyo.	彼は東京の街角で焼き芋を売るだけで**生計**を確保している。
1025 Destruction of their (h　　　　) had dramatically reduced the animal's numbers.	**生息環境**が破壊されたせいで、その動物の個体数が劇的に減っていた。
1026 The (i　　　　) of nearby villages were told to evacuate.	隣接している村の**住民**は避難するように指示された。
1027 He sat drinking tea and admiring the colors of the autumn (f　　　　).	彼は座ってお茶を飲みながら、秋の**木の葉**の色に感じ入っていた。
1028 The SF writer was known for the (f　　　　) of his imagination.	そのSF作家は想像力の**豊かさ**で知られていた。
1029 There was an (e　　　　) in the company's fortunes as new rivals appeared.	新たな競合相手が出現してから、その企業の勢いに**かげり**が見られた。
1030 Observation of human children reveals behavioral similarities to other (p　　　　).	人間の子どもたちを観察すると、ほかの**霊長類**と行動が似ていることが明らかになる。
1031 Many people blamed (p　　　　) for the disappearance of the bees.	多くの人が、ミツバチがいなくなった原因を**殺虫剤**のせいにした。
1032 Global warming is leading to an increased occurrence of (f　　　　).	地球温暖化が**飢饉**の発生が増加する原因となっている。
1033 Extensive (i　　　　) of the desert had made it fertile farming land.	砂漠に広範に施された**灌漑施設**のおかげで、砂漠は肥沃な農地になった。
1034 Some wine tasters have actually gone to school to train their (p　　　　).	ワイン鑑定人の中には、**味覚**を訓練するために実際に学校へ通った人もいる。
1035 The terrorist entered the politician's hotel in the (g　　　　) of a reporter.	そのテロリストは、政治家のいるホテルに記者の**ふり**をして潜入した。
1036 The child soon gave up any (p　　　　) of doing his homework.	その子どもは宿題をしている**ふり**をすぐにやめた。
1037 The model ate a (m　　　　) of cake and declared herself full.	そのモデルはケーキを**一口**食べて、満腹だとはっきり言った。
1038 The (r　　　　) of applicants to those who were accepted began to drop.	募集人員に対する応募者数の**割合**は低下し始めた。
1039 It's my hope that she would still have at least a (m　　　　) of sympathy for him.	彼女が彼に対し、少なくともほんの**少し**の同情をまだ持っていたらというのが、私の願いだ。
1040 But for the (i　　　　) of the police, there could have been a riot.	警察の**介入**がなければ、暴動が起こっていただろう。

Unit 52の復習テスト解答 1021 amenity　1022 keepsake　1023 thrift　1024 subsistence　1025 habitat　1026 inhabitants　1027 foliage　1028 fertility　1029 ebb　1030 primates　1031 pesticides　1032 famine　1033 irrigation　1034 palates　1035 guise　1036 pretense　1037 morsel　1038 ratio　1039 modicum　1040 intervention

Unit 54 1061〜1080

書いて記憶

単語	1回目	2回目	3回目	意味
1061 **transaction** [trænsǽkʃən]				取引
1062 **imposition** [ìmpəzíʃən]				課税，負担
1063 **loophole** [lúːphòul]				（法律などの）抜け穴
1064 **bibliography** [bìbliá(ː)grəfi]				参考文献，出版目録
1065 **caricature** [kǽrɪkətʃùər]				（人物の）風刺漫画
1066 **chronicle** [krá(ː)nɪkl]				年代記，物語
1067 **specter** [spéktər]				恐怖，幽霊
1068 **apparition** [æ̀pəríʃən]				幽霊，突然の出現
1069 **stowage** [stóuɪdʒ]				保管場所
1070 **repository** [rɪpá(ː)zətɔ̀ːri]				保管場所，倉庫
1071 **gradient** [gréɪdiənt]				傾斜，坂，勾配
1072 **hemisphere** [hémɪsfìər]				半球
1073 **attic** [ǽt̬ɪk]				屋根裏部屋
1074 **cove** [kouv]				入り江
1075 **pasture** [pǽstʃər]				牧草地
1076 **auditorium** [ɔ̀ːdɪtɔ́ːriəm]				公会堂
1077 **niche** [nɪtʃ]				適した地位［職業］，すき間産業（ニッチ）
1078 **attribute** [ǽtrɪbjùːt]				特質，属性
1079 **trait** [treɪt]				資質
1080 **disposition** [dìspəzíʃən]				気質，傾向

124

Unit 53の復習テスト

わからないときは前Unitで確認しましょう。

例文	訳
1041 An official investigation into the (c　　　) of the aircraft was announced.	航空機の衝突に関する公の調査が発表された。
1042 The President had drawn up an impressive (a　　　) of issues to discuss.	大統領は議論すべき問題の見事な協議事項リストを作成した。
1043 People were surprised by the young man's (e　　　) to the post.	人々は若者のそのポストへの昇進に驚いた。
1044 In capitalist societies, (e　　　) play a very important role.	資本主義社会において起業家はとても重要な役割を果たす。
1045 At the society, various scientific (l　　　) met and exchanged views.	さまざまな科学の分野の権威者たちが協会で会って，意見を交換した。
1046 The company has recently been accused of forming a (m　　　).	その会社は，最近，独占を行ったとして告発されている。
1047 He made a large profit when he sold his (s　　　) in the IT company to a bank.	彼はその IT 企業の株を銀行に売却して，多額の利益を得た。
1048 The newspaper was criticized for its biased (c　　　) of political issues.	その新聞は政治問題に対する偏った報道で非難された。
1049 Curiosity about everything is the (h　　　) of the true scientist.	すべてのことに好奇心を持つことは，真の科学者の特質である。
1050 The job was so difficult that no one would agree to do it without generous (r　　　).	その仕事はとても大変だったので，十分な報酬なしには誰も引き受けようとしなかった。
1051 A new American law permits the (c　　　) of any convicted drug dealer's property.	新しいアメリカの法律では，有罪となった麻薬取引業者の財産の没収を認めている。
1052 The dissident was accused of organizing a (c　　　) against the government.	政府への共同謀議を計画したことで反体制派は告発された。
1053 The company's most important (a　　　) was its loyal workforce.	その会社の一番大切な資産は，その忠実な全従業員である。
1054 Some men find marriage too big a (c　　　) to make.	結婚は約束するには大きすぎる責任だと思う男性もいる。
1055 Thousands of well-wishers attended the new president's (i　　　).	何千人もの支持者が新しい大統領の就任式に出席した。
1056 A series of rash investments brought the company to (b　　　).	軽率な投資が続いたために会社は倒産した。
1057 The United Nations imposed a trade (e　　　) on the nation.	国連はその国に対して，禁輸措置を科した。
1058 At the meeting, he began by giving a brief (r　　　) of the company's recent performance.	会議で彼はまず，会社の最近の業績に関する手短な概要報告を行った。
1059 He noticed a number of (d　　　) on his bank statement that he had not made.	彼は銀行の取引明細書に，覚えのない多数の引き落としがあることに気づいた。
1060 In some countries, (b　　　) of officials is an accepted part of doing business.	国によっては，官僚に対する贈賄は，ビジネスの一部として容認されている。

Unit 53の復習テスト解答　1041 collision　1042 agenda　1043 elevation　1044 entrepreneurs　1045 luminaries　1046 monopoly　1047 stake　1048 coverage　1049 hallmark　1050 remuneration　1051 confiscation　1052 conspiracy　1053 asset　1054 commitment　1055 inauguration　1056 bankruptcy　1057 embargo　1058 rundown　1059 debits　1060 bribery

でる度 B → 1061〜1080

Unit 55 1081～1100

書いて記憶

単語	1回目	2回目	3回目	意味
1081 **idiosyncrasy** [ìdiəsíŋkrəsi]				(個人的)特異性，特質
1082 **temperament** [témpərəmənt]				気質，激しい気性
1083 **proclivity** [prouklívəti]				傾向
1084 **compassion** [kəmpǽʃən]				哀れみ，同情
1085 **complacency** [kəmpléɪsənsi]				自己満足，ひとりよがり
1086 **composure** [kəmpóuʒər]				平静，沈着
1087 **compunction** [kəmpʌ́ŋkʃən]				やましさ，良心の呵責
1088 **compliance** [kəmpláɪəns]				遵守
1089 **ambivalence** [æmbívələns]				ためらう気持ち，相反する感情
1090 **obscurity** [əbskjúərəti]				世に知られていないこと
1091 **boon** [buːn]				恩恵
1092 **bounty** [báunti]				恵み深さ，寛大，助成金
1093 **perseverance** [pə̀ːrsəvíərəns]				不屈(の努力)，忍耐
1094 **affability** [æ̀fəbíləti]				愛想の良さ
1095 **magnetism** [mǽgnətìzm]				人を引き付ける力
1096 **lure** [ljuər]				おとり，ルアー，魅力
1097 **enticement** [ɪntáɪsmənt]				誘惑するもの，魅力
1098 **captivation** [kæ̀ptɪvéɪʃən]				魅力，魅惑
1099 **hunch** [hʌntʃ]				直感，予感
1100 **whim** [hwɪm]				思いつき

Unit 54の復習テスト

わからないときは前Unitで確認しましょう。

例文	訳
1061 The (t　　　) turned out to be very profitable for the company.	その取引は会社にとって大いに利益をもたらす結果となった。
1062 The sudden (i　　　) of the new tax was widely resented.	突然の新税の課税は多くの人の怒りを買った。
1063 He used a (l　　　) in the law to avoid paying tax.	彼は税金を払うのを回避するために法律の抜け穴を利用した。
1064 The teacher told the students to include in their (b　　　) all the books they use.	先生は学生たちに対して、利用するすべての書名を参考文献目録に載せるようにと言った。
1065 In America, it is very common to see (c　　　), even of the President.	アメリカでは、大統領さえ風刺漫画の対象になることがよくある。
1066 A historian often relies on ancient (c　　　) to reconstruct history.	歴史家は歴史を再構築するために、しばしば古い年代記に頼る。
1067 The (s　　　) of mass unemployment hung over the whole country.	大量失業の恐怖は国中に漂っていた。
1068 Local people claimed to have witnessed (a　　　) at the old house.	地元の人たちは古い家で幽霊を見たと言い張った。
1069 There was not sufficient (s　　　) to take the whole cargo.	すべての積荷を受け入れる十分な保管場所がなかった。
1070 This bank is the (r　　　) of much of the country's gold reserves.	この銀行はこの国の金保有高の多くの保管所である。
1071 As the (g　　　) became steeper, some of the cyclists gave up.	傾斜が急になってきたので、自転車に乗るのをやめるサイクリストもいた。
1072 In general, the world's wealthier economies are in the northern (h　　　).	概して、裕福な経済大国は北半球に位置する。
1073 The artist lived in an (a　　　) in a poor part of Paris.	その芸術家はパリの貧しい地域の屋根裏部屋で暮らしていた。
1074 The fishing village was situated on a (c　　　) in the peninsula.	その漁村は半島の入り江に位置していた。
1075 The green hills provided excellent (p　　　) for local cattle.	緑の丘はその土地の畜牛の素晴らしい牧草地となった。
1076 The (a　　　) was packed with fans waiting for the concert.	公会堂はコンサートを待つファンで一杯だった。
1077 Eventually the journalist found his (n　　　) as the newspaper's film critic.	そのジャーナリストは最終的に、新聞の映画評論家という適所を得た。
1078 Does your pet dog have any special (a　　　) by which it can be recognized?	あなたの飼い犬は、何か識別可能なはっきりとした特質を備えていますか。
1079 The little boy had all the (t　　　) of a mathematical genius.	少年は数学の天才のあらゆる資質を備え持っていた。
1080 We could never tell his (d　　　) from the expression on his face.	私たちは顔の表情からは、彼の気質はわからなかった。

単語編

でる度 B

1081 〜 1100

Unit 54の復習テスト解答　1061 transaction　1062 imposition　1063 loophole　1064 bibliographies　1065 caricatures　1066 chronicles　1067 specter　1068 apparitions　1069 stowage　1070 repository　1071 gradient　1072 hemisphere　1073 attic　1074 cove　1075 pasture　1076 auditorium　1077 niche　1078 attributes　1079 traits　1080 disposition

Unit 56 (1101~1120)

単語	1回目	2回目	3回目	意味
1101 credulity [krədjúːləti]				だまされやすいこと
1102 alacrity [əlǽkrəti]				敏活さ，活発さ
1103 intoxication [ɪntà(ː)ksɪkéɪʃən]				酩酊，夢中
1104 preoccupation [prià(ː)kjupéɪʃən]				没頭
1105 introvert [íntrəvə̀ːrt]				内向的な人
1106 clemency [klémənsi]				寛大さ，慈悲
1107 condescension [kà(ː)ndɪsénʃən]				恩着せがましさ，丁寧
1108 drawback [drɔ́ːbæ̀k]				欠点，不利な点
1109 oblivion [əblíviən]				忘却
1110 quirk [kwəːrk]				奇癖
1111 malice [mǽlɪs]				悪意，敵意
1112 abomination [əbà(ː)mɪnéɪʃən]				嫌悪感を起こすもの，嫌悪
1113 integrity [ɪntégrəti]				誠実，正直，完全
1114 ingenuity [ìndʒənjúːəti]				独創性
1115 conceit [kənsíːt]				うぬぼれ
1116 impartiality [ɪmpàːrʃiǽləti]				公平
1117 absurdity [əbsə́ːrdəti]				不合理，不条理，ばかばかしさ
1118 apathy [ǽpəθi]				無関心，無感動
1119 tedium [tíːdiəm]				退屈
1120 veracity [vərǽsəti]				真実性

Unit 55の復習テスト　わからないときは前Unitで確認しましょう。

例文	訳
1081 We could all tolerate his (i　　　) as long as he contributed to our work.	彼が我々の仕事に寄与しさえすれば、彼の**特異性**も許せるのだが。
1082 His (t　　　) is so gentle and quiet that it surprised us to see him angry.	彼の**気質**は非常に優しく物静かなので、彼が怒っているのを見て私たちは驚いた。
1083 His parents were concerned by his (p　　　) for taking risks with his money.	彼の両親は、金を投機に使いがちな彼の**傾向**を心配していた。
1084 Christ and Buddha both showed great (c　　　) for human suffering.	キリスト、仏陀のどちらも、人間の苦悩に対して大いなる**慈悲**を示した。
1085 He found the company's (c　　　) that it was superior to its rivals irritating.	自分の会社が競合他社より優れているという**自己満足**が、彼にはいらだたしかった。
1086 No matter how tense things get, she always seems to keep her (c　　　).	いかに事態が緊迫しても、彼女はいつも**平静**を保っているようだ。
1087 He was badly treated and felt no (c　　　) about quitting the job.	彼はひどい待遇を受けたので、仕事を辞めることに何の**後ろめたさ**も感じなかった。
1088 The judge demanded the company's immediate (c　　　) with his decision.	裁判官は彼の下した判決を会社が直ちに**遵守**することを要求した。
1089 Her (a　　　) towards the plan was clear to everyone.	その計画についての彼女の**ためらいの気持ち**は、誰の目にも明らかだった。
1090 The criminal's (o　　　) allowed him to disguise himself and escape.	その犯罪者は**世に知られていない**ため、変装して逃亡することができた。
1091 We considered the splendid harvest a great (b　　　) to our fortunes.	素晴らしい収穫が我々の成功にとって大いなる**恵み**であると、我々は考えた。
1092 Every year on Thanksgiving Day, Americans celebrate God's (b　　　).	毎年感謝祭には、アメリカ人は神の**恵み深さ**を祝う。
1093 His success came more from (p　　　) than talent.	彼の成功は才能よりも**努力**の賜物だった。
1094 His charm and (a　　　) made him popular with the students.	彼は魅力的で**愛想が良かった**ので、生徒に人気があった。
1095 She had a (m　　　) that made her popular with her colleagues.	彼女には**人を引き付ける力**があったので、同僚の間で人気があった。
1096 The undercover agent used the money as a (l　　　) to attract possible traitors.	工作員は、裏切り者を引き付けるための**おとり**として金を利用した。
1097 Easy loans were an (e　　　) to people to buy bigger houses.	簡単なローンはより大きな家を購入する人にとって**魅力**だった。
1098 It was easy to see the (c　　　) the children had for the clown.	その子どもたちがピエロに**魅了**されていたことは容易に見て取れた。
1099 The detective had a (h　　　) that the man was guilty but he lacked any hard evidence.	刑事はその男が犯罪者であるという**直感**があったが、確たる証拠を欠いていた。
1100 He acts almost completely at (w　　　).	彼はほとんどいつも**思いつき**で行動する。

Unit 55の復習テスト解答　1081 idiosyncrasies　1082 temperament　1083 proclivity　1084 compassion　1085 complacency
1086 composure　1087 compunction　1088 compliance　1089 ambivalence　1090 obscurity　1091 boon　1092 bounty
1093 perseverance　1094 affability　1095 magnetism　1096 lure　1097 enticement　1098 captivation　1099 hunch　1100 whim

でる度 B
1101〜1120

Unit 57　1121〜1140

書いて記憶

単語	1回目	2回目	3回目	意味
1121 **verification** [vèrɪfɪkéɪʃən]				立証
1122 **certitude** [sə́ːrtətjùːd]				確信, 確実性
1123 **conviction** [kənvíkʃən]				確信, 有罪の判決
1124 **impulse** [ímpʌls]				衝動
1125 **levity** [lévəṭi]				軽薄な行動, 軽薄
1126 **thread** [θred]				筋道, 糸
1127 **threshold** [θréʃhould]				入口
1128 **equity** [ékwəṭi]				公平
1129 **constellation** [kà(ː)nstəléɪʃən]				星座, (有名人などの)一団
1130 **deity** [díːəṭi]				神
1131 **fragility** [frədʒíləṭi]				壊れやすさ
1132 **multitude** [mʌ́ltɪtjùːd]				群衆, 多数
1133 **tactics** [tǽktɪks]				戦術
1134 **precedence** [présɪdəns]				(〜に対する)優先〈over〉
1135 **effigy** [éfɪdʒi]				像, 肖像
1136 **mirage** [mərɑ́ːʒ]				幻影, 蜃気楼
1137 **pendulum** [péndʒələm]				(時計の)振り子
1138 **culmination** [kʌ̀lmɪnéɪʃən]				絶頂
1139 **exhortation** [ègzɔːrtéɪʃən]				訓戒, (熱心な)勧告
1140 **confinement** [kənfáɪnmənt]				監禁, 制限

Unit 56の復習テスト　わからないときは前Unitで確認しましょう。

例文	訳
1101 Her (c　　　) can only be explained by her sheltered childhood.	彼女のだまされやすさは、子どもの頃、箱入り娘で育てられたからとしか説明がつかない。
1102 He marched ahead with such (a　　　) that we could scarcely keep up.	彼があまりにきびきびと先に進むので、私たちはほとんどついて行けなかった。
1103 Many automobile road deaths are caused by the (i　　　) of drivers.	自動車による路上での死者の多くは、運転者の酔っ払いが原因だ。
1104 His (p　　　) with his career led him to neglect his family.	彼は仕事に没頭したために家族をなおざりにしてしまった。
1105 An (i　　　) is someone who regularly avoids social contact with others.	内向な人とは、他人との社会的接触を通常避ける人を言う。
1106 The convicted murderer begged the governor for (c　　　).	有罪となった殺人犯は、長官に情状酌量を請い求めた。
1107 I could tolerate his sharp disagreements but not his (c　　　).	彼が激しく反対するのは我慢できたが、恩着せがましさは許せなかった。
1108 One of his (d　　　) as an administrator is his reluctance to make decisions.	管理者としての彼の欠点の1つは、決定を渋ることだ。
1109 Eventually, all memory of the earlier culture fell into (o　　　).	結局のところ、初期の知的活動のあらゆる記憶は忘却の淵に沈んだ。
1110 One of his (q　　　) was to read student essays in the bath.	彼の奇癖の1つは風呂の中で学生のエッセイを読むことだった。
1111 He attacked the man with (m　　　).	彼は悪意を持ってその男を攻撃した。
1112 The expert denounced the conditions in the prison as an (a　　　).	専門家はその牢獄の状況を嫌悪感を起こさせるものであるとして糾弾した。
1113 Everyone admired the (i　　　) and honesty of the judge.	判事の誠実さと公正さを誰もが褒めたたえた。
1114 Everyone praised the (i　　　) of the new car's design.	皆が新車のデザインの独創性を褒めた。
1115 His (c　　　) led him to overestimate his importance to the company.	彼はうぬぼれが過ぎて、社内での自分の地位を過大評価していた。
1116 She disagreed with her boss, but his (i　　　) was never in question.	彼女は上司と意見が合わなかったが、上司の公平さには疑問の余地はなかった。
1117 He described the policy of paying farmers not to grow crops as a bureaucratic (a　　　).	農家に作物を作らせないために金を払うという政策は、官僚的な不合理だと、彼は言った。
1118 While I often enjoy students' arguing with me, I can't tolerate their (a　　　).	私は学生とちょくちょく議論するのが好きだが、彼らの無関心さは我慢できない。
1119 While waiting in the airplane, we lessened the (t　　　) by playing cards.	機内で待っている間、私たちはトランプをして退屈を紛らした。
1120 The lawyer threw doubt on the (v　　　) of the witness's account.	弁護士は目撃者の発言の真実性に疑問を投げかけた。

でる度 **B** → 1121〜1140

Unit 56の復習テスト解答　1101 credulity　1102 alacrity　1103 intoxication　1104 preoccupation　1105 introvert　1106 clemency　1107 condescension　1108 drawbacks　1109 oblivion　1110 quirks　1111 malice　1112 abomination　1113 integrity　1114 ingenuity　1115 conceit　1116 impartiality　1117 absurdity　1118 apathy　1119 tedium　1120 veracity

Unit 58 1141〜1160

書いて記憶

単語	1回目	2回目	3回目	意味
1141 **sobriety** [soubráiəti]				禁酒, 落ち着き
1142 **heritage** [hérətidʒ]				遺産
1143 **impetus** [ímpətəs]				(〜に対する)勢い〈for〉, 起動力, 推進力
1144 **tribute** [tríbju:t]				敬意, 賛辞
1145 **novelty** [ná(:)vəlti]				目新しさ, 目新しいもの
1146 **courier** [kɔ́:riər]				急送便業者
1147 **windfall** [wíndfɔ:l]				意外な授かりもの, 風で落ちた果物
1148 **alienation** [èiliənéiʃən]				疎外, 遠ざけること
1149 **tenet** [ténɪt]				信条
1150 **respite** [réspət]				(〜の)一時的中断〈from〉, 休息(期間)
1151 **stigma** [stígmə]				汚点, 不名誉
1152 **rendition** [rendíʃən]				演奏, 翻訳
1153 **ballot** [bǽlət]				投票, 候補者名簿
1154 **brawl** [brɔ:l]				騒動, 口げんか
1155 **crux** [krʌks]				核心, 十字架
1156 **contraption** [kəntrǽpʃən]				(機械の)仕掛け, 工夫
1157 **incense** [ínsens]				香, 香のかおり
1158 **alignment** [əláinmənt]				調整, 一列にすること
1159 **axis** [ǽksɪs]				軸, 枢軸
1160 **circumlocution** [sə̀:rkəmloukjú:ʃən]				回りくどい表現, 遠回しな言い方

Unit 57の復習テスト

わからないときは前Unitで確認しましょう。

例文	訳
1121 It was hard to provide convincing (v) of the theory.	理論に対して納得のいく立証をすることは難しかった。
1122 The (c) of his religious convictions never failed to astonish me.	彼の宗教上の信念の固さはいつも私を驚かすものだった。
1123 He defended his position with absolute (c).	彼は絶対的確信を持って自分の立場を守った。
1124 On an (i), he accepted the job even though he could not speak Chinese.	彼は中国語をしゃべれないのに、衝動的にその仕事を引き受けた。
1125 The (l) of the occasion led to an argument among the party guests.	その場の軽薄な行動の結果、パーティーの客の間で口論となった。
1126 In the middle of the speech, he lost the (t) of his argument.	スピーチの中ほどで、彼は論拠の筋道がわからなくなった。
1127 The scientist said she was on the (t) of a major discovery.	その科学者は大きな発見の入口にいると語った。
1128 The American ideal of (e) for all is far from being realized in reality.	アメリカ人の理想であるすべての人にとっての公平は、実際には全く実現されていない。
1129 One of his favorite (c) is Orion, named after a mythical Greek hunter.	彼が大好きな星座の1つはオリオン座で、それはギリシャ神話の狩人にちなんで名付けられている。
1130 The building was a shrine to a (d) of the local people.	その建物は土地の人々の神様の神社だった。
1131 Due to their (f), the old vases were kept in a locked case.	古い花びんは壊れやすいので、カギのかかったケースに入れて保管されている。
1132 The prince addressed the (m) of well-wishers from the balcony.	王子はバルコニーから大勢の支援者に話しかけた。
1133 The workers used various (t) to resist the new rules.	労働者たちは新しい規則に反対するためにさまざまな戦術を使った。
1134 At small liberal-arts colleges in the U.S., teaching usually takes (p) over research.	アメリカの小規模な教養系の大学では、たいてい研究活動よりも教育を優先する。
1135 They found (e) of the ancient gods in the cave.	彼らは洞窟で古代の神々の像を発見した。
1136 The huge profits he anticipated turned out to be a (m) and he ended up broke.	彼が期待していた莫大な利益は幻となり、ついに彼は破産した。
1137 With nothing to do, I could only watch the grandfather clock's (p) swing to and fro.	することがなくて、私は箱形大時計の振り子が揺れ動くのを眺めているしかなかった。
1138 His lifework reached its (c) when he won the Nobel Prize.	彼の生涯の仕事は、ノーベル賞を獲得した時、頂点に達した。
1139 All the (e) in the world are useless if they are not followed by action.	行動が伴わなければ、世の中の訓戒などすべて無駄だ。
1140 After only a week of solitary (c), even strong men can become weak.	独房での監禁が1週間続くだけで、屈強な男も衰弱しうる。

Unit 57の復習テスト解答 1121 verification 1122 certitude 1123 conviction 1124 impulse 1125 levity 1126 thread 1127 threshold 1128 equity 1129 constellations 1130 deity 1131 fragility 1132 multitude 1133 tactics 1134 precedence 1135 effigies 1136 mirage 1137 pendulum 1138 culmination 1139 exhortations 1140 confinement

Unit 59 1161〜1180

書いて記憶

単語	1回目	2回目	3回目	意味
1161 **configuration** [kənfìgjəréɪʃən]				外形，(コンピューターの)接続機器の設定
1162 **dimension** [dəménʃən]				規模，(長さ・幅・高さの)寸法
1163 **gait** [geɪt]				歩き方
1164 **perimeter** [pərímətər]				周囲，周辺，(軍の)防御線地帯
1165 **plagiarism** [pléɪdʒərìzm]				盗用，盗作
1166 **recourse** [ríːkɔːrs]				頼みとするもの[人]
1167 **status quo** [stèɪtəs kwóu]				現状
1168 **combustion** [kəmbʌ́stʃən]				燃焼
1169 **delineation** [dɪlìniéɪʃən]				描写
1170 **diameter** [daɪǽmətər]				直径
1171 **milestone** [máɪlstòun]				画期的な出来事
1172 **vernacular** [vərnǽkjulər]				その土地の言葉，自国語
1173 **semblance** [sémbləns]				ふり，外観
1174 **inducement** [ɪndjúːsmənt]				刺激，誘因
1175 **contamination** [kəntæ̀mɪnéɪʃən]				汚染，汚すこと
1176 **patent** [pǽtənt]				特許(権)，専売特許，特許品
1177 **commodity** [kəmɑ́(ː)dəti]				商品，生活用品
1178 **prone** [proun]				(〜する)傾向がある〈to do〉，うつ伏せの
1179 **communal** [kəmjúːnəl]				共同体の，共有の
1180 **diverse** [dəvə́ːrs]				多様な

Unit 58の復習テスト

わからないときは前Unitで確認しましょう。

例文	訳
1141 In some religious sects, (s　　　) is mandated as a basic rule of behavior.	ある宗派では，禁酒が行動の基本原則として義務づけられている。
1142 The country was proud of its cultural (h　　　) and had many good museums.	その国は自国の文化遺産を誇りとしており，多くの優れた博物館を有していた。
1143 The success of the operation may provide an (i　　　) for further medical advances in the field.	その手術の成功は，この分野における医学の進歩に勢いをつけるかもしれない。
1144 Many famous actors paid (t　　　) to the Hollywood veteran.	多くの有名な俳優たちが，そのハリウッドのベテラン俳優に敬意を表した。
1145 The visitor's (n　　　) wore off and the children went back to their games.	客の目新しさは徐々に薄れ，子どもたちはいつもの遊びに戻っていった。
1146 He worked as a (c　　　) carrying messages between companies thirty years ago.	30年前，彼は会社間のメッセージを運ぶ急送便業者で働いていた。
1147 The woman had an unexpected (w　　　) when an aunt left her some money in her will.	おばが遺言でいくばくかの金を残してくれたのは，その女性にとって思わぬ授かりものだった。
1148 An increasing number of teenagers today feel a certain kind of (a　　　) from society.	今日，ますます多くの若者が社会からの疎外を感じている。
1149 One of the (t　　　) of liberalism is a belief in freedom of speech.	自由主義の信条の1つは言論の自由である。
1150 Peace-keeping forces only provided a temporary (r　　　) from the violence.	平和維持軍は暴力の一時的中断をもたらしただけだ。
1151 The (s　　　) of failure early in childhood can affect someone throughout life.	幼い頃の失敗という汚点は，生涯にわたって人に影響を与えることがある。
1152 The audience was thrilled by the singer's (r　　　) of various old favorites.	歌手のさまざまな懐メロ演奏に，観客たちはワクワクした。
1153 The union took a (b　　　) of its members to decide whether to accept the management's offer.	労働組合は経営陣の申し出を受諾するか否かを決定するために，組合員の投票を行った。
1154 The (b　　　) at the soccer stadium left many wounded and five dead.	サッカースタジアムでの乱闘によって，大勢が負傷し，5名が死亡した。
1155 The (c　　　) of the matter was that the government refused to fund any more research into the disease.	問題の核心は，政府がその病気の研究にこれ以上の資金援助を拒んでいることだった。
1156 He invented a (c　　　) for removing snails from their shells.	彼はカタツムリを殻から取り出す仕掛けを考え出した。
1157 In the 1960s, many young people associated with the hippie movement liked to burn (i　　　).	1960年代，ヒッピー運動に関係した多くの若者は香を焚くことを好んだ。
1158 After the minor car accident, I needed to take my car in for a wheel (a　　　).	ちょっとした自動車事故の後，私は自分の車を車輪調整に出さなければならなかった。
1159 The (a　　　) of the earth is tilted at an angle of 23.4 degrees.	地球の軸は，23.4度傾いている。
1160 The professor's (c　　　) were always entertaining to students.	その教授の回りくどい表現は，学生にとっていつも愉快なものだった。

Unit 58の復習テスト解答　1141 sobriety　1142 heritage　1143 impetus　1144 tribute　1145 novelty　1146 courier　1147 windfall　1148 alienation　1149 tenets　1150 respite　1151 stigma　1152 renditions　1153 ballot　1154 brawl　1155 crux　1156 contraption　1157 incense　1158 alignment　1159 axis　1160 circumlocutions

Unit 60 1181~1200

書いて記憶

単語	1回目	2回目	3回目	意 味
1181 **seamless** [síːmləs]				一貫して，途切れのない
1182 **vicarious** [vɪkéəriəs]				代わりの
1183 **virtually** [vɚ́ːrtʃuəli]				事実上，実質的には
1184 **mandatory** [mǽndətɔ̀ːri]				義務的な，強制の，命令の
1185 **abruptly** [əbrʌ́ptli]				突然
1186 **potential** [pəténʃəl]				潜在的な
1187 **indispensable** [ìndɪspénsəbl]				必要不可欠な
1188 **contiguous** [kəntígjuəs]				連続した，接触する
1189 **crude** [kruːd]				天然のままの，粗野な
1190 **confidential** [kɑ̀(ː)nfɪdénʃəl]				極秘の，機密の
1191 **spontaneous** [spɑ(ː)ntéɪniəs]				自然発生的な，自発的な
1192 **circumstantial** [sɚ̀ːrkəmstǽnʃəl]				状況的な，付随的な
1193 **overdue** [òʊvərdjúː]				（予定の日時より）遅れた，支払期限を過ぎた
1194 **conspicuous** [kənspíkjuəs]				人目につく
1195 **tentative** [téntətɪv]				仮の
1196 **demographic** [dèməgrǽfɪk]				人口統計の
1197 **exploratory** [ɪksplɔ́ːrətɔ̀ːri]				探索的な
1198 **hypothetical** [hàɪpəθétɪkəl]				仮定した
1199 **outright** [áʊtràɪt]				完全な，紛れもない
1200 **medieval** [mìːdiíːvəl]				中世の

Unit 59の復習テスト

わからないときは前Unitで確認しましょう。

例文	訳
1161 No matter what (c　　　　) we tried, our architectural design seemed flawed.	外形をいかに整えようとも、我々の建築デザインには欠陥があるようだった。
1162 The (d　　　　) of our farm's largest soybean field were almost a square mile.	我々の農場で最大の大豆畑の規模は、約1平方マイルだった。
1163 He could be recognized from a great distance by his characteristic (g　　　　).	彼は歩き方に特徴があるので、かなり遠くからでもわかっただろう。
1164 The (p　　　　) of the base was regularly patrolled by guards.	基地の周囲は警備兵が定期的に巡回していた。
1165 Many American universities are expelling students found guilty of (p　　　　).	多くのアメリカの大学は、文章盗用が見つかった学生を退学させている。
1166 We had no (r　　　　) except mortgaging the house to pay the medical bills.	私たちには医療費を払うのに家を抵当に入れるほか頼るべき手段がなかった。
1167 It is no longer possible to merely maintain the (s　　　　); changes must be made.	単に現状を維持することはもはや難しい。変化が必要だ。
1168 A simple spark can initiate (c　　　　) of a highly volatile substance.	ちょっとした火花も、高い揮発性を持った物質の燃焼を引き起こすことがある。
1169 The novelist is praised for her sensitive (d　　　　) of character.	その作家は、登場人物の繊細な描写で称賛されている。
1170 He used some rope to measure the (d　　　　) of the artificial pond.	彼はロープを使ってその人工池の直径を測定した。
1171 The development of the vaccine was a (m　　　　) in medical history.	ワクチンの開発は、医学史上の画期的な出来事だった。
1172 His French was good but he could not follow the local (v　　　　).	彼のフランス語は上手だったがその土地独特の言葉を理解できなかった。
1173 The philosopher Suzanne Langer claims that art is a (s　　　　) of life.	哲学者スザンヌ・ランガーは、芸術は人生の見せかけだと主張している。
1174 The military offered an attractive bonus as an (i　　　　) for reenlisting.	軍は再入隊への動機づけとして結構な額の特別手当を出した。
1175 The accident at the chemical plant caused massive environmental (c　　　　).	その化学工場の事故は、大規模な環境汚染を引き起こした。
1176 The inventor was famous for the number of (p　　　　) he had taken out.	その発明家は、取得した特許の数で有名だった。
1177 The most important (c　　　　) in this century will be information itself.	今世紀における最も重要な商品は、情報そのものであろう。
1178 I am afraid he is (p　　　　) to change his mind without prior notice.	彼は予告なしに考えを変える傾向があると思う。
1179 Religious cults often experiment with (c　　　　) living.	カルト宗教は、しばしば、共同生活をしてみようとする。
1180 The student body was very (d　　　　) and included people from over fifty countries.	その学生団体は非常に多様で、50か国以上の人々を含んでいた。

Unit 59の復習テスト解答
1161 configuration　1162 dimensions　1163 gait　1164 perimeter　1165 plagiarism　1166 recourse
1167 status quo　1168 combustion　1169 delineation　1170 diameter　1171 milestone　1172 vernacular　1173 semblance
1174 inducement　1175 contamination　1176 patents　1177 commodity　1178 prone　1179 communal　1180 diverse

Unit 61　1201~1220

書いて記憶

単語	1回目	2回目	3回目	意味
1201 **contemporary** [kəntémpərèri]				現代の，同時代の
1202 **stagnant** [stǽgnənt]				よどんだ，停滞した，不景気の
1203 **bleak** [blíːk]				（見通しなどが）暗い，荒涼とした
1204 **sluggish** [slʌ́gɪʃ]				活気のない
1205 **bionic** [baɪá(ː)nɪk]				生体工学の，超人的な
1206 **genetically** [dʒənétɪkəli]				遺伝的に
1207 **hybrid** [háɪbrɪd]				交配した，雑種の
1208 **extinct** [ɪkstíŋkt]				絶滅した，死に絶えた
1209 **dormant** [dɔ́ːrmənt]				（火山などが）活動していない，休眠中の
1210 **toxic** [tá(ː)ksɪk]				有毒な
1211 **respiratory** [réspərətɔ̀ːri]				呼吸器に関する，呼吸の
1212 **chronic** [krá(ː)nɪk]				慢性の
1213 **addictive** [ədíktɪv]				中毒性のある
1214 **perennial** [pəréniəl]				永遠の，永続する，多年生の
1215 **inevitable** [ɪnévətəbl	-évɪ-]				避けられない
1216 **imperative** [ɪmpérətɪv]				絶対に必要な，緊急の，命令的な，強制的な
1217 **ethical** [éθɪkəl]				道徳にかなった
1218 **plausible** [plɔ́ːzəbl]				もっともらしい，まことしやかな
1219 **psychologically** [sàɪkəlá(ː)dʒɪkəli]				心理的に
1220 **psychic** [sáɪkɪk]				霊的な，精神の

Unit 60の復習テスト

わからないときは前Unitで確認しましょう。

例文	訳
1181 The boy's account of what happened was (s　　　) and so hard to disprove.	出来事についての少年の話は一貫しているので，反論するのは難しかった。
1182 Unlike Christianity, Buddhism does not acknowledge (v　　　) atonement.	キリスト教と異なり，仏教は代わりの償いを認めない。
1183 The DVD was so popular that it became (v　　　) unobtainable for a time.	そのDVDは人気があり過ぎて，しばらくの間，事実上入手不可能になっていた。
1184 In order to pass this course, attendance is (m　　　).	この教科に合格するには，出席が義務である。
1185 The performance was (a　　　) cancelled when the actor fell ill.	公演は俳優が病気になったので，突然中止になった。
1186 The businessman found that the (p　　　) profits would be huge.	その実業家は潜在的な利益はとても大きいと気付いた。
1187 The chairman found his secretary so (i　　　) that he even took her with him on business trips.	会長は秘書が必要不可欠だと思っていたので，出張にさえも彼女を連れて行った。
1188 (C　　　) consonants rarely occur in Japanese.	連続子音は日本語ではめったに生じない。
1189 This facility processes the (c　　　) materials before sending them to the manufacturing plant.	この施設は，製造工場へ送る前に生の原料を加工する。
1190 What I am about to tell you is (c　　　), so please do not repeat it.	私がこれから君に言うことは極秘だから，決して他言しないように。
1191 The college's chemistry lab caught fire due to (s　　　) combustion.	大学の化学実験室は自然発火により出火した。
1192 The police decided not to prosecute as they could only find (c　　　) evidence against him.	警察は，彼に対する状況証拠を見つけただけなので，起訴しないことに決定した。
1193 Activists said the change in the law was long (o　　　) and should have been introduced earlier.	法律の変更は長く遅滞しており，もっと早々に導入されるべきだったと，活動家は発言した。
1194 His purple and pink tie certainly made him (c　　　) in a crowd.	彼は紫色とピンク色のネクタイをしていたので，確かに人の中で目立った。
1195 We could only reach a (t　　　) agreement after months of negotiation.	何か月か交渉した後も，我々は暫定的な合意にしか到達できなかった。
1196 The sociologist began by describing the (d　　　) profile of the community he was studying.	その社会学者は，研究対象である地域の人口統計データの説明から始めた。
1197 An (e　　　) survey had found clear signs of the presence of oil.	探索的調査によって石油の存在が明らかになった。
1198 They made plans for a (h　　　) terrorist attack on the airport.	彼らは空港へのテロリストの攻撃を仮定した計画を立てた。
1199 He said her claims were an (o　　　) invention with no basis in fact.	彼は彼女の主張を事実に基づかない完全な作り話だと言った。
1200 The building looked (m　　　), but it was actually not that old.	それは中世の建物のように見えたが，実はそれほど古くはなかった。

でる度 **B**　1201〜1220

Unit 60の復習テスト解答　1181 seamless　1182 vicarious　1183 virtually　1184 mandatory　1185 abruptly　1186 potential　1187 indispensable　1188 Contiguous　1189 crude　1190 confidential　1191 spontaneous　1192 circumstantial　1193 overdue　1194 conspicuous　1195 tentative　1196 demographic　1197 exploratory　1198 hypothetical　1199 outright　1200 medieval

Unit 62　1221〜1240

書いて記憶

単語	1回目	2回目	3回目	意味
1221 adolescent [ǽdəlésənt]				思春期の
1222 dispirited [dɪspírətɪd]				意気消沈した
1223 distressing [dɪstrésɪŋ]				悲惨な
1224 empathic [empǽθɪk]				共感を呼ぶ
1225 emphatic [ɪmfǽtɪk]				(…ということ)を強調する〈that〉, 語気が強い, 強調的な
1226 inanimate [ɪnǽnɪmət]				生命のない
1227 inane [ɪnéɪn]				ばかげた, 空虚な
1228 innate [ɪnéɪt]				生来の, 固有の
1229 incredulous [ɪnkrédʒələs]				信じようとしない, 疑わしい
1230 intolerant [ɪntá(:)lərənt]				(狭量で)我慢できない
1231 inhospitable [ìnhɑ(:)spítəbl]				(土地などが)寄せつけない
1232 intractable [ɪntrǽktəbl]				手に負えない
1233 intrusive [ɪntrúːsɪv]				押しつけがましい
1234 invalid [ɪnvǽlɪd]				無効の
1235 intricate [íntrɪkət]				複雑な
1236 invariably [ɪnvéəriəbli]				いつも
1237 irrational [ɪrǽʃənəl]				訳のわからない, 不合理な
1238 irresolute [ɪrézəlùːt]				優柔不断な
1239 irrelevant [ɪréləvənt]				(〜にとって)不適切な, (〜にとって)関係のない〈to〉
1240 irate [àɪréɪt]				怒った

Unit 61の復習テスト

わからないときは前Unitで確認しましょう。

例文	訳
1201 (C　　　) furniture often values interesting designs over comfort.	現代の家具は，しばしば，快適さよりも面白いデザインの方に重点を置く。
1202 In tropical climates, (s　　　) water can be a breeding place for malaria.	熱帯性気候では，よどんだ水はマラリアの温床となり得る。
1203 The recent economic signs indicate (b　　　) prospects for the near future.	最近の経済兆候は，近い将来の暗い展望を示している。
1204 The giant sloth is characterized by its unusually (s　　　) movements.	巨大なナマケモノは異常に活気のない動きが特徴だ。
1205 Artificial hearts are one example of (b　　　) medicine.	人工心臓は生体工学医療の一例である。
1206 The ethnic group was (g　　　) liable to certain allergies.	その民族集団は遺伝的に，ある種のアレルギーにかかりやすい。
1207 My wife enjoys creating (h　　　) species of orchids in our greenhouse.	妻は温室でランの交配種を作り出すことを楽しんでいる。
1208 Though far from (e　　　), sea turtles are seriously endangered.	絶滅には程遠いが，ウミガメは絶滅危惧種になっている。
1209 The border dispute remained (d　　　) for years before suddenly flaring up again.	その国境紛争は長年にわたって休止状態であったのに，突然再燃した。
1210 The government is finally pressuring industry to reduce (t　　　) wastes.	政府は，有毒廃棄物を減らすよう，ようやく産業界に圧力をかけている。
1211 Pollens at different times of the year can exacerbate (r　　　) problems.	1年のいろいろな時期の花粉が呼吸器系の症状を悪化させ得る。
1212 John F. Kennedy suffered from (c　　　) back pain.	ジョン・F・ケネディは慢性的な背痛を患っていた。
1213 Once he started gambling, he found it (a　　　) and was unable to stop.	彼は一度ギャンブルを始めると，それが病みつきになると気付いたものの，やめられなかった。
1214 The Christmas pantomime of "Sleeping Beauty" is a (p　　　) favorite with British children.	クリスマスの無言劇『眠れる森の美女』は，イギリスの子どもたちの永遠のお気に入りである。
1215 We accepted the fact that our defeat was probably (i　　　).	敗北はおそらく不可避であるという事実を我々は認めた。
1216 Immediate action is (i　　　) to prevent an AIDS epidemic in Asia.	アジアのエイズ蔓延を防ぐために，早急の行動をとることが絶対に必要だ。
1217 The group demanded the university adopt an (e　　　) investment policy.	そのグループは，道徳にかなった投資計画を採用するように大学に要求した。
1218 The theory is (p　　　) but by no means proved.	その仮説はもっともらしいが，まったくもって証明されていない。
1219 The defense lawyer said his client was (p　　　) unstable.	被告側弁護人が，依頼人は心理的に不安定だと言った。
1220 Jeane Dixon was thought to have the (p　　　) power to predict the future.	ジーン・ディクソンは未来を予測する霊的な能力を持っていると考えられた。

でる度 **B** → 1221〜1240

Unit 61の復習テスト解答
1201 Contemporary　1202 stagnant　1203 bleak　1204 sluggish　1205 bionic　1206 genetically
1207 hybrid　1208 extinct　1209 dormant　1210 toxic　1211 respiratory　1212 chronic　1213 addictive　1214 perennial　1215 inevitable
1216 imperative　1217 ethical　1218 plausible　1219 psychologically　1220 psychic

Unit 63 1241〜1260

書いて記憶

単語	1回目	2回目	3回目	意味
1241 drastically [dréstɪkəli]				思い切って, 徹底的に
1242 overly [óʊvərli]				過度に
1243 obsolete [ɑ(:)bsəlí:t]				旧式の, 廃れた
1244 stale [steɪl]				鮮度の落ちた, 陳腐な
1245 decrepit [dɪkrépɪt]				老いぼれた, 使い古した
1246 gratified [grǽtɪfàɪd]				(〜に)満足している 〈by〉
1247 blissful [blísfəl]				この上なく幸せな
1248 bountiful [báʊntɪfəl]				十分な
1249 decent [dí:sənt]				かなりの, きちんとした
1250 personable [pə́:rsənəbl]				好感の持てる, 魅力的な
1251 receptive [rɪséptɪv]				(〜を)受け入れやすい, (〜に)感受性のある 〈to〉
1252 amicable [ǽmɪkəbl]				友好的な
1253 propitious [prəpíʃəs]				好都合の
1254 benevolently [bənévələntli]				慈悲深く
1255 dutifully [djú:tɪfəli]				きちんと
1256 expansively [ɪkspǽnsɪvli]				広い視野で
1257 adequate [ǽdɪkwət]				適切な, 十分な
1258 efficacious [èfɪkéɪʃəs]				効果のある
1259 enormous [ɪnɔ́:rməs]				巨大な
1260 invaluable [ɪnvǽljuəbl]				非常に貴重な

Unit 62の復習テスト

わからないときは前Unitで確認しましょう。

例文	訳
1221 She suffered from the common (a　　　) worries about identity.	彼女は思春期特有のアイデンティティーの悩みに苦しんだ。
1222 The team was (d　　　) by their failure to win even one game.	そのチームは1勝し損なっただけで意気消沈した。
1223 The documentary told a (d　　　) tale of cruelty and greed.	そのドキュメンタリーは残酷さと貪欲の悲惨な話を伝えていた。
1224 The author published an (e　　　) account of the accident's victims.	その著者は事故の被害者たちの共感を呼ぶ実話集を出版した。
1225 In his statement, he was (e　　　) that he was innocent of the crime.	供述の中で彼はその犯罪に全く関与していないことを強調した。
1226 The girl sat without moving, like an (i　　　) object.	その少女は生命のない物のようにじっと座っていた。
1227 His ideas were so (i　　　), I didn't bother to refute them.	彼の考えはあまりにもばかげていたので、わざわざ異議を唱えることもしなかった。
1228 Some birds have an (i　　　) tendency to mate for life.	鳥の中には、一生つがうという生来の性質を持つものもいる。
1229 At first, people were (i　　　) but later they came to believe him.	最初、人々は彼を信じようとしなかったが、後に信じるようになった。
1230 As he grew older, he became increasingly (i　　　) of outsiders.	彼は年を取るにしたがって、ますます部外者に対して狭量になった。
1231 The icy desert terrain was highly (i　　　) to travelers.	凍りついたような砂漠の地は旅行者を寄せつけなかった。
1232 He found his accumulating debts an (i　　　) problem.	彼は累積債務が手に負えない問題だと気づいた。
1233 The woman objected strongly to the detective's (i　　　) questions.	その女性は探偵の立ち入った質問を強く拒絶した。
1234 Relativity rendered some assumptions of classical physics (i　　　).	相対性原理は、古典物理学のいくつかの前提を無効にした。
1235 The mystery novels of Arthur Conan Doyle are (i　　　) puzzles.	アーサー・コナン・ドイルのミステリー小説は複雑なパズルそのものだ。
1236 The absent-minded professor almost (i　　　) forgot to attend staff meetings.	うっかり者の教授はほとんどいつも、教授会に出席するのを忘れた。
1237 He had an (i　　　) belief in his own invulnerability to harm.	彼は不死身であるという訳のわからない信念を持っていた。
1238 The government's (i　　　) response to the economic crisis only made things worse.	その経済危機に対する政府の優柔不断な対応は事態を悪化させただけだった。
1239 His point is valid, but (i　　　) to the ongoing discussion.	彼の指摘は正当だが、今の議論には不適切だ。
1240 When students slept in class, he would suddenly become very (i　　　).	学生たちが授業中に眠ると、彼は突然怒り出すのだった。

単語編

でる度 B

1241〜1260

Unit 62の復習テスト解答　1221 adolescent　1222 dispirited　1223 distressing　1224 empathic　1225 emphatic　1226 inanimate　1227 inane　1228 innate　1229 incredulous　1230 intolerant　1231 inhospitable　1232 intractable　1233 intrusive　1234 invalid　1235 intricate　1236 invariably　1237 irrational　1238 irresolute　1239 irrelevant　1240 irate

Unit 64 1261~1280

書いて記憶

単語	1回目	2回目	3回目	意味
1261 explicit [ɪksplísɪt]				明白な，あからさまな
1262 tranquil [trǽŋkwɪl]				のどかな，穏やかな
1263 virtuous [vɚ́ːrtʃuəs]				高潔な，純粋な
1264 urbane [ɚːrbéɪn]				あか抜けた
1265 cozy [kóʊzi]				居心地のよい
1266 compatible [kəmpǽṭəbl]				相性がよい，互換性のある
1267 genial [dʒíːnjəl]				愛想のよい，(気候が)温暖な
1268 submissive [səbmísɪv]				従順な
1269 amenable [əmíːnəbl]				(〜に)従順な，(〜に)従う義務がある〈to〉
1270 feasible [fíːzəbl]				実行可能な
1271 copious [kóʊpiəs]				多量の，豊富な
1272 discreet [dɪskríːt]				思慮分別のある
1273 hilarious [hɪléəriəs]				浮かれ騒ぐ，陽気な
1274 jubilant [dʒúːbɪlənt]				大喜びの
1275 pliable [pláɪəbl]				柔軟な
1276 assertive [əsɚ́ːrṭɪv]				積極的な，独断的な
1277 devout [dɪváʊt]				敬虔な，熱心な
1278 intimate [íntəmət]				詳細な，親密な
1279 optimum [ɑ(ː)ptɪməm]				最高の，最適の
1280 placid [plǽsɪd]				穏やかな

Unit 63の復習テスト

わからないときは前Unitで確認しましょう。

例文	訳
1241 Washington Automobiles (d　　　　) reduced the executives' expense allowances.	ワシントン自動車は幹部の交際費を思い切って削減した。
1242 She did her best not to appear (o　　　　) confident in the interview.	彼女は面接で自信過剰に見えないようにベストを尽くした。
1243 The computer I bought last year is already (o　　　　).	昨年購入したコンピューターがもう旧式になっている。
1244 After less than a week, bread is usually too (s　　　　) to eat.	1週間もたたないうちにパンは普通堅くなって食べられなくなる。
1245 A (d　　　　) old man clung to the pole as the train lurched forward.	列車が突然前方へ揺れた時、1人のよぼよぼの老人が手すりにしがみついた。
1246 The poet was highly (g　　　　) by the good reviews he received.	詩人は彼が受けた素晴らしい批評に大いに満足していた。
1247 Having won the race, the boy sat wearing a (b　　　　) expression.	レースに勝ったので、その少年はこの上なく幸せな表情をして座っていた。
1248 The hotel provided its guests with a (b　　　　) buffet breakfast.	そのホテルは客に十分なビュッフェ式の朝食を提供した。
1249 His tutor told him the essay was a (d　　　　) effort but not outstanding.	個人指導教員は彼の小論文にはかなりの努力の成果が見られるが、優れているわけではないと言った。
1250 His assistant was a (p　　　　) and intelligent young man.	彼のアシスタントは好感の持てる知的な若い男性だった。
1251 The chairperson said that they would always be (r　　　　) to constructive proposals for improvement.	改善に向けての建設的提案はいつでも受け入れるつもりだと、議長は語った。
1252 The divorced couple found it impossible to have an (a　　　　) conversation.	離婚した夫婦は友好的な会話をすることができなかった。
1253 The weather was highly (p　　　　) for their journey across the sea.	彼らが航海するには大いに恵まれた天気だった。
1254 The school was run (b　　　　) by a gentle old lady.	その学校は優しい老婦人によって善意で運営されていた。
1255 The boy did his homework (d　　　　) but with little real pleasure.	少年はきちんと宿題をしたが、喜んでいたわけではなかった。
1256 The man spoke (e　　　　) of his future plans for the company.	その男性は、会社に関する彼の将来の計画について広い視野から話した。
1257 Even though the apartment was small, he found it (a　　　　) for himself.	アパートは狭かったが、彼にとっては十分な広さだった。
1258 The new drug proved an (e　　　　) remedy against the disease.	新薬はその病気に効果のある治療薬であることがわかった。
1259 The millionaire lived in an (e　　　　) house on the edge of town.	大富豪は町の外れのとても大きな家に住んでいた。
1260 The employee's ability to speak Chinese proved (i　　　　) to the company.	中国語を話す従業員の能力は会社にとって非常に貴重であることがわかった。

でる度 B → 1261〜1280

Unit 63の復習テスト解答 1241 drastically 1242 overly 1243 obsolete 1244 stale 1245 decrepit 1246 gratified 1247 blissful 1248 bountiful 1249 decent 1250 personable 1251 receptive 1252 amicable 1253 propitious 1254 benevolently 1255 dutifully 1256 expansively 1257 adequate 1258 efficacious 1259 enormous 1260 invaluable

Unit 65 1281~1300

書いて記憶

単語	1回目	2回目	3回目	意味
1281 **assiduous** [əsídʒuəs]				勤勉な
1282 **authoritative** [əθɔ́:rətèɪtɪv]				信頼すべき，当局の
1283 **full-fledged** [fùlflédʒd]				本格的な，羽が生えそろった，一人前の
1284 **pertinent** [pə́:rtənənt]				適切な，関連する
1285 **transcendent** [trænséndənt]				超越した
1286 **crucial** [krú:ʃəl]				重大な，決定的な
1287 **distinct** [dɪstíŋkt]				はっきりとわかる
1288 **legitimate** [lɪdʒítəmət]				道理にかなった，合法の
1289 **versatile** [və́:rsətəl]				多才な，用途の広い
1290 **eligible** [élɪdʒəbl]				(~に対して)資格がある〈for〉
1291 **ingenious** [ɪndʒí:niəs]				巧妙な，器用な
1292 **judicious** [dʒudíʃəs]				思慮分別のある
1293 **consummate** [ká:nsəmət]				完成された
1294 **hostile** [há(:)stəl]				敵意のある，敵の
1295 **possessed** [pəzést]				取りつかれている
1296 **vicious** [víʃəs]				残酷な，悪意のある，堕落した
1297 **frivolous** [frívələs]				軽薄な，ふまじめな，くだらない
1298 **petulant** [pétʃələnt]				怒りっぽい
1299 **capricious** [kəpríʃəs]				気まぐれな
1300 **deceptive** [dɪséptɪv]				欺瞞である

Unit 64の復習テスト

わからないときは前Unitで確認しましょう。

例文	訳
1261 The only response to my request was an (e　　　　) "no."	私の要求に対する唯一の反応は，明白な「ノー」であった。
1262 Diana found the (t　　　　) atmosphere of the little village soothing.	ダイアナは小さな村ののどかな雰囲気に癒やしを見いだした。
1263 The young man led a (v　　　　) life at college.	その若い男は大学で実直な生活を送った。
1264 His (u　　　　) manners and classy dress contributed to his business success.	彼のあか抜けた態度と上等な服装は彼がビジネスで成功するのに役立った。
1265 What a charming, (c　　　　) little house!	なんと魅力的で居心地のよいかわいい家だろう！
1266 They divorced after only a year because they just weren't (c　　　　).	彼らはただ相性がよくないという理由で，たった1年で離婚した。
1267 At first the man seemed quite (g　　　　), but then he became angry and aggressive.	その男は最初のうちはとても愛想がよく見えたが，やがて腹を立てて攻撃的になった。
1268 Confronted by the larger dog, the puppy adopted the (s　　　　) pose of rolling onto its back.	自分よりも大きな犬に遭遇して，子犬はあお向けに寝転がり服従のポーズを示した。
1269 He seems more (a　　　　) to compromise after today's meeting.	彼は今日の会議の後，妥協に一段と応じやすくなっているようだ。
1270 Our new economic plan is both innovative and (f　　　　).	私たちの新しい経済計画は革新的で実行可能だ。
1271 We came to the party anticipating (c　　　　) amounts of food and beverages.	我々は大量の食べ物や飲み物を期待してパーティーに来た。
1272 I spoke to my friend about my problem because I know he is (d　　　　).	私は友人を思慮分別があると知っているので，彼に自分の問題を相談した。
1273 The character of Mr. Bean is a (h　　　　) example of slap-stick comedy.	ミスター・ビーンの人物像は，どたばた喜劇の浮かれ騒ぐ一例である。
1274 We all had a (j　　　　) celebration at our high school reunion.	高校の同窓会で歓喜に満ちた祝賀会を皆で実施した。
1275 Plastic is a valuable commodity because it is both (p　　　　) and strong.	プラスチックは柔軟かつ丈夫なので，価値ある物だ。
1276 The girl took a course to learn how to be more (a　　　　).	その女の子はもっと積極的になる方法を学ぶコースを取った。
1277 My mother is a liberal but completely (d　　　　) Roman Catholic.	母はリベラルだが，完全なまでに敬虔なローマ・カトリック教徒である。
1278 She was furious that (i　　　　) details of her private life had been made public.	自分の私生活に関する詳しい細部が公にされて，彼女は激怒した。
1279 The new car has an (o　　　　) speed of 140 miles per hour.	その新しい車は最高時速140マイルである。
1280 The sea today is (p　　　　) and the weather sunny and bright.	今日の海は穏やかで，天気は晴れて明るい。

単語編

でる度 **B**

1281 〜 1300

Unit 64の復習テスト解答　1261 explicit　1262 tranquil　1263 virtuous　1264 urbane　1265 cozy　1266 compatible　1267 genial
1268 submissive　1269 amenable　1270 feasible　1271 copious　1272 discreet　1273 hilarious　1274 jubilant　1275 pliable
1276 assertive　1277 devout　1278 intimate　1279 optimum　1280 placid

Unit 66 1301~1320

書いて記憶

単語	1回目	2回目	3回目	意 味
1301 **unruly** [ʌnrúːli]				手に負えない
1302 **malevolent** [məlévələnt]				悪意のある
1303 **crabby** [krǽbi]				気難しい
1304 **haughty** [hɔ́ːṭi]				傲慢な
1305 **obnoxious** [ɑ(ː)bnɑ́(ː)kʃəs]				鼻持ちならない, とてもいやな
1306 **poignant** [pɔ́ɪnjənt]				心を打つ, 痛切な
1307 **inert** [ɪnɔ́ːrt]				不活発な
1308 **vulgar** [vʌ́lɡər]				下品な, 卑俗な
1309 **trivial** [tríviəl]				取るに足らない
1310 **redundant** [rɪdʌ́ndənt]				冗長な, 余分な
1311 **disorientated** [dɪsɔ́ːrientèɪtɪd]				頭が混乱した, 方向がわからなくなった
1312 **arcane** [ɑːrkéɪn]				秘密の, 難解な
1313 **fallible** [fǽləbl]				誤りやすい, 当てにならない
1314 **formidable** [fɔ́ːrmɪdəbl]				(敵などが)手ごわい, (仕事などが)大変な
1315 **confrontational** [kà(ː)nfrʌntéɪʃənəl]				対決する覚悟の
1316 **corrosive** [kəróʊsɪv]				痛烈な, 腐食性の
1317 **lousy** [láʊzi]				ひどく悪い
1318 **menacingly** [ménəsɪŋli]				威嚇するように
1319 **recklessly** [rékləsli]				向う見ずに
1320 **ruthless** [rúːθləs]				冷酷な

Unit 65の復習テスト

例文	訳
1281 She is the most (a　　　) and dedicated student in the class.	彼女はクラスで最も勤勉でひたむきな学生だ。
1282 The book was an (a　　　) treatment of contemporary legal theory.	その本は、現代の法理論の権威ある論法の本だった。
1283 The general decided to launch a (f　　　) attack on the town.	将軍は市街地に本格的な攻撃を仕掛けることを決定した。
1284 As the judge didn't think that the evidence was (p　　　), he suppressed it.	判事はその証拠が適切でないと思ったので、それを認めなかった。
1285 She felt as if she were being guided by a (t　　　) being.	彼女はあたかも超越した存在に導かれているような気がした。
1286 The President is now facing the most (c　　　) decision of his career.	大統領は、今、就任以来最も重大な決断に直面している。
1287 He has a (d　　　) Scottish accent that many found attractive.	彼には多くの人を引きつけるはっきりとわかるスコットランドのアクセントがあった。
1288 Although not well articulated, the students' demands were (l　　　).	十分に明確化されてはいなかったが、学生たちの要求は道理にかなっていた。
1289 The footballer was a (v　　　) player, equally good at attack and defense.	そのフットボール選手は多才なプレーヤーで、オフェンスにもディフェンスにも強かった。
1290 The student was disappointed to discover that he was not (e　　　) for a scholarship.	その学生は、自分が奨学金の資格があるわけではないと知って、がっかりした。
1291 His inventions are (i　　　) solutions to practical problems.	彼の発明品は現実的な問題に対する巧妙な解決法である。
1292 We considered the issue carefully to be sure of a (j　　　) decision.	我々は、思慮分別のある決定だと確信できるように、その問題を注意深く考えた。
1293 He has always been good, but now he has become a (c　　　) violinist.	彼は今までも優れていたが、今では完璧なバイオリニストになった。
1294 The 1990s saw a larger number of (h　　　) business takeovers.	1990年代は多くの敵対的な企業買収が見られた。
1295 He studied like a (p　　　) man for his examinations.	彼はまるで取りつかれているかのように試験勉強をした。
1296 Police on the scene were appalled at the (v　　　) nature of the crime.	現場の警察官たちは、その犯罪の残忍な内容にぞっとした。
1297 The lecturer said that he would not answer such a (f　　　) question.	そんな軽薄な質問には答えるつもりはないと、講師は言った。
1298 His colleagues were surprised by his (p　　　) display of bad temper.	彼の同僚たちは、彼の露呈された短気な性格に驚いた。
1299 The young girl's (c　　　) nature has baffled all her boyfriends.	その若い女の子の気まぐれな性格に、ボーイフレンドたちは皆当惑した。
1300 The friendly behavior of the villagers turned out to be (d　　　).	村人たちの友好的な振る舞いは欺瞞であることがわかった。

Unit 65の復習テスト解答　1281 assiduous　1282 authoritative　1283 full-fledged　1284 pertinent　1285 transcendent
1286 crucial　1287 distinct　1288 legitimate　1289 versatile　1290 eligible　1291 ingenious　1292 judicious　1293 consummate
1294 hostile　1295 possessed　1296 vicious　1297 frivolous　1298 petulant　1299 capricious　1300 deceptive

Unit 67　1321〜1340

書いて記憶

単語	1回目	2回目	3回目	意味
1321 **rash** [ræʃ]				軽率な，無謀な
1322 **naive** [naɪíːv]				(軽蔑的に)単純な
1323 **strenuous** [strénjuəs]				きつい，激しい，精力的な
1324 **trite** [traɪt]				陳腐な
1325 **tedious** [tíːdiəs]				退屈な，つまらない
1326 **stern** [stəːrn]				厳しい
1327 **devoid** [dɪvɔ́ɪd]				(〜を)欠いている ⟨of⟩
1328 **dreary** [dríəri]				陰うつな，わびしい，もの寂しい，退屈な
1329 **hectic** [héktɪk]				てんてこまいの，ひどく興奮した
1330 **dismal** [dízməl]				憂うつな，(成績などが)悲惨な
1331 **frail** [freɪl]				弱々しい，壊れやすい
1332 **illicit** [ɪlísɪt]				不義の，不正な，違法の
1333 **bizarre** [bɪzáːr]				異様な，奇怪な
1334 **coarse** [kɔːrs]				(きめ・粒などが)粗い，下品な
1335 **lax** [læks]				しまりのない，だらしない
1336 **pathetic** [pəθétɪk]				哀れな，不十分な
1337 **lethal** [líːθəl]				致命的な
1338 **disheveled** [dɪʃévəld]				身なりのだらしない，(髪・服が)乱れた
1339 **bedraggled** [bɪdrǽgld]				みすぼらしい
1340 **ambiguous** [æmbígjuəs]				曖昧な

Unit 66の復習テスト

わからないときは前Unitで確認しましょう。

例文	訳
1301 As the mob became more (u　　　), the police sent for help.	暴徒が手に負えなくなったので，警察は助けを呼び寄せた。
1302 In Shakespeare's "Othello", Iago represents a totally (m　　　) force.	シェークスピアの『オセロ』では，イアーゴが完全なる悪意の力を表している。
1303 The (c　　　) old man was thoroughly disliked by his neighbors.	その気難しい老人は隣人たちにすっかり嫌われていた。
1304 The society ladies were (h　　　) and condescending toward the poor.	上流社会の女性たちは貧しい人々に対し横柄で，見下した態度をとっていた。
1305 His (o　　　) remarks made him unpopular with his colleagues.	彼は鼻持ちならないことを言うので，同僚の間で評判が悪かった。
1306 "Romeo and Juliet" may be the world's most famous and (p　　　) love story.	『ロミオとジュリエット』は世界中で最も有名で心を打つラブストーリーと言えよう。
1307 Drugs have rendered the virus (i　　　) but have failed to kill it completely.	薬品はそのウイルスを不活性にしたが，根絶はしていない。
1308 Some of the audience felt embarrassed by the (v　　　) jokes he told.	聴衆の中には，彼が話した下品な冗談に当惑する者もいた。
1309 The uproar over such a (t　　　) problem is hard to understand.	そうした取るに足らない問題で騒ぐのは理解に苦しむ。
1310 His ideas are good but his (r　　　) writing style can be rather tedious.	彼のアイデアはいいが，冗長な文体はちょっとうんざりすることもある。
1311 The released hostages looked tired and (d　　　) but happy to be free.	解放された人質たちは疲れていて混乱してはいるものの，自由になって喜んでいたようだった。
1312 The sect's most (a　　　) teachings were never written down.	その宗派の秘密の教義のほとんどは文書化されていなかった。
1313 It was easy to forgive his error since everyone is (f　　　).	人は誰でも誤りを犯すものだから，彼の誤りを許すことはたやすかった。
1314 The golfer was nervous because he knew that his opponent was a (f　　　) player.	そのゴルファーは，対戦相手が手ごわいプレーヤーだと知っているので，神経質になっていた。
1315 The politician's (c　　　) attitude in the debate lost him many supporters.	その政治家は討論会で挑戦的な態度をとったので，多くの支持者を失った。
1316 The series of scandals had a (c　　　) effect on the government's support.	度重なるスキャンダルは，政府支援に痛烈な影響を及ぼした。
1317 The teenager said the food tasted (l　　　) and he wouldn't eat it.	その10代の若者は食べ物がひどくまずいので，食べたくないと言った。
1318 The dog growled (m　　　) as the man approached the front door.	男性が玄関に近づいた時，その犬は威嚇するようになった。
1319 He drove so (r　　　) that the police stopped him for questioning.	彼があまりに向う見ずな運転をしたので，警察は尋問をするために彼を止めた。
1320 The (r　　　) cuts in welfare expenditure made the prime minister unpopular.	福祉支出の非情な削減によってその首相の人気はなくなった。

Unit 66の復習テスト解答　1301 unruly　1302 malevolent　1303 crabby　1304 haughty　1305 obnoxious　1306 poignant　1307 inert　1308 vulgar　1309 trivial　1310 redundant　1311 disorientated　1312 arcane　1313 fallible　1314 formidable　1315 confrontational　1316 corrosive　1317 lousy　1318 menacingly　1319 recklessly　1320 ruthless

Unit 68 (1341~1360)

書いて記憶

単語	1回目	2回目	3回目	意 味
1341 **equivocal** [ɪkwívəkəl]				曖昧な，不確かな
1342 **obscure** [əbskjúər]				曖昧な，無名の
1343 **initially** [ɪníʃəli]				最初は
1344 **consequently** [ká(:)nsəkwèntli]				その結果として
1345 **ultimately** [ʌ́ltɪmətli]				最終的には
1346 **namely** [néɪmli]				具体的には
1347 **nominally** [ná(:)mənəli]				名目上は
1348 **barren** [bǽrən]				味気ない，不毛の
1349 **sterile** [stérəl]				殺菌した，不毛の，無益な
1350 **cardinal** [káːrdɪnəl]				基本的な
1351 **rudimentary** [rùːdɪméntəri]				基礎的な，原始的な
1352 **static** [stǽtɪk]				静的な
1353 **stationary** [stéɪʃənèri]				静止した，定住の
1354 **countless** [káʊntləs]				無数の
1355 **miscellaneous** [mìsəléɪniəs]				種々雑多の
1356 **dense** [dens]				密集した，(霧・雲などが)濃い
1357 **commonplace** [ká(:)mənplèɪs]				平凡な
1358 **mediocre** [mìːdióʊkər]				良くも悪くもない，並の
1359 **transparent** [trænspǽrənt]				透明な，明白な
1360 **opaque** [oʊpéɪk]				不透明の，くすんだ

Unit 67の復習テスト

わからないときは前Unitで確認しましょう。

例文	訳
1321 In times of crisis, one must be swift but never be (r　　　).	危機にあっては、人は敏速であらねばならないが、軽率であってはならない。
1322 His views of the world are rather (n　　　), probably due to his inexperience.	経験が浅いためだろうが、彼の世界観はかなり単純だ。
1323 Rowing is said to be one of the most (s　　　) sporting activities.	ボートを漕ぐことは最も激しいスポーツの１つだと言われる。
1324 The original novel was excellent, but the screenplay was a (t　　　) imitation.	その小説の原作は素晴らしかったのに、映画のシナリオは陳腐な模倣であった。
1325 Although the work was (t　　　), the pay was very good.	その仕事は退屈なものだったが、給料はとても良かった。
1326 We started to insist on our point when the boss gave us a (s　　　) look.	我々が自分の考えを主張し始めると上司が厳しい顔つきをした。
1327 The novel was well written but (d　　　) of any excitement.	その小説はよく書けてはいたが、刺激を全く欠いていた。
1328 She was so happy that even the (d　　　) weather could not depress her.	彼女はあまりにうれしかったので、どんよりとした天気でも憂うつにはならなかった。
1329 Tokyo Station at rush hour is a (h　　　) bustle of activity.	ラッシュアワー時の東京駅は、あわただしい雑踏そのものだ。
1330 Despite the (d　　　) rainy weather, they enjoyed their visit to London.	憂うつな雨天にもかかわらず、彼らはロンドンへの旅行を楽しんだ。
1331 The old man was too (f　　　) to walk unaided.	その老人は手助けなしでは歩けないほどに衰弱していた。
1332 Although highly competent, his company fired him for an (i　　　) affair.	彼は極めて有能だったが、会社は不倫を理由に彼を解雇した。
1333 He told me the most (b　　　) story I had ever heard.	彼は私に、これまでに聞いたうちで最も異様な話をした。
1334 The shirt looked beautiful but its (c　　　) fabric made it uncomfortable.	そのシャツは美しく見えたが、生地が粗いので着心地が悪かった。
1335 The government inspectors criticized the (l　　　) discipline in the school.	政府の視察官たちは、その学校の緩い規律を批判した。
1336 The abandoned cat looked so (p　　　) that he decided to rescue it and take it home.	その捨てネコがあまりにも哀れに見えたので、彼はそのネコを助けて家に連れ帰ることにした。
1337 A person trained in martial arts can deliver (l　　　) blows by hand.	格闘技訓練をした人は、素手で致命的な打撃を与えることができる。
1338 After two weeks in the wilderness, we all looked rough and (d　　　).	２週間荒野で生活したため、私たちはみんな、粗野でだらしなく見えた。
1339 After the storm, the cat returned in a (b　　　) state.	嵐が去った後、ネコはみすぼらしい状態で戻ってきた。
1340 He made an (a　　　) statement that could have signified an agreement.	彼は同意したと思わせるような曖昧な発言をした。

単語編　でる度 B　1341〜1360

Unit 67の復習テスト解答　1321 rash　1322 naive　1323 strenuous　1324 trite　1325 tedious　1326 stern　1327 devoid　1328 dreary
1329 hectic　1330 dismal　1331 frail　1332 illicit　1333 bizarre　1334 coarse　1335 lax　1336 pathetic　1337 lethal　1338 disheveled
1339 bedraggled　1340 ambiguous

Unit 69　1361〜1380

書いて記憶

単 語	1回目	2回目	3回目	意 味
1361 **bland** [blænd]				(食物が)薄味の，物柔らかな
1362 **stupendous** [stjupéndəs]				驚くべき，とてつもない
1363 **schematic** [skiːmǽtɪk]				概略的な，図式的な
1364 **statistically** [stətístɪkəli]				統計的に
1365 **unanimously** [junǽnɪməsli]				満場一致で
1366 **monotonously** [mənɑ́(ː)tənəsli]				単調に
1367 **impulsive** [ɪmpʌ́lsɪv]				直情的な，衝動的な
1368 **reticent** [rétəsənt]				無口な
1369 **habitual** [həbítʃuəl]				習慣化した，常習の
1370 **flabbergasted** [flǽbərgæstɪd]				(〜に，〜して)仰天した 〈at, to do〉
1371 **destined** [déstɪnd]				運命である
1372 **disciplinary** [dísəplənèri]				懲戒の，規則上の
1373 **divine** [dɪváɪn]				神の
1374 **jumbled** [dʒʌ́mbld]				ごちゃまぜになった
1375 **lanky** [lǽŋki]				背が高くて細い
1376 **migratory** [máɪɡrətɔ̀ːri]				移動する，移住する
1377 **opposable** [əpóuzəbl]				向かい合わせにできる，抵抗できる
1378 **polytheistic** [pɑ̀(ː)liθíːɪstɪk]				多神教の
1379 **succulent** [sʌ́kjʊlənt]				多汁質の
1380 **synonymous** [sɪnɑ́(ː)nəməs]				同義語の

Unit 68の復習テスト

例文	訳
1341 Her response to his marriage proposal was oddly (e　　　).	彼の求婚に対する彼女の反応は、奇妙なほど曖昧だった。
1342 His remarks were so (o　　　) that few people understood them.	彼の意見はとても曖昧だったので、ほとんどの人は理解しなかった。
1343 (I　　　), he enjoyed the class, but then it began to bore him.	最初、彼は授業を楽しんだが、次第に退屈し始めた。
1344 Funds were low and, (c　　　), the annual picnic had to be cancelled.	資金が乏しかったので、その結果として、毎年恒例のピクニックは中止にしなければならなかった。
1345 The woman said that she wanted (u　　　) to work as a lawyer.	女性は最終的には弁護士として働きたいと言った。
1346 One problem faced the college, (n　　　), a lack of students.	ある問題に大学は直面した、具体的には生徒不足だった。
1347 Although he was (n　　　) in charge, the real decisions were made by others.	彼は名目上は責任者だったが、本当の決定はほかの人たちによってなされた。
1348 The deserts of Arabia are vast, (b　　　) landscapes.	アラビアの砂漠は広大で味気ない眺めである。
1349 It is extremely important to use (s　　　) bandages when treating a wound.	けがを治療する時は殺菌した包帯を使うことが非常に重要である。
1350 It was a (c　　　) rule of his to be always punctual.	いつも時間厳守することは、彼の基礎的なルールだった。
1351 My seven-year-old son is just learning the (r　　　) principles of math.	私の7歳の息子は、ちょうど数学の基本的な公理を学んでいる。
1352 I got a small shock from (s　　　) electricity when I touched the door knob.	ドアの取っ手に触れた時、ちょっとした静電気のショックを感じた。
1353 Please wait until the train is (s　　　) before getting off.	電車が停止してから下車してください。
1354 As he looked up at the (c　　　) stars, he felt very small indeed.	彼は無数の星を見上げた時、自分自身を本当に小さく感じた。
1355 Anything we could not clearly classify belonged to a (m　　　) group.	明確に分類できないものはすべてその他いろいろのグループに属した。
1356 It was difficult to get through the (d　　　) undergrowth.	低木の密集した場所を通り抜けるのは困難だった。
1357 Although a brilliant researcher, he was a (c　　　) lecturer.	彼は優れた研究者だが、平凡な講演者だった。
1358 His latest movie is (m　　　) at best.	彼の最新の映画はせいぜい可もなく不可もなくである。
1359 We decided to protect our table top with a (t　　　) plastic sheet.	私たちは透明なプラスチック・シートでテーブルの表面を保護することにした。
1360 I knew the stone was not really an emerald because it was (o　　　).	その石は不透明だったので、私はそれが実はエメラルドでないことを知っていた。

でる度 B
1361〜1380

Unit 68の復習テスト解答　1341 equivocal　1342 obscure　1343 Initially　1344 consequently　1345 ultimately　1346 namely　1347 nominally　1348 barren　1349 sterile　1350 cardinal　1351 rudimentary　1352 static　1353 stationary　1354 countless　1355 miscellaneous　1356 dense　1357 commonplace　1358 mediocre　1359 transparent　1360 opaque

Unit 70 1381〜1400

書いて記憶

単語	1回目	2回目	3回目	意味
1381 **adjacent** [ədʒéɪsənt]				隣接する
1382 **paltry** [pɔ́ːltri]				ごくわずかな，価値のない，卑劣な
1383 **bucolic** [bjuːkɑ́(ː)lɪk]				牧歌的な，田舎の
1384 **celibate** [séləbət]				独身(主義)者の，独身を誓った
1385 **pedestrian** [pədéstriən]				徒歩の，単調な
1386 **lunar** [lúːnər]				月の，青白い
1387 **simultaneous** [sàɪməltéɪniəs]				同時の
1388 **lavish** [lǽvɪʃ]				ぜいたくな
1389 **quaint** [kweɪnt]				古風な，趣のある，風変わりで面白い
1390 **conventional** [kənvénʃənəl]				従来の，因習的な
1391 **bewitched** [bɪwítʃt]				魅惑された
1392 **comprehensive** [kɑ̀(ː)mprɪhénsɪv]				総合的な
1393 **tremendous** [trəméndəs]				すさまじい
1394 **exponential** [èkspənénʃəl]				急激な，幾何級数的な
1395 **idyllic** [aɪdílɪk]				牧歌的な，田園的な
1396 **pompous** [pɑ́(ː)mpəs]				尊大な
1397 **resonant** [rézənənt]				よく響く
1398 **rustic** [rʌ́stɪk]				田舎の，素朴な
1399 **sparse** [spɑːrs]				まばらな
1400 **edible** [édəbl]				食用に適した

Unit 69の復習テスト

わからないときは前Unitで確認しましょう。

例文	訳
1361 She always prepares nutritious but (b　　　) meals for the family.	彼女は家族のために、いつも、栄養豊かだが薄味の食事を作る。
1362 The pyramids have long been a (s　　　) sight for tourists.	ピラミッドは久しく観光客たちにとって驚くべき光景となっている。
1363 His view of history was criticized as (s　　　) and oversimplified.	彼の歴史観は、概略的で簡略化し過ぎていると批判された。
1364 The social scientist demonstrated (s　　　) the existence of discrimination.	その社会科学者は差別の存在を統計的に実証した。
1365 The committee voted (u　　　) to fund the project.	委員会はプロジェクトに資金を提供することを満場一致で決定した。
1366 The preacher spoke (m　　　), with little expression in his voice.	牧師は声の調子をほとんど変えずに単調に話した。
1367 She was a very (i　　　) person and often did things she regretted later.	彼女はとても直情的な人間で、後で悔やむようなことをよくやった。
1368 Though usually (r　　　), he is sometimes quite talkative.	彼は普段は無口だが、時々とてもおしゃべりになる。
1369 His health was eventually damaged by his (h　　　) drinking.	彼の健康は、結局、習慣化した飲酒によって害された。
1370 The man was (f　　　) when his wife left him.	男は妻が彼のもとを去った時仰天した。
1371 The rocket launch seemed (d　　　) to fail from the start.	ロケットの打ち上げの失敗は最初から失敗するのが運命だったように思われた。
1372 The army decided to begin (d　　　) proceedings against him.	軍は彼に対して懲戒手続きを始めることを決定した。
1373 The man claimed to have received a (d　　　) revelation in a dream.	その男性は夢の中で神の啓示を受けたと言い張った。
1374 The girl's clothes lay (j　　　) together in a heap on the floor.	女の子の服は床の上にごちゃまぜになって積み重ねられていた。
1375 Despite having been a small child, he was now a (l　　　) teenager.	背の低い子どもだったのに、彼は今では細くて背の高い10代の若者になった。
1376 The nomads had a (m　　　) lifestyle, moving according to the season.	遊牧の民は季節に応じて移動する生活形式をとっていた。
1377 One feature of primates is that they have (o　　　) thumbs.	霊長類の特徴の1つは、ほかの4本の指と対置できるようになった親指を持っていることだ。
1378 The missionary tried to convert them from their (p　　　) beliefs.	宣教師は彼らを多神教の信仰から改宗させようとした。
1379 He plucked a (s　　　) peach and began to eat it.	彼は水気の多い桃をもぎ取り、食べ始めた。
1380 The famous old school was (s　　　) with high academic achievement.	その有名な伝統校は高い学業成績と同義のようである。

Unit 69の復習テスト解答　1361 bland　1362 stupendous　1363 schematic　1364 statistically　1365 unanimously
1366 monotonously　1367 impulsive　1368 reticent　1369 habitual　1370 flabbergasted　1371 destined　1372 disciplinary
1373 divine　1374 jumbled　1375 lanky　1376 migratory　1377 opposable　1378 polytheistic　1379 succulent　1380 synonymous

でる度 B　1381〜1400

Unit 70の復習テスト

例文	訳
1381 The company bought an (a) piece of land and turned it into the employee parking lot.	会社は隣接する土地を購入して，従業員用駐車場にした。
1382 He felt insulted by the (p) sum he was paid for the translation.	彼は翻訳の代金として支払われたはした金に侮辱された気がした。
1383 My mother enjoys buying paintings of (b) scenes.	母は牧歌的な風景画を購入することを楽しんでいる。
1384 Priests and nuns often vow to remain (c) throughout their lives.	僧や尼僧たちは，しばしば，一生独身でいることを誓う。
1385 The residents petitioned their city government for a (p) walkway.	住民は市当局に歩行者用通路の設置を請願した。
1386 In the early 1960s, John F. Kennedy inspired the first (l) landing.	1960年代の初めにジョン・F・ケネディは月への最初の着陸を鼓舞した。
1387 She studied at a school for (s) translation.	彼女は同時通訳の学校で学んだ。
1388 The foreign dignitaries were treated to a (l) banquet consisting of ten different courses.	各国高官は，10種類のコース料理からなるぜいたくな晩餐会でもてなされた。
1389 England is known for the (q) cottages in its lush green countryside.	イングランドは緑豊かな田園地帯にある古風な小家屋で有名である。
1390 All (c) approaches to the problem had failed to work.	その問題を解決するための従来の取り組みはすべて失敗に終わった。
1391 The students sat completely still as if (b) by the lecturer.	生徒たちは講演者に魅惑されたかのごとく，じっと座っていた。
1392 The course included a (c) study on whales.	そのコースには，クジラについての総合的な研究が含まれていた。
1393 There was the (t) sound of an explosion nearby.	近隣ですさまじい爆発音がした。
1394 Following five years of (e) growth, the country had huge reserves of foreign currency.	5年間の急激な成長の後，その国は膨大な外貨を蓄えた。
1395 My siblings and I share an (i) memory of our childhood on the farm.	私と私の兄弟姉妹は農場で過ごした子ども時代の牧歌的な思い出を共有している。
1396 The late Shah of Iran angered his people with his (p), lavish parties.	故イラン国王は尊大ぶったぜいたくなパーティーを開き，国民を怒らせた。
1397 That baritone became a sensation for his versatile and (r) voice.	そのバリトン歌手は多彩でよく響く声で大評判になった。
1398 I grew up in a (r) farm area of southern Indiana, in America.	私はアメリカ，インディアナ州南部の田舎の農業地帯で育った。
1399 In semi-arid conditions, rainfall is too (s) for most crops.	半乾燥性の自然条件の中では，ほとんどの作物にとって降雨が少なすぎる。
1400 He was poisoned by what he thought was an (e) mushroom.	彼は食用だと思っていたキノコを食べて毒にあたった。

Unit 70の復習テスト解答 1381 adjacent 1382 paltry 1383 bucolic 1384 celibate 1385 pedestrian 1386 lunar 1387 simultaneous 1388 lavish 1389 quaint 1390 conventional 1391 bewitched 1392 comprehensive 1393 tremendous 1394 exponential 1395 idyllic 1396 pompous 1397 resonant 1398 rustic 1399 sparse 1400 edible

単語編

でる度 C 力を伸ばす単語 700

Unit 71 〜 Unit 105

Q 大問4の英作文問題でも大問1の語彙問題で出題されるような単語を使った方がよいのでしょうか。

A 大問4の英作文問題では与えられたPOINTSを使いながらテーマに沿った英作文を書きますが，ここでは無理をして『でる順パス単』レベルの単語を使う必要はありません。それよりも自身の見解をその裏付けとともに明確に表現しながら全体の構成をまとめることを優先させましょう。平易な文であっても文法・語彙の誤りが少なく，内容が充実している解答が高得点につながります。

英語の4技能とは，インプット(Reading & Listening) とアウトプット(Writing & Speaking) から構成されます。幼児が徐々に母語を習得するように，多くのインプットをしてからアウトプットができます。単語集で覚えた単語をいきなり英作文で使うことには無理があります。語法を間違ってしまったり，日本語訳に惑わされて本来のニュアンスからはずれた用法になったりして，読み手が違和感を覚えるかもしれません。

『でる順パス単』に掲載された単語は，語彙問題や読解，リスニングで出てきたときに即座に理解できるレベルを目指しましょう。これをアウトプットでも使えるようにするのは，その先の大きなステップです。英検1級一次試験の英作文や二次試験の面接でそれらを使うことは短期間でできることではありません。無理に背伸びをしようとするとほかの大切な要素が疎かになり，良い結果をもたらさない可能性があります。あくまでも，まずは英検1級合格で求められる語彙レベルを目指すとよいでしょう。

単語学習の不安を先生に相談してみよう！

Unit 71 (1401~1420)

書いて記憶

単語	1回目	2回目	3回目	意味
1401 decipher [dɪsáɪfər]				(暗号など)を解読する
1402 defy [dɪfáɪ]				に反抗する
1403 tackle [tǽkl]				に取り組む
1404 antagonize [æntǽgənàɪz]				の反感を買う
1405 precipitate [prɪsípɪtèɪt]				を引き起こす
1406 capitulate [kəpítʃəlèɪt]				(~に)(条件付きで)降伏する⟨to⟩
1407 vanquish [vǽŋkwɪʃ]				を打ち破る
1408 brandish [brǽndɪʃ]				を振りかざす
1409 canvass [kǽnvəs]				(支持など)を求める
1410 contravene [kà(:)ntrəvíːn]				に違反する
1411 edify [édɪfàɪ]				を啓発する
1412 lobby [lá(:)bi]				運動する，議員に働きかける
1413 matriculate [mətríkjulèɪt]				大学に入学する，入学を許可される
1414 slump [slʌmp]				急に落ち込む
1415 augment [ɔːgmént]				を増加させる，を大きくする
1416 blanch [blæntʃ]				青ざめる，を漂白する
1417 consign [kənsáɪn]				を託送する
1418 delineate [dɪlínièɪt]				をくわしく説明する
1419 blurt [bləːrt]				をうっかり口走る
1420 deduce [dɪdjúːs]				を推測する

単語編

でる度 C

1401〜1420

Unit 72 (1421~1440)

単語	1回目	2回目	3回目	意 味
1421 **impoverish** [ɪmpá(:)vərɪʃ]				を貧しくする，(質)を低下させる
1422 **purvey** [pərvéɪ]				(情報)を提供する，を調達する
1423 **endow** [ɪndáʊ]				に(〜を)授ける，に(〜を)寄贈する〈with〉
1424 **jostle** [dʒá(:)sl]				押し合う
1425 **levitate** [lévɪtèɪt]				空中を浮遊する
1426 **spawn** [spɔːn]				を生み出す，(卵)を産む
1427 **traffic** [trǽfɪk]				を密売買する
1428 **eschew** [ɪstʃúː]				(好ましくないことなど)を避ける
1429 **hedge** [hedʒ]				を(〜の)生け垣で囲む〈with〉，を未然に防ぐ
1430 **mount** [maʊnt]				を取り付ける
1431 **hypothesize** [haɪpá(:)θəsàɪz]				(…という)仮説を立てる〈that〉
1432 **hypnotize** [hípnətàɪz]				に催眠術をかける
1433 **consecrate** [ká(:)nsəkrèɪt]				を奉献する
1434 **contrive** [kəntráɪv]				を考え出す，をたくらむ
1435 **concede** [kənsíːd]				を(しかたなく正しいと)認める
1436 **concur** [kənkə́ːr]				(〜に)同意する，(〜に)一致する〈in, on, with〉
1437 **consolidate** [kənsá(:)lɪdèɪt]				を併合する，を強化する
1438 **acclaim** [əkléɪm]				を称賛する
1439 **eulogize** [júːlədʒàɪz]				を称賛する
1440 **prosecute** [prá(:)sɪkjùːt]				を起訴する

Unit 71の復習テスト

わからないときは前Unitで確認しましょう。

例文	訳
1401 During the war, his job was to (d　　　) enemy codes.	戦時中の彼の仕事は敵の暗号を解読することだった。
1402 She felt she could not (d　　　) her boss's direct order.	彼女は上司の直接の命令に反抗することができないと感じた。
1403 A team was formed to (t　　　) the problem of childhood obesity.	小児肥満の問題に取り組むため，チームが結成された。
1404 Everything the new secretary did (a　　　) her employer.	新しい秘書のすることなすことすべてが雇用主の反感を買った。
1405 In the end, the king's decision (p　　　) a civil war.	結局，国王の出した結論が内戦を引き起こした。
1406 The official threatened retribution if they did not (c　　　) to his demands.	その役人は彼らが自分の要求に従わなければ報復があると言って脅した。
1407 The boxer (v　　　) his opponent in the fourth round.	第4ラウンドでボクサーは対戦相手を打ち破った。
1408 (B　　　) a wad of bills, he ordered everyone drinks.	彼は札束を振りかざしながら，皆の酒を注文した。
1409 The candidate visited local homes to (c　　　) support in the election.	その候補者は選挙で支援を求めるために地元の家々を戸別訪問した。
1410 He was warned to be careful not to (c　　　) any of the conditions.	彼は条件のどれにも違反しないように注意するよう警告された。
1411 The government tried to (e　　　) people about the dangers of the drug.	政府は薬物の危険性について人々を啓発しようとした。
1412 The tobacco companies (l　　　) against the new regulations.	タバコ会社は新しい規則に反対運動をした。
1413 He (m　　　) as a student of the college last year.	昨年，彼はその大学に入学した。
1414 Following a rise in the value of the currency, exports (s　　　) immediately.	通貨価値の上昇後，輸出はすぐに落ち込んだ。
1415 In order to (a　　　) my income, I work several part-time jobs.	収入を増やすために，私はパートの仕事をいくつかしている。
1416 The woman's face (b　　　) when she heard the news.	そのニュースを聞いた時，女性の顔は青ざめた。
1417 As soon as he arrived, he (c　　　) the goods to the customer.	彼は到着するとすぐに顧客に商品を送った。
1418 The committee asked her to (d　　　) her plans for improvement.	委員会は彼女に改善計画をくわしく説明するように言った。
1419 Without thinking, she (b　　　) his name to the police.	何も考えずに，彼女は警察に彼の名前をうっかり口走った。
1420 The journalist asked the detective what he had (d　　　) so far.	ジャーナリストは，刑事に今のところ何を推測したか尋ねた。

Unit 71の復習テスト解答
1401 decipher　1402 defy　1403 tackle　1404 antagonized　1405 precipitated　1406 capitulate
1407 vanquished　1408 Brandishing　1409 canvass　1410 contravene　1411 edify　1412 lobbied　1413 matriculated　1414 slumped
1415 augment　1416 blanched　1417 consigned　1418 delineate　1419 blurted　1420 deduced

Unit 73 1441~1460

書いて記憶   学習日   月   日

単語	1回目	2回目	3回目	意 味
1441 adjudicate [ədʒúːdɪkèɪt]				(事件)を裁く, (人)に判決を下す
1442 anoint [ənɔ́ɪnt]				を指名する, に軟膏を塗る
1443 arbitrate [ɑ́ːrbɪtrèɪt]				を仲裁する
1444 convict [kənvíkt]				に(~で)有罪判決を下す ⟨of⟩
1445 litigate [lítəgèɪt]				訴訟を起こす
1446 ameliorate [əmíːliərèɪt]				を改善する
1447 revamp [riːvǽmp]				を改良する, を改訂する
1448 reinstate [rìːɪnstéɪt]				を復職させる, をもとの状態に戻す
1449 resuscitate [rɪsʌ́sɪtèɪt]				を生き返らせる, を復活させる
1450 ambush [ǽmbʊʃ]				を待ち伏せする
1451 waylay [wèɪléɪ]				を待ち伏せする
1452 lurch [ləːrtʃ]				千鳥足で歩く
1453 lurk [ləːrk]				潜む, 待ち伏せる
1454 astound [əstáʊnd]				をびっくり仰天させる
1455 baffle [bǽfl]				を困惑させる
1456 perturb [pərtə́ːrb]				の心をかき乱す
1457 rankle [rǽŋkl]				をいらだたせる, を苦しめる
1458 agitate [ǽdʒɪtèɪt]				を動揺させる, を扇動する
1459 bemoan [bɪmóʊn]				を嘆く
1460 lament [ləmént]				を嘆き悲しむ

Unit 72の復習テスト

わからないときは前Unitで確認しましょう。

例文	訳
1421 Poor nations are worried that emission controls will (i　　　) them further.	貧しい国々は排ガス規制のために，もっと貧しくなることを懸念している。
1422 The information had been (p　　　) to them by a concerned worker.	その情報は問題に関心のあるひとりの労働者によって彼らに提供された。
1423 The American Constitution says that all men are (e　　　) with certain rights.	合衆国憲法によれば，すべての人間は一定の権利が与えられている。
1424 The fans (j　　　) each other as they tried to get nearer to the stage.	ファンたちはステージに近づこうとして，互いに押し合った。
1425 The magician claimed he could (l　　　) two meters in the air.	その奇術師は2メートルの空中を浮遊することができると主張した。
1426 The notorious novel (s　　　) many similar works by other writers.	その悪名高い小説は，ほかの作家による多くの似たような作品を生み出した。
1427 The teenager was caught (t　　　) drugs to local people.	その10代の若者は地元の人たちに薬物を密売しているところを捕まった。
1428 The man did not (e　　　) even blackmail to achieve his ends.	その男は目的を達成するためになら恐喝することさえいとわなかった。
1429 The garden had been (h　　　) with tall trees to break the wind.	その庭は風を遮るために高い木々の生け垣で囲まれていた。
1430 The local council decided to (m　　　) security cameras in the area.	地方自治体がその地域に監視カメラを取り付けることを決定した。
1431 The doctor (h　　　) that the infection was carried by water.	その医師は，その伝染病は水が媒介しているという仮説を立てた。
1432 The entertainer (h　　　) the man into thinking he was a dog.	そのエンターテイナーは男性に催眠術をかけて犬だと思い込ませた。
1433 The bishop performed a ceremony to (c　　　) the new church.	司教は新しい教会を奉献するための儀式を行った。
1434 He (c　　　) excuses to visit the shop and talk to the girl there.	彼は店を訪ねてそこの少女と話す口実を作った。
1435 I must (c　　　) that I did not do as well as I should have in the competition.	私はその競技でベストを尽くさなかったことを認めざるを得ない。
1436 Most members of the society (c　　　) in the decision to expel him.	クラブのほとんどのメンバーは彼を除名する決定に同意した。
1437 The company managed to (c　　　) its profits in the second quarter.	会社はどうにか第2四半期の利益を併合することができた。
1438 His films were (a　　　) for their honesty and realism.	彼の映画は，その誠実さと写実性ゆえに高く評価された。
1439 After his death, many people (e　　　) him at the funeral.	彼の死後，葬儀の席で多くの人々が彼を称賛した。
1440 There was not enough evidence to (p　　　) the suspect.	容疑者を起訴するためには十分な証拠がなかった。

Unit 72の復習テスト解答　1421 impoverish　1422 purveyed　1423 endowed　1424 jostled　1425 levitate　1426 spawned　1427 trafficking　1428 eschew　1429 hedged　1430 mount　1431 hypothesized　1432 hypnotized　1433 consecrate　1434 contrived　1435 concede　1436 concurred　1437 consolidate　1438 acclaimed　1439 eulogized　1440 prosecute

Unit 74 1461~1480

書いて記憶　　学習日　　月　　日

単語	1回目	2回目	3回目	意味
1461 **niggle** [nígl]				を悩ます
1462 **pester** [péstər]				を困らせる，を煩わせる
1463 **debilitate** [dɪbílɪtèɪt]				を衰弱させる，を弱体化させる
1464 **demur** [dɪmə́ːr]				反対する
1465 **abate** [əbéɪt]				衰える，を減らす
1466 **pare** [peər]				を徐々に切り詰める
1467 **prune** [pruːn]				を切り詰める
1468 **truncate** [trʌ́ŋkeɪt]				を短くする
1469 **obfuscate** [á(ː)bfʌskèɪt]				をわかりにくくする
1470 **obliterate** [əblítərèɪt]				を消す
1471 **equivocate** [ɪkwívəkèɪt]				言葉を濁す
1472 **diffuse** [dɪfjúːz]				を広める
1473 **proliferate** [prəlífərèɪt]				増殖する，蔓延する
1474 **promulgate** [prá(ː)məlgèɪt]				を普及させる，を公表する
1475 **emanate** [émənèɪt]				(〜から)発する〈from〉
1476 **emancipate** [ɪmǽnsɪpèɪt]				を解放する
1477 **embroil** [ɪmbrɔ́ɪl]				を(論争などに)巻き込む〈in〉
1478 **encumber** [ɪnkʌ́mbər]				を妨げる
1479 **entrench** [ɪntréntʃ]				(〜 oneself で)(〜に)安全に身を隠す〈in〉
1480 **enumerate** [ɪnjúːmərèɪt]				を列挙する

Unit 73の復習テスト

わからないときは前Unitで確認しましょう。

例文	訳
1441 The murder case is supposed to be (a) in the High Court next month.	その殺人事件は，最高裁で来月判決が下されることになっている。
1442 In a traditional ritual, the new king was (a) by a priest.	伝統的な儀式で，新国王が聖職者によって指名された。
1443 An expert was called in to (a) the industrial dispute.	専門家が労働争議を仲裁するために呼ばれた。
1444 After a lengthy trial, the businessman was (c) of fraud.	長期にわたる裁判の後，その実業家は詐欺罪で有罪判決を下された。
1445 He decided not to (l) because of the expense it would involve.	彼はそれに伴う費用のことを考えて，訴訟を起こさないことに決めた。
1446 The politician said he wanted to (a) conditions in the slums.	政治家はスラム街の現状を改善したいと言った。
1447 The company employed a team of PR consultants to (r) its image.	その企業はイメージを改善するためにPRコンサルタントチームを雇った。
1448 The policeman was (r) when the charges were shown to be false.	その警察官は嫌疑が晴れたので復職した。
1449 The near-drowning victim was (r) by lifeguards.	そのおぼれそうになった人は救助員によって蘇生した。
1450 They were (a) by a gang of bandits in the night.	夜に彼らは山賊に待ち伏せされた。
1451 The fan managed to (w) the pop star in the corridor of his hotel.	そのファンはどうにかホテルの廊下で人気歌手を待ち伏せした。
1452 The drunk suddenly (l) into a group of girls who were passing.	その酔っぱらいは，通りかかった一団の女の子の中に突然千鳥足で入っていった。
1453 The young child was afraid of the monster that (l) under the bed.	小さな子どもはベッドの下に潜む怪物を恐れていた。
1454 Many scientists were (a) at reports of primitive life on Mars.	多くの科学者が火星上の原始生命の報告を聞いてびっくり仰天した。
1455 The students were totally (b) by the final examination questions.	学生たちは期末試験の問題にすっかり困惑させられた。
1456 He was increasingly (p) by the rumors of downsizing.	彼は人員削減のうわさにだんだん心配になってきた。
1457 The fact that he had not been promoted (r) him.	彼が昇進しなかったという事実は彼をいらだたせた。
1458 He was so (a) when his daughter failed to come home by 11 that he called the police.	娘が11時になっても帰宅しなかったので，彼は動揺して警察に電話した。
1459 Although they (b) their lack of money, they did little about it.	彼らは，資金不足を嘆いてはいたが，それについて何の手も打たなかった。
1460 People around the world (l) the death of Mother Theresa.	世界中の人々がマザー・テレサの死を悼んだ。

単語編

でる度 C

1461〜1480

Unit 73の復習テスト解答 1441 adjudicated 1442 anointed 1443 arbitrate 1444 convicted 1445 litigate 1446 ameliorate 1447 revamp 1448 reinstated 1449 resuscitated 1450 ambushed 1451 waylay 1452 lurched 1453 lurked 1454 astounded 1455 baffled 1456 perturbed 1457 rankled 1458 agitated 1459 bemoaned 1460 lamented

Unit 75 1481〜1500

書いて記憶

単 語	1回目	2回目	3回目	意 味
1481 **preclude** [prɪklúːd]				を排除する，を妨げる
1482 **prescribe** [prɪskráɪb]				を規定する，を処方する
1483 **prevaricate** [prɪvǽrɪkèɪt]				言葉を濁す，嘘をつく
1484 **externalize** [ɪkstə́ːrnəlàɪz]				を言葉で表す，を具体化する
1485 **exult** [ɪgzʌ́lt]				(〜に)大喜びする〈over, at〉
1486 **expiate** [ékspièɪt]				を償う
1487 **cogitate** [kɑ́(ː)dʒɪtèɪt]				を熟考する
1488 **ponder** [pɑ́(ː)ndər]				を熟考する
1489 **banish** [bǽnɪʃ]				を(〜へ)追放する〈to〉
1490 **debar** [dɪbɑ́ːr]				を(〜から)除外する〈from〉
1491 **harry** [hǽri]				を襲撃する
1492 **infiltrate** [ɪnfíltreɪt]				に潜入する
1493 **assail** [əséɪl]				を襲撃する，を悩ませる
1494 **ravage** [rǽvɪdʒ]				(国など)を荒らす，を略奪する
1495 **plunder** [plʌ́ndər]				を略奪する
1496 **loot** [luːt]				を略奪する
1497 **intercept** [ìntərsépt]				を迎撃する，を妨害する，を傍受する
1498 **impede** [ɪmpíːd]				を妨げる，を遅らせる
1499 **stunt** [stʌnt]				を妨げる
1500 **persecute** [pə́ːrsɪkjùːt]				を迫害する

Unit 74 の復習テスト

例文	訳
1461 She felt (n　　　) by the fact he had forgotten her birthday.	彼が彼女の誕生日を忘れてしまっていたので、彼女は**くよくよ悩んだ**。
1462 She told her son not to (p　　　) his sister while she was doing her homework.	彼女は息子に、姉が宿題をしている間は**困らせる**なと言った。
1463 The illness had (d　　　) him so much that he could no longer walk.	病気があまりにも彼の身体**を衰弱させた**ので、彼はもはや歩けなかった。
1464 She did what he asked without (d　　　) in the slightest.	彼女は少しも**異議を唱える**ことなく、彼に頼まれたことをした。
1465 We hoped the storm would (a　　　) soon so we could go out.	外出できるように、嵐が間もなく**衰える**ことを我々は願った。
1466 The couple did their best to (p　　　) their expenses to a minimum.	その夫婦は最小限まで経費**を少しずつ切り詰める**ために最善を尽くした。
1467 He (p　　　) all unnecessary personnel from the department.	彼はその部署からすべての不必要な人員**を削減した**。
1468 In the end, he (t　　　) the essay so as to meet the word limit.	結局、彼は語数制限に合わせるためにエッセイ**を短くした**。
1469 He accused the scientist of trying to (o　　　) his errors.	彼は科学者が自分自身の失敗**をわかりにくくし**ようとしていたので非難した。
1470 The businessman did his best to (o　　　) all signs of his crime.	その実業家は、自分のすべての犯罪の跡**を消す**ためにできる限りの手を尽くした。
1471 When asked if he would resign, the minister (e　　　) on the issue.	大臣は辞任するかどうかを質問された時、その問題について**言葉を濁した**。
1472 The society's aim was to (d　　　) their founder's ideas among the public.	その会の目的は創始者の考えを大衆に**広める**ことだった。
1473 Cancer is a disorder that causes affected cells to (p　　　) out of control.	がんとは、病変した細胞が**増殖して**、手がつけられなくなる疾病である。
1474 The owner of the magazine used it to (p　　　) his environmentalist convictions.	その雑誌の社主は、その雑誌を自分の環境保護論者としての信念**を広める**のに使っていた。
1475 Modern algebra essentially (e　　　) from Muslim culture in the Middle Ages.	現代の代数学は本質的には中世のイスラム文化から**発祥した**。
1476 The American Civil War was fought in part to (e　　　) the slaves.	アメリカ南北戦争は、1つには奴隷**を解放する**ために戦われた。
1477 Through no fault of his own, he became (e　　　) in a scandal.	彼自身には何の過失もないのに、彼はスキャンダルに**巻き込ま**れた。
1478 Bad weather conditions (e　　　) the mountain climbers' efforts.	悪天候が登山者たちの努力**を邪魔した**。
1479 During the Cold War, Soviet spies managed to (e　　　) themselves in various Western security services.	冷戦中、ソビエトのスパイたちは西側各地の保安局の中にどうにか**身を隠し**ていた。
1480 He said it was impossible to (e　　　) all the problems they had faced.	彼らが直面したすべての問題**を列挙する**ことは不可能だと彼は言った。

Unit 74 の復習テスト解答 1461 niggled 1462 pester 1463 debilitated 1464 demurring 1465 abate 1466 pare 1467 pruned 1468 truncated 1469 obfuscate 1470 obliterate 1471 equivocated 1472 diffuse 1473 proliferate 1474 promulgate 1475 emanated 1476 emancipate 1477 embroiled 1478 encumbered 1479 entrench 1480 enumerate

Unit 76 1501~1520

書いて記憶

単語	1回目	2回目	3回目	意味
1501 **stymie** [stáɪmi]				を妨害する，を阻止する
1502 **annihilate** [ənáɪəlèɪt]				を完全に破壊する
1503 **pulverize** [pʌ́lvəràɪz]				を粉砕する
1504 **override** [òʊvərráɪd]				をくつがえす，より優位に立つ
1505 **foil** [fɔɪl]				を挫折させる
1506 **foist** [fɔɪst]				を(~に)押し付ける〈on, upon〉
1507 **inhibit** [ɪnhíbət]				を抑制する
1508 **recant** [rɪkǽnt]				を撤回する
1509 **repudiate** [rɪpjúːdièɪt]				を拒絶する
1510 **revile** [rɪváɪl]				をののしる
1511 **satirize** [sǽtəràɪz]				を風刺する
1512 **recede** [rɪsíːd]				後退する
1513 **relinquish** [rɪlíŋkwɪʃ]				を放棄する
1514 **reprieve** [rɪpríːv]				を一時的に救う，の刑の執行を猶予する
1515 **secede** [sɪsíːd]				(~から)脱退する〈from〉, 分離する
1516 **slash** [slæʃ]				をさっと切る，を削減する，を酷評する
1517 **snip** [snɪp]				(~を)ちょきんと切り取る〈off〉
1518 **snatch** [snætʃ]				をひったくる
1519 **snitch** [snɪtʃ]				を盗む，ひったくる
1520 **pilfer** [pílfər]				を盗む，をくすねる

Unit 75の復習テスト

例文	訳
1481 His intransigent attitude does not completely (p　　　) a final reconciliation.	彼の非妥協的な態度は，最終的な和解を完全に排除するものではない。
1482 The rules for taking the exam were (p　　　) carefully in writing.	受験する際の規則は注意深く文書で規定されていた。
1483 The police officer told him to stop (p　　　) and to answer the question.	警官は彼に言葉を濁すのをやめて，質問に答えるように言った。
1484 After the divorce, he found it hard to (e　　　) his feelings.	離婚後，彼は自分の感情を言葉で表すことは難しいとわかった。
1485 The fans (e　　　) over their football team's first national championship.	ファンたちは，そのフットボール・チームの初の全国優勝に大喜びした。
1486 He did his best to (e　　　) his original mistake.	彼は自分の最初の失敗を償うために最善を尽くした。
1487 He said he needed time to (c　　　) the problem before deciding.	彼は決定する前に問題を熟考する時間が必要だと言った。
1488 Socrates was said to have gone into trances while he (p　　　) enigmas.	ソクラテスは，不可解なものについて考え込むと，トランス状態に入ったと言われた。
1489 The deposed leader was (b　　　) to a neighboring country.	退陣させられた指導者が隣国に追放された。
1490 After the fight, he was (d　　　) from the club permanently.	そのけんかの後，彼はそのクラブから永久に除名された。
1491 The soldiers' job was to (h　　　) the advancing army.	その兵士たちの仕事は前進する軍を襲撃することだった。
1492 Their spy managed to (i　　　) the rival company and discover their plans.	彼らのスパイは，どうにかライバル会社に潜入し，彼らの計画を見つけ出すことができた。
1493 He was about to sign the contract when he was suddenly (a　　　) by doubts.	彼はその契約にまさに署名しようとした時，急に疑念に襲われた。
1494 The area was (r　　　) by storms during the winter months.	その地域は冬の間に襲った嵐で荒廃していた。
1495 Pirates would attack ships and (p　　　) whatever of value they carried.	海賊たちは船を襲い，積荷のうち価値のある物は何でも略奪したものだった。
1496 Some people took advantage of the hurricane to (l　　　) local stores.	ハリケーンを利用して地元の店を略奪した人たちがいた。
1497 Anti-ballistic missiles are designed to (i　　　) incoming missile attacks.	弾道弾迎撃ミサイルは，飛来するミサイル攻撃を迎撃することを目的として作られている。
1498 The weather (i　　　) our progress so much that we gave up work for the day.	（悪）天候が大幅に私たちの進捗を妨げたので，私たちはその日の仕事を断念した。
1499 Years of poor management had (s　　　) the company's profits.	何年にもわたるお粗末な経営が会社の利益を阻害した。
1500 The church had a bad record for (p　　　) rival faiths.	その教会は対抗する信仰を迫害した悪い記録を残していた。

Unit 75の復習テスト解答 1481 preclude 1482 prescribed 1483 prevaricating 1484 externalize 1485 exulted 1486 expiate 1487 cogitate 1488 pondered 1489 banished 1490 debarred 1491 harry 1492 infiltrate 1493 assailed 1494 ravaged 1495 plunder 1496 loot 1497 intercept 1498 impeded 1499 stunted 1500 persecuting

Unit 77 1521~1540

書いて記憶

単語	1回目	2回目	3回目	意味
1521 **abrogate** [ǽbrəgèɪt]				を破棄する
1522 **absolve** [əbzá(:)lv]				を(義務・約束などから)解放する，を(義務などから)免除する〈of〉
1523 **rescind** [rɪsínd]				を撤回する，を無効にする
1524 **decry** [dɪkráɪ]				を公然と非難する
1525 **denigrate** [dénɪgrèɪt]				を中傷する，を見くびる
1526 **detain** [dɪtéɪn]				を拘留する，を引き留める
1527 **disavow** [dìsəváʊ]				を否認する
1528 **disdain** [dɪsdéɪn]				(〜すること)を潔しとしない〈to do〉，を軽蔑する
1529 **dissemble** [dɪsémbl]				(感情など)を隠す，のふりをする
1530 **erode** [ɪróʊd]				損なわれる，を浸食する
1531 **corrode** [kəróʊd]				を腐食する，むしばむ
1532 **molt** [moʊlt]				脱皮する
1533 **mutate** [mjúː(ː)teɪt]				変化する
1534 **bereave** [bɪríːv]				から(〜を)奪う〈of〉
1535 **exorcise** [éksɔːrsàɪz]				(悪霊・悪い考えなど)を取り除く
1536 **exploit** [ɪksplɔ́ɪt]				を利用する，を搾取する
1537 **expunge** [ɪkspʌ́ndʒ]				を(〜から)抹消する〈from〉
1538 **extricate** [ékstrɪkèɪt]				を(〜から)救い出す〈from〉
1539 **extrapolate** [ɪkstrǽpəlèɪt]				(既知の事柄から)推定する〈from〉
1540 **extradite** [ékstrədàɪt]				(外国からの逃亡犯など)を(本国に)引き渡す，送還する〈to〉

Unit 76 の復習テスト

例文	訳
1501 Their boss did his best to (s　　　) their project but he failed.	上司は彼らのプロジェクトを妨害しようと頑張ったが、できなかった。
1502 The aim of the raid was to (a　　　) the enemy munitions factory.	襲撃の目的は敵の軍需工場を完全に破壊することだった。
1503 The shells were (p　　　) in order to create a fine powder.	貝殻はきめ細かなパウダーを作るために細かく砕かれた。
1504 The president (o　　　) his subordinate's decision and restored the original plan.	社長は部下の決定をくつがえし当初の計画を復活させた。
1505 It seemed like a miracle that the terrorists' plans were (f　　　).	テロリストたちの計画が挫折したのは奇跡に思えた。
1506 Local people resented any attempt to (f　　　) foreign customs on them.	地元の人たちは外国の習慣を押し付けようとするどんな試みにも腹を立てた。
1507 Some fear that environmental controls will (i　　　) material progress.	環境規制は物質的進歩を抑制すると危惧する人たちもいる。
1508 The case collapsed after the chief witness (r　　　) her evidence.	最重要証人が証言を撤回した時、その事件はなし崩しになった。
1509 Later in life, he (r　　　) the radical ideas of his youth and became a leading conservative.	後年、彼は若い頃に持っていた急進的な思想を否定して、有数の保守主義者となった。
1510 The man was (r　　　) for cooperating with the enemy.	その男性は敵陣と手を組んだことで罵倒された。
1511 The comedian denied any intention to (s　　　) the famous politician.	コメディアンはその有名な政治家を風刺する意図は少しもなかったと否定した。
1512 As the war (r　　　) into the past, people began to analyze it more objectively.	戦争が過去に遠ざかっていくにつれて、人々はそれを一層客観的に分析し始めた。
1513 Although he had lived abroad for years, he never (r　　　) his citizenship.	彼は外国に何年も住んでいたのに、一度も市民権を放棄しなかった。
1514 By a stroke of luck, the students were (r　　　) from taking the exam.	思いがけなく幸運なことに、学生たちはその試験を一時的に猶予された。
1515 America's Civil War began when Southern states tried to (s　　　) from the Union.	アメリカの南北戦争は、南部諸州が米国から脱退しようとして始まった。
1516 A kitchen knife that could (s　　　) even through bone was advertised on television.	骨をも切ることができる包丁がテレビで宣伝されていた。
1517 He took some scissors and (s　　　) off a lock of her hair.	彼ははさみを取り出し、彼女の髪の房をちょきんと切り取った。
1518 A thief suddenly (s　　　) her purse and ran out of the restaurant.	泥棒はいきなり彼女のハンドバッグをひったくり、レストランから走り去った。
1519 He was caught (s　　　) some sweets from the supermarket.	彼はスーパーマーケットからお菓子を盗むところを捕まえられた。
1520 It seemed that someone was (p　　　) small change from students' purses.	誰かが学生たちの財布から小銭を盗んでいるようだった。

Unit 76 の復習テスト解答　1501 stymie　1502 annihilate　1503 pulverized　1504 overrode　1505 foiled　1506 foist　1507 inhibit　1508 recanted　1509 repudiated　1510 reviled　1511 satirize　1512 receded　1513 relinquished　1514 reprieved　1515 secede　1516 slash　1517 snipped　1518 snatched　1519 snitching　1520 pilfering

Unit 78 1541〜1560

書いて記憶

単語	1回目	2回目	3回目	意味
1541 execute [éksɪkjùːt]				を実行する，を死刑にする
1542 interrogate [ɪntérəgèɪt]				を尋問する
1543 legislate [lédʒɪslèɪt]				立法措置をとる
1544 plead [pliːd]				を切に頼む，嘆願する
1545 solicit [səlísət]				を強く求める
1546 torture [tɔ́ːrtʃər]				を拷問する
1547 scavenge [skǽvɪndʒ]				(〜を)あさる〈for〉
1548 scour [skaʊər]				(場所)を捜し回る，(〜を捜して)駆けめぐる〈for〉
1549 scrabble [skrǽbl]				(〜を)手さぐりで捜す〈for〉，なぐり書きする
1550 vilify [vílɪfàɪ]				を中傷する，の悪口を言う
1551 wrangle [rǽŋgl]				言い争う
1552 drawl [drɔːl]				(母音を伸ばして)ゆっくり話す
1553 elucidate [ɪlúːsɪdèɪt]				を説明する，を解明する
1554 percolate [pɔ́ːrkəlèɪt]				をこす，をろ過する
1555 pervade [pərvéɪd]				の隅々に広がる，に蔓延する
1556 append [əpénd]				を(〜に)つけ加える〈to〉
1557 upend [ʌpénd]				を逆さまにする
1558 dribble [dríbl]				(よだれ)を垂らす
1559 gnaw [nɔː]				(〜を)かじって穴をあける〈through〉
1560 regale [rɪgéɪl]				に(食事などを)ごちそうする，を(〜で)楽しませる〈with〉

Unit 77の復習テスト

わからないときは前Unitで確認しましょう。

例文	訳
1521 The right to strike for workers is usually (a　　　) in wartime.	労働者のストライキ権は，普通，戦時中には破棄される。
1522 The official inquiry (a　　　) him of any responsibility for the accident.	公式調査はその事故に対するどんな責任からも彼を放免した。
1523 The decision was (r　　　) because it was found unconstitutional.	その決定は憲法違反であることが判明したので撤回された。
1524 Members of the public (d　　　) the corruption of their leaders.	国民は指導者たちの腐敗を非難した。
1525 He told the young man to have more pride and to stop (d　　　) his own country.	彼はその若い男性に，もっと誇りを持ち，祖国を中傷するのをやめるように言った。
1526 Immigration officials mistakenly (d　　　) me at the airport for five hours.	入国管理事務所の役人は，誤って空港に5時間私を拘留した。
1527 When the scandal came to light, even his supporters began to (d　　　) knowing him.	そのスキャンダルが明るみに出た時，彼の支持者でさえ彼と知り合いであることを否定した。
1528 She said that she (d　　　) to answer such an impertinent question.	そのような無作法な質問に答えることはお断りしますと，彼女は言った。
1529 The spy said that he had grown tired of (d　　　) his true identity over the years.	何年も自分の正体を隠すことにうんざりした，とスパイは言った。
1530 Public confidence in the economy has slowly been (e　　　).	経済に対する国民の信頼が徐々に損なわれてきている。
1531 Acid will (c　　　) even the toughest cast-iron structures.	酸は最も耐久性の高い鋳鉄構造物をも腐食する。
1532 Some creatures (m　　　) at regular intervals.	一定の間隔で脱皮する生物がいる。
1533 The flies were scientifically useful because they (m　　　) so quickly.	ハエはとても速く変異するので科学的に役立った。
1534 Having lost his father in early childhood, he was (b　　　) of his love and affection.	彼は幼い頃に父親を失い，父親の愛情や慈愛を奪われた。
1535 The leader found it hard to (e　　　) the defeatism that gripped the party.	リーダーは，チームに蔓延した敗北主義を取り除くのは難しいと思った。
1536 Human beings will need to increasingly (e　　　) renewable energy sources in this century.	今世紀中には，人類はますます再生可能なエネルギー源を利用することが必要となるだろう。
1537 People could not (e　　　) the shocking incident from their memories.	人々は，記憶からその衝撃的な事件を消し去ることができなかった。
1538 The bank found it difficult to (e　　　) itself from the financial disaster.	その銀行は財政難から脱するのは困難だと気付いた。
1539 By (e　　　) from current statistics, we can predict the population level in 50 years' time.	現行統計から推測することによって，我々は50年後の人口水準を予測することができる。
1540 The war criminal was (e　　　) to Germany.	戦犯はドイツへ送還された。

単語編

でる度 C

1541〜1560

Unit 77の復習テスト解答　1521 abrogated　1522 absolved　1523 rescinded　1524 decried　1525 denigrating　1526 detained
1527 disavow　1528 disdained　1529 dissembling　1530 eroding　1531 corrode　1532 molt　1533 mutated　1534 bereaved
1535 exorcise　1536 exploit　1537 expunge　1538 extricate　1539 extrapolating　1540 extradited

Unit 79 1561~1580

書いて記憶

単語	1回目	2回目	3回目	意味
1561 swill [swɪl]				をがぶ飲みする
1562 snarl [snɑːrl]				歯をむいてうなる
1563 faze [feɪz]				をひるませる
1564 foment [foumént]				を助長する，を扇動する
1565 straddle [strǽdl]				にまたがる
1566 strut [strʌt]				気取って歩く
1567 swarm [swɔːrm]				殺到する，群れをなして動く
1568 accrue [əkrúː]				（当然の結果として）（利益などが）生じる，（資本などが）増える
1569 chasten [tʃéɪsən]				を懲らしめる，罰する
1570 clump [klʌmp]				群れをなす
1571 clutter [klʌ́tər]				（〜を）散らかす〈up〉
1572 glean [gliːn]				（情報）を少しずつ集める，（落ち穂など）を拾い集める
1573 hobble [hɑ́(ː)bl]				（〜で）両脚を縛る〈with〉
1574 huddle [hʌ́dl]				体を寄せ合う
1575 ignite [ɪgnáɪt]				に火をつける，（感情など）を燃え立たせる
1576 incinerate [ɪnsínərèɪt]				を灰と化す，を焼却する
1577 jilt [dʒɪlt]				（恋人）を振る
1578 prod [prɑ(ː)d]				を（〜するように）駆り立てる〈to do〉
1579 snub [snʌb]				に冷たい態度をとる，（人）を鼻であしらう
1580 sojourn [sóʊdʒɜːrn]				滞在する

Unit 78の復習テスト

わからないときは前Unitで確認しましょう。

例文	訳
1541 As soon as they were given funding, they began to (e　　　) the plan.	彼らは資金を受領するとすぐに計画**を実行し**始めた。
1542 Three detectives (i　　　) the suspect for hours, but he refused to betray his friends.	刑事3人が何時間にもわたって被疑者**を尋問した**が、被疑者は友人を売り渡すことを拒んだ。
1543 There were calls for the government to (l　　　) against such acts.	そのような行為を規制する**立法措置をとる**ように、政府に対していくつかの要求があった。
1544 The girl (p　　　) in vain to be allowed to attend the concert.	少女はそのコンサートに行きたいと**切に頼んだ**が無駄だった。
1545 The environmental activist was (s　　　) signatures for the petition from passers-by.	環境保護活動家が通行人たちに請願書への署名**を求め**ていた。
1546 The soldiers were convicted of (t　　　) the terrorist suspects.	兵士たちはテロの容疑者**を拷問した**ことで有罪の判決を受けた。
1547 Stray dogs (s　　　) in the waste site for discarded food.	野良犬は廃棄物処理場で捨てられた食料を**あさった**。
1548 They (s　　　) the apartment looking for the missing earring but were unable to find it.	彼らはなくなったイヤリングを求めてアパート内**を捜し回った**が、見つけられなかった。
1549 The old man (s　　　) on the floor for his spectacles.	老人は眼鏡を求めて床を**手さぐりで捜した**。
1550 However much the media (v　　　) him, his popularity grew.	メディアがどれほど彼**を中傷し**ようとも、彼の人気は上昇した。
1551 He paid up because he hated (w　　　) with people over money.	彼はお金のことで人と**争う**のが嫌なので、借金を全額支払った。
1552 Ex-President Jimmy Carter (d　　　) in typical Georgian dialect when he spoke.	ジミー・カーター元大統領は、話す時、典型的なジョージア訛りで**母音を伸ばしてゆっくり話した**。
1553 It took him numerous lectures to (e　　　) Saussure's linguistic theories.	ソシュールの言語学理論**を説明する**のに、彼は何度も講義をする必要があった。
1554 They cleaned the water by (p　　　) it through a layer of sand.	彼らは砂の層で水**をこして**きれいにした。
1555 Rumors of the illness (p　　　) a large section of the city.	その病気のうわさが市の大部分**に広まった**。
1556 A file of relevant documents was (a　　　) to the report.	関連書類のファイルはレポートに**添えら**れた。
1557 The woman (u　　　) her bag and spilled the contents on the table.	その女性はバッグ**を逆さまにして**、中にある物をテーブルの上にあけた。
1558 Because he was teething, the baby (d　　　) saliva constantly.	歯が生え始めていたので、赤ん坊は絶えずよだれ**を垂らしていた**。
1559 They discovered that a rat had (g　　　) through the electricity cable.	彼らはネズミが電気のコードを**かじって穴をあけた**ことを発見した。
1560 The millionaire loved to (r　　　) guests with expensive foods and wines.	その大金持ちは、客に高価な食べ物とワインを**ごちそうする**ことが大好きだった。

Unit 78の復習テスト解答　1541 execute　1542 interrogated　1543 legislate　1544 pleaded　1545 soliciting　1546 torturing
1547 scavenged　1548 scoured　1549 scrabbled　1550 vilified　1551 wrangling　1552 drawled　1553 elucidate　1554 percolating
1555 pervaded　1556 appended　1557 upended　1558 dribbled　1559 gnawed　1560 regale

Unit 80 1581～1600

書いて記憶

単語	1回目	2回目	3回目	意味
1581 **tangle** [tǽŋgl]				をもつれさせる
1582 **thrust** [θrʌ́st]				を(～に)押し付ける〈upon〉, を強く押す
1583 **usurp** [jusə́ːrp]				を侵害する
1584 **vacillate** [vǽsɪlèɪt]				変動する, (心・考えが)動揺する, よろめく
1585 **accost** [əkɔ́(ː)st]				に声を掛ける, に近寄る
1586 **attenuate** [əténjuèɪt]				を低くする, 弱める
1587 **beguile** [bɪgáɪl]				をだます
1588 **clobber** [klɑ́(ː)bər]				をひどく負かす, を酷評する
1589 **cringe** [krɪ́ndʒ]				(恐怖で)身を縮める
1590 **dissipate** [dísɪpèɪt]				散る, を浪費する
1591 **downplay** [dàʊnpléɪ]				を実際より控えめに話す
1592 **frazzle** [frǽzl]				をくたくたに疲れさせる
1593 **hoard** [hɔ́ːrd]				を(ひそかに)蓄える
1594 **impound** [ɪmpáʊnd]				を押収する, を囲い込む
1595 **irk** [ə́ːrk]				をうんざりさせる
1596 **mangle** [mǽŋgl]				を台無しにする
1597 **negate** [nɪgéɪt]				を否定する
1598 **parry** [pǽri]				(攻撃・質問など)をかわす
1599 **procrastinate** [prəkrǽstɪnèɪt]				先延ばしにする
1600 **quadruple** [kwɑ(ː)drúːpl]				4倍になる

Unit 79の復習テスト

わからないときは前Unitで確認しましょう。

例文	訳
1561 The students sat (s　　　　) tea and munching the homemade cookies.	生徒たちは座ってお茶をがぶ飲みし，手作りクッキーをむしゃむしゃ食べていた。
1562 When the keeper approached the lion cubs, their mother (s　　　　) threateningly.	飼育係がライオンの子に近づいた時，母ライオンは威嚇的に歯をむいてうなった。
1563 It seemed that nothing could (f　　　　) his sense of self-confidence.	彼の自信をひるませるものは何もないように思われた。
1564 Her main objective seems to be to (f　　　　) disharmony among staff members.	彼女の主な目的はスタッフメンバーの間に不和を助長することのようだ。
1565 The boy (s　　　　) the branch and began to eat a banana.	その少年は木の枝にまたがりバナナを食べ始めた。
1566 The coach (s　　　　) up and down, shouting at his team.	そのコーチは行ったり来たり気取って歩きながら，彼の率いるチームに向かって怒鳴っていた。
1567 As soon as the department store opened, shoppers (s　　　　) in.	百貨店がオープンするとすぐに買い物客が殺到した。
1568 All the profits that (a　　　　) were to be devoted to helping hungry children.	発生した利益のすべては，飢えた子どもたちの援助に充てられることになっていた。
1569 (C　　　　) by their scolding, the children sat quietly at their desks.	叱られて子どもたちはおとなしく，机に着席していた。
1570 He could see the bacteria (c　　　　) together under the microscope.	彼は顕微鏡でバクテリアが群れをなしているのを見ることができた。
1571 Every day I seem to (c　　　　) up my office more with papers and books.	毎日，私は書類や本でますます自分のオフィスを散らかしていくようだ。
1572 He (g　　　　) from his boss's expression that she did not agree with him.	彼は上司の表情から，自分に同意していないのだということを察した。
1573 To stop the prisoner escaping, his legs were (h　　　　) with chains.	囚人が脱走しないように彼の足は鎖で縛られていた。
1574 The children (h　　　　) together in their tent to keep warm.	子どもたちは暖を取るためにテントの中で互いに体を寄せ合った。
1575 Fire experts determined that the fire had been (i　　　　) by an electric spark.	火災専門家は，その火事が電気の火花によって引火したものと断定した。
1576 All his research notes were (i　　　　) in the fire at the lab.	彼のすべての研究記録は研究室の火事で焼かれてしまった。
1577 Just before the wedding, she was suddenly (j　　　　) by her fiancé.	彼女は結婚を目前にして突然，婚約者に振られた。
1578 He (p　　　　) me to continue walking even after I was exhausted.	私が疲れ果ててからも，彼は歩き続けるよう私をせかした。
1579 She deliberately (s　　　　) him at the party by refusing to dance with him.	彼女はパーティーで彼と踊ることを拒んで，わざと彼に冷たい態度をとった。
1580 During his trip, he (s　　　　) for a few days on the tropical island.	旅行期間中，彼は数日間熱帯の島に滞在した。

Unit 79の復習テスト解答　1561 swilling　1562 snarled　1563 faze　1564 foment　1565 straddled　1566 strutted　1567 swarmed　1568 accrued　1569 Chastened　1570 clumping　1571 clutter　1572 gleaned　1573 hobbled　1574 huddled　1575 ignited　1576 incinerated　1577 jilted　1578 prodded　1579 snubbed　1580 sojourned

Unit 81 （1601〜1620）

書いて記憶

単語	1回目	2回目	3回目	意味
1601 reverberate [rɪvə́ːrbərèɪt]				鳴り響く
1602 shroud [ʃraʊd]				を覆い隠す
1603 smear [smɪər]				を塗りつける，(名誉など)を汚す
1604 spell [spel]				(という結果)をもたらす
1605 splurge [spləːrdʒ]				を(〜に)ぜいたくに使う〈on〉
1606 squint [skwɪnt]				(目)を細める，横目で見る
1607 streak [striːk]				に(〜の)縞をつける〈with〉
1608 strive [straɪv]				懸命に努力する，頑張る
1609 swerve [swəːrv]				急に向きを変える
1610 taunt [tɔːnt]				をあざける，をなじる
1611 throb [θrɑ(ː)b]				ずきずきする
1612 inundate [ínʌndèɪt]				を水浸しにする，殺到する
1613 resume [rɪzjúːm]				再開する
1614 lapse [læps]				(以前の状態に)逆戻りする，(〜に)陥る〈into〉
1615 wage [weɪdʒ]				(戦争など)を行う
1616 confer [kənfə́ːr]				(〜と)相談する〈with〉
1617 malign [məláɪn]				を中傷する
1618 conjugate [kɑ́(ː)ndʒʊgèɪt]				(動詞)を活用させる，を共役させる，接合する
1619 decimate [désəmèɪt]				を大量に減少させる
1620 custody [kʌ́stədi]				養育権，保管，拘留

Unit 80の復習テスト
わからないときは前Unitで確認しましょう。

例文	訳
1581 His attempts to improve the situation only (t　　　) it further.	状況を改善しようとする彼の試みは，さらに状況をもつれさせたにすぎなかった。
1582 He didn't want the post, but the board of directors (t　　　) it upon him.	彼はそのポストを望んではいなかったが，役員会が彼に押し付けた。
1583 The subordinate was accused of (u　　　) his superior's authority.	その部下は上司の権限を侵害していることを責められた。
1584 Exchange rates over the past year have (v　　　) wildly, especially in Asia.	過去1年間の為替レートは，特にアジアにおいて激しく変動した。
1585 As he walked past, a homeless man (a　　　) him for money.	彼が横を通り過ぎた時，ホームレスの男が金をせびろうとして彼に話し掛けた。
1586 Persistent inflation steadily (a　　　) the value of their wages.	持続的インフレは確実に賃金の価値を低下させた。
1587 He was (b　　　) by the attractive saleswoman into buying a complete set of the encyclopedia.	彼は魅力的な女性販売員にだまされて百科事典一式を買わされた。
1588 He picked up the ball and ran, but was immediately (c　　　) by the opposing team.	彼はボールを拾って走ったが，すぐに相手チームにやっつけられてしまった。
1589 The frightened dog was (c　　　) in the corner of the room.	おびえた犬は部屋の隅で身を縮めていた。
1590 As the sun rose, the fog began to (d　　　).	太陽が昇るにつれて，霧は散り始めた。
1591 To prevent a panic, the expert (d　　　) the danger of the disease.	パニックを防ぐため，専門家はその病気の危険性を実際より控えめに話した。
1592 She felt completely (f　　　) after looking after her grandchildren all day.	一日中孫の世話をして，彼女はすっかり疲れ果てた。
1593 He (h　　　) money for many years, and eventually died wealthy, but miserable.	彼は長い間お金をこっそり蓄えて，最後には裕福だが惨めな死に方をした。
1594 His car was (i　　　) by the police after he left it illegally parked.	彼が違法駐車をした後，彼の車は警察に押収された。
1595 He was (i　　　) by his colleague's critical remarks about his work.	彼は，自分の仕事に対する同僚の批判的発言にうんざりした。
1596 The nervous young actor completely (m　　　) his first speech.	若い俳優は緊張して，完全に初めてのスピーチを台無しにした。
1597 His research (n　　　) the government's claims that it was uninvolved.	彼の調査は政府が関与していないという主張を否定した。
1598 He cleverly (p　　　) the criticism by turning it back on his opponent.	彼は批判を相手にそのまま返して巧みに逃れた。
1599 The students continued to (p　　　) in completing their senior theses.	学生たちは卒業論文の完成を先延ばしにし続けた。
1600 The value of the IT company's shares (q　　　) overnight.	そのIT会社の株価は一夜にして4倍になった。

単語編

てる度 C

1601〜1620

Unit 80の復習テスト解答 1581 tangled 1582 thrust 1583 usurping 1584 vacillated 1585 accosted 1586 attenuated 1587 beguiled 1588 clobbered 1589 cringing 1590 dissipate 1591 downplayed 1592 frazzled 1593 hoarded 1594 impounded 1595 irked 1596 mangled 1597 negated 1598 parried 1599 procrastinate 1600 quadrupled

Unit 82 1621~1640

書いて記憶

単語	1回目	2回目	3回目	意味
1621 **faculty** [fǽkəlti]				才能，機能，教授陣
1622 **municipality** [mjunìsɪpǽləti]				地方自治体
1623 **nucleus** [njúːkliəs]				核，中心，核心
1624 **paucity** [pɔ́ːsəti]				不足，欠乏
1625 **spur** [spəːr]				拍車，刺激
1626 **proposition** [prà(ː)pəzíʃən]				提案，計画，命題
1627 **setback** [sétbæk]				妨げ，(景気の)後退，挫折
1628 **array** [əréɪ]				多数，配列
1629 **conscience** [ká(ː)nʃəns]				良心
1630 **dictum** [díktəm]				格言
1631 **fervor** [fɔ́ːrvər]				熱意
1632 **freight** [freɪt]				輸送
1633 **mortgage** [mɔ́ːrɡɪdʒ]				住宅ローン，抵当
1634 **inscription** [ɪnskrípʃən]				碑文，刻まれたもの
1635 **latitude** [lǽtətjùːd]				緯度
1636 **propriety** [prəpráɪəti]				礼儀正しいこと，妥当
1637 **rapport** [ræpɔ́ːr]				(調和した)関係
1638 **hypothesis** [haɪpá(ː)θəsɪs]				仮説
1639 **icon** [áɪkɑ(ː)n]				崇拝の対象，図形，記号
1640 **dispensation** [dìspənséɪʃən]				配給，施し

Unit 81の復習テスト

例文	訳
1601 The sound of the rifle (r　　　) across the empty field.	銃の発射音が人気のない野原に鳴り響いた。
1602 The heavy mist (s　　　) Mt. Fuji from view.	濃い霧が富士山を包み隠した。
1603 The man (s　　　) butter, then honey on a chunk of bread.	男は厚切りパンにまずバターを，次にハチミツを塗った。
1604 The closure of the factory (s　　　) economic disaster for the community.	その工場の閉鎖は地域の経済破綻をもたらした。
1605 He (s　　　) most of the inheritance on an expensive holiday abroad.	彼は海外での豪華な休暇で遺産のほとんどをぜいたくに使った。
1606 Since the photographer was looking into the sun, he (s　　　) his eyes to see.	写真家は太陽を見ていたので，目を細めるようにして見た。
1607 The artist's clothes were (s　　　) with different colored paints.	芸術家の服には異なった色の絵の具で縞模様がついていた。
1608 However hard they (s　　　), they still fell into debt by the end of the month.	どんなに一生懸命努力しても，やはり彼らは月末には借金を負うことになってしまった。
1609 The cyclist (s　　　) to avoid the child and crashed into a wall.	サイクリストは子どもを避けようと急に向きを変えたので，壁に衝突してしまった。
1610 The other boys (t　　　) him about the Valentine card he had received.	彼が受け取ったバレンタインカードのことで，ほかの男の子たちは彼をあざけった。
1611 After drinking late the night before, his head (t　　　) with pain.	昨夜遅くまで酒を飲んだので，彼は頭がずきずきして痛かった。
1612 The valley was (i　　　) when a large dam sprung a major leak.	大きなダムが大規模な水漏れを起こし，水が谷に氾濫した。
1613 About a week after New Year's, classes will (r　　　).	新年に入って1週間ほどすると，授業が再開する。
1614 At first, the students spoke English to each other, but after a while they (l　　　) into their native Chinese.	最初，学生たちはお互いに英語で話していたが，しばらくすると母語の中国語に戻った。
1615 Irish nationalists (w　　　) a campaign against British occupation for decades.	アイルランドの民族主義者たちは，数十年にわたって，イギリスの占領に対する反対運動を行った。
1616 After (c　　　) with his client, the lawyer said that he had no more questions.	依頼人と協議した後，弁護士はこれ以上質問はないと言った。
1617 He complained that he was being (m　　　) for no reason.	彼は理由もなく中傷されていることに対して文句を言った。
1618 Can you (c　　　) the verb "to go"?	「行く」という動詞を活用させることができますか。
1619 The population had been (d　　　) by warfare and hunger.	人口は戦争と飢餓のために大幅に減少した。
1620 The divorcing couple waged a bitter court fight over (c　　　) of their children.	離婚する夫婦は，子どもの養育権をめぐって激しい法廷闘争を繰り広げた。

Unit 81の復習テスト解答 ▶ 1601 reverberated　1602 shrouded　1603 smeared　1604 spelled　1605 splurged　1606 squinted　1607 streaked　1608 strove　1609 swerved　1610 taunted　1611 throbbed　1612 inundated　1613 resume　1614 lapsed　1615 waged　1616 conferring　1617 maligned　1618 conjugate　1619 decimated　1620 custody

Unit 83 (1641〜1660)

書いて記憶

単語	1回目	2回目	3回目	意味
1641 **deferment** [dɪfə́ːrmənt]				延期
1642 **overture** [óuvərtʃùər]				提案, 序章, 序曲
1643 **patriot** [péɪtriət]				愛国者
1644 **pollination** [pὰ(ː)lənéɪʃən]				授粉
1645 **alliance** [əláɪəns]				同盟
1646 **consortium** [kənsɔ́ːrṭiəm]				協会, 共同事業体
1647 **delegation** [dèlɪɡéɪʃən]				代表団, 委任
1648 **coalition** [kòʊəlíʃən]				連合, 合同, 連立
1649 **fraternity** [frətə́ːrnəṭi]				友愛会, 同業者仲間
1650 **charade** [ʃəréɪd]				見え透いたごまかし
1651 **charlatan** [ʃɑ́ːrlətən]				ぺてん師, 大ほら吹き
1652 **catastrophe** [kətǽstrəfi]				大災害, 破局
1653 **calamity** [kəlǽməṭi]				災難, 不運
1654 **expulsion** [ɪkspʌ́lʃən]				追放, 除名
1655 **extermination** [ɪkstə̀ːrmɪnéɪʃən]				駆除, 根絶
1656 **annihilation** [ənàɪəléɪʃən]				絶滅
1657 **outcry** [áʊtkràɪ]				激しい抗議, 叫び声
1658 **outrage** [áʊtrèɪdʒ]				激怒
1659 **legislature** [lédʒəslèɪtʃər]				議会, 立法府
1660 **juror** [dʒʊ́(ə)rər]				陪審員

Unit 82の復習テスト

わからないときは前Unitで確認しましょう。

例文	訳
1621 His intellectual (f　　　　) are still acute, despite his advanced age.	彼は年を取ったが，知的能力は依然として優れている。
1622 Care of the local parks was the (m　　　　)'s responsibility.	地元の公園管理は地方自治体の責任だった。
1623 The atom bomb was developed by splitting the (n　　　　) of an atom.	原子爆弾は，原子核を分裂させることによって開発された。
1624 I would like to travel after retirement, but I may be limited by a (p　　　　) of funds.	仕事を辞めたら旅をしたいが，資金不足で限界があるかもしれない。
1625 The coach predicted that the loss would act as a (s　　　　) to the team.	コーチは敗戦がチームにとって拍車をかけることになると強調した。
1626 My friend said that he had a business (p　　　　) for me.	私に対する仕事の提案があるのだと，友人は言った。
1627 The poor sales were a serious (s　　　　) for the company.	売り上げの低迷は，その会社にとって深刻な妨げとなった。
1628 The shop displayed an (a　　　　) of different kinds of cloth.	その店は多くのさまざまな種類の布を陳列していた。
1629 The leader said legislators should vote according to their (c　　　　).	指導者は国会議員は良心に従って投票するべきだと述べた。
1630 Socrates, like Confucius, is famous for his pithy (d　　　　).	ソクラテスは孔子と同じように含蓄のある格言でよく知られている。
1631 His initial (f　　　　) for studying philosophy began to wear off.	彼が哲学を勉強し始めた頃の最初の熱意は消え始めた。
1632 Although the goods were cheap, the cost of the (f　　　　) was too high.	商品は安かったが，輸送費が高すぎた。
1633 The young couple managed to buy a house by accepting a 30-year (m　　　　).	若い夫婦は30年返済の住宅ローンを組んで，なんとか家を購入することができた。
1634 The scholar was attempting to decipher the (i　　　　) on the tomb.	その学者は墓石に刻まれた碑文を判読しようと試みていた。
1635 The animals could only survive above a certain (l　　　　).	ある緯度を超えた地域でしか動物は生存できない。
1636 Rules of (p　　　　) have changed a great deal over the past century.	礼儀の規範が過去1世紀で大きく変化した。
1637 We hoped that our meeting would help us develop a trusting and fruitful (r　　　　).	我々は会議が，信頼でき実りある関係を生む助けとなるよう願った。
1638 For years, the man's theory remained nothing more than a (h　　　　).	長年，その男性の学説は仮説でしかなかった。
1639 His opposition to nuclear power made him an (i　　　　) for environmentalists.	彼は原子力反対の姿勢をとったので，環境保護論者の間で崇拝の対象となった。
1640 People queued up to receive their weekly (d　　　　) of rations.	人々は，1週間の食料の配給を受け取るために列を作った。

単語編 でる度 C ↓ 1641〜1660

Unit 82の復習テスト解答　1621 faculties　1622 municipality　1623 nucleus　1624 paucity　1625 spur　1626 proposition　1627 setback　1628 array　1629 consciences　1630 dictums　1631 fervor　1632 freight　1633 mortgage　1634 inscription　1635 latitude　1636 propriety　1637 rapport　1638 hypothesis　1639 icon　1640 dispensation

Unit 84 1661~1680

単語	1回目	2回目	3回目	意味
1661 **jurisdiction** [dʒùərɪsdíkʃən]				管轄権, 支配(権), 裁判権
1662 **accusation** [æ̀kjuzéɪʃən]				告訴
1663 **indictment** [ɪndáɪtmənt]				起訴
1664 **litigation** [lìtɪɡéɪʃən]				訴訟
1665 **impeachment** [ɪmpíːtʃmənt]				弾劾, 告発
1666 **legitimacy** [lɪdʒítəməsi]				正当性, 合法性
1667 **affidavit** [æ̀fɪdéɪvɪt]				供述書, 宣誓供述書
1668 **plaintiff** [pléɪntəf]				原告
1669 **perpetrator** [pə́ːrpətrèɪtər]				加害者, 犯罪者
1670 **accomplice** [əká(ː)mpləs]				共犯者
1671 **complicity** [kəmplísəti]				共犯
1672 **plea** [pliː]				嘆願, 弁解
1673 **condemnation** [kà(ː)ndemnéɪʃən]				激しい非難, 有罪宣告
1674 **deliberation** [dɪlìbəréɪʃən]				審理, 熟考, 慎重
1675 **acquittal** [əkwítəl]				無罪放免, (義務などの)免除
1676 **bail** [beɪl]				保釈金, 保釈
1677 **detention** [dɪténʃən]				拘置
1678 **infraction** [ɪnfrǽkʃən]				違反
1679 **fraud** [frɔːd]				詐欺
1680 **espionage** [éspiənàːʒ]				スパイ活動

Unit 83の復習テスト

例文	訳
1641 During the Vietnam War, young men got a draft (d　　　) for attending college.	ベトナム戦争中、若者たちは大学在学中を理由に、徴兵猶予を得ていた。
1642 After their argument, he ignored all of his former friend's (o　　　).	いさかいの後、彼は旧友からの提案をすべて無視した。
1643 John Paul Jones was a famous American (p　　　) in the Revolutionary War.	ジョン・ポール・ジョーンズは、独立戦争時の有名なアメリカの愛国者だった。
1644 Bees play an important role in the (p　　　) of many fruit trees.	ミツバチは多くの果樹の授粉に重要な働きをする。
1645 The countries formed a temporary (a　　　) against their threatening neighbor.	諸国は脅威を与えてくる隣国に対して、一時的な同盟を結んだ。
1646 I once worked for the Midwest University (C　　　) of International Affairs.	私はかつて、ミッドウェスト大学の国際情勢協会で働いていた。
1647 The President sent a large (d　　　) to represent his nation at the conference.	大統領は会議で国の代表を務める大勢の代表団を派遣した。
1648 The prime minister was forced to call for new elections when his ruling (c　　　) collapsed.	与党連合が崩壊した時、首相は新たな選挙を求めざるを得なかった。
1649 At university, the poet joined a (f　　　) that studied magic.	大学で、その詩人は手品を学ぶ友愛会に入った。
1650 He denounced the investigation as a (c　　　) aimed at appeasing the public.	彼は、その調査が民衆をなだめるための見え透いたごまかしにすぎないと非難した。
1651 The prince was revealed to be a (c　　　) unrelated to royalty.	その王子は王室には関係ないぺてん師であることが判明した。
1652 The fire was a terrible (c　　　) for the victims' families.	その火事は犠牲者の家族にとって大災害だった。
1653 The typhoon was a major (c　　　) to businesses in the area.	台風はその地域の企業にとって大きな災難だった。
1654 His activities as a spy resulted in his (e　　　) from the country.	スパイとしての彼の活動は、祖国からの追放という結果となった。
1655 They brought in specialists for the (e　　　) of the rats that had infested the house.	彼らは、その家にはびこるネズミの駆除のために、専門家に来てもらった。
1656 The world is threatened with (a　　　) from nuclear weapons.	世界は核兵器による絶滅の危険にさらされている。
1657 A public (o　　　) against the decision was soon raised.	その決定に反対する一般市民の激しい抗議がすぐに持ち上がった。
1658 She could not suppress her (o　　　) at the court's decision.	彼女は法廷の決定に対して怒りを抑えることができなかった。
1659 Opinion polls showed that the (l　　　) was increasingly unpopular.	世論調査は議会がますます人気がなくなりつつあることを示した。
1660 He had once served as a (j　　　) in a complicated murder trial.	彼はかつて、複雑な殺人事件の裁判で陪審員を務めたことがある。

Unit 83の復習テスト解答　1641 deferment　1642 overtures　1643 patriot　1644 pollination　1645 alliance　1646 Consortium　1647 delegation　1648 coalition　1649 fraternity　1650 charade　1651 charlatan　1652 catastrophe　1653 calamity　1654 expulsion　1655 extermination　1656 annihilation　1657 outcry　1658 outrage　1659 legislature　1660 juror

Unit 85 1681~1700

書いて記憶

単 語	1回目	2回目	3回目	意 味
1681 **larceny** [láːrsəni]				窃盗罪
1682 **perjury** [pə́ːrdʒəri]				偽証(罪)
1683 **felony** [féləni]				重罪
1684 **commutation** [kà(ː)mjutéɪʃən]				減刑, 回数乗車券
1685 **impunity** [ɪmpjúːnəṭi]				刑罰[損害]を免れること
1686 **indemnity** [ɪndémnəṭi]				賠償(金)
1687 **aberration** [æ̀bəréɪʃən]				常軌逸脱
1688 **onus** [óʊnəs]				責任
1689 **amendment** [əméndmənt]				修正, 改正
1690 **abstention** [əbsténʃən]				棄権, 自制
1691 **annulment** [ənʌ́lmənt]				無効
1692 **suffrage** [sʌ́frɪdʒ]				参政権, 選挙権
1693 **constituency** [kənstítʃuənsi]				選挙区, 有権者
1694 **ailment** [éɪlmənt]				病気, 不快
1695 **malady** [mǽlədi]				病気, 深刻な問題
1696 **migraine** [máɪɡreɪn]				偏頭痛
1697 **inflammation** [ìnfləméɪʃən]				炎症, 赤くはれること
1698 **anatomy** [ənǽṭəmi]				(動植物の)構造, 解剖 (学), (詳細な)調査分析
1699 **anesthetic** [æ̀nəsθéṭɪk]				麻酔剤, 麻酔薬
1700 **panacea** [pæ̀nəsíːə]				万能薬

Unit 84の復習テスト

例文	訳
1661 The police could not make an arrest because they lacked legal (j) in the area.	警察はその地域での法律上の管轄権を持たなかったため逮捕できなかった。
1662 The (a) were dismissed because of a lack of evidence.	告訴は証拠不足のために却下された。
1663 The articles led to the detective's (i) for corruption.	その記事が原因で、その刑事は汚職のかどで起訴された。
1664 The company concluded that (l) was the only course available.	その会社は訴訟が唯一の有効な手段だという結論に達した。
1665 When threatened with (i), Richard Nixon resigned from the American presidency.	弾劾される恐れが生じ、リチャード・ニクソンはアメリカ大統領職を辞任した。
1666 Questions were raised concerning the (l) of the decision to attack.	攻撃決定への正当性に関して疑問の声が上がった。
1667 The lawyer took my (a) to use in court rather than insist that I appear in person.	弁護士は、私が自ら出頭することを主張せず、法廷で使うために私の供述を取った。
1668 The (p) insisted that he had been the victim of a frame-up.	原告は偽証の被害者であると主張した。
1669 The (p) of the crime was betrayed by an informer.	その犯罪の加害者は密告者に裏切られた。
1670 The detective said the criminal must have had an (a) in the bank.	犯人は銀行に共犯者がいたに違いないとその刑事は言った。
1671 Many of President Nixon's cabinet members were charged with (c) in the Watergate cover-up.	ニクソン政権の閣僚の多くが、ウォーターゲート事件隠蔽の共犯として起訴された。
1672 The priest made a (p) for both sides to stop fighting.	僧侶は争いをやめるよう双方に嘆願した。
1673 The U.N. called for immediate (c) of that nation's latest actions.	国連は、その国の最近の行動に対して、早急な非難決議を要請した。
1674 The judge promised to take all the facts into account during his (d).	判事は、審理中にすべての事実を考慮に入れることを約束した。
1675 New evidence led to the (a) of all the defendants.	新しい証拠によってすべての被告は無罪放免となった。
1676 The judge set (b) at $30,000 for the robbery suspect.	判事は強盗の容疑者に3万ドルの保釈金を科した。
1677 The judge ordered the boy to spend a week in a center for juvenile (d).	判事はその少年に少年拘置所で1週間過ごすよう命じた。
1678 The acceptance of the gift was considered an (i) of the rules.	贈り物を受け取ったことはルール違反だと見なされた。
1679 The insurance scheme turned out to be a complex tax (f).	この保険の企画は複雑な税金詐欺だということが判明した。
1680 After twenty years of undercover (e), he was finally discovered.	彼の潜入スパイ活動は、20年経過してようやく発覚した。

Unit 84の復習テスト解答　1661 jurisdiction　1662 accusations　1663 indictment　1664 litigation　1665 impeachment　1666 legitimacy　1667 affidavit　1668 plaintiff　1669 perpetrator　1670 accomplice　1671 complicity　1672 plea　1673 condemnation　1674 deliberation　1675 acquittal　1676 bail　1677 detention　1678 infraction　1679 fraud　1680 espionage

Unit 86 1701~1720

書いて記憶

単 語	1回目	2回目	3回目	意 味
1701 **autism** [ɔ́ːtìzm]				自閉症
1702 **neurologist** [njuərɑ́(ː)ləʒɪst]				神経科医
1703 **orthodontist** [ɔ̀ːrθədɑ́(ː)ntɪst]				歯列矯正医
1704 **embryo** [émbriòu]				胎児,胚,(発達の)初期
1705 **pinnacle** [pínəkl]				頂点
1706 **pitfall** [pítfɔ̀ːl]				落とし穴,思いがけぬ危険
1707 **pivot** [pívət]				中心軸
1708 **precursor** [prɪkə́ːrsər]				先駆者,前兆
1709 **predator** [prédətər]				捕食動物,略奪者
1710 **premonition** [prèmənɪ́ʃən]				(悪い)前兆,予告
1711 **prevalence** [prévələns]				普及
1712 **precipitation** [prɪsɪ̀pɪtéɪʃən]				降水量,落下,大慌て
1713 **preclusion** [prɪklúːʒən]				排除
1714 **predilection** [prèdəlékʃən]				(〜への)特別な好み,(〜に対する)偏愛〈for〉
1715 **prevarication** [prɪvæ̀rɪkéɪʃən]				言い逃れ
1716 **posterity** [pɑ(ː)stérəti]				後代,子孫
1717 **progeny** [prɑ́(ː)dʒəni]				子どもたち,子孫
1718 **rebuttal** [rɪbʌ́ṭəl]				反駁
1719 **renunciation** [rɪnʌ̀nsiéɪʃən]				放棄
1720 **projection** [prədʒékʃən]				予測

Unit 85の復習テスト

わからないときは前Unitで確認しましょう。

例文	訳
1681 Eventually, the thief was found guilty of (l　　　) and imprisoned.	結局，泥棒は窃盗罪で有罪判決を受け，刑務所に入れられた。
1682 The witness who had lied was charged with (p　　　) by the police.	嘘をついたその証人は偽証罪で警察に起訴された。
1683 Anyone convicted of a (f　　　) in the United States may lose some of his rights as a citizen.	合衆国で重罪で有罪となった者は誰でも，市民としての権利のいくつかを失う可能性がある。
1684 The judge ordered the (c　　　) of the man's death sentence to life imprisonment.	裁判官はその男性の死刑判決を終身刑へと減刑を命じた。
1685 The man was so powerful that he could do virtually anything with (i　　　).	その男は強い権力を持ち，事実上何をしても不問に付されることがあった。
1686 The (i　　　) paid to the country was used to establish a university.	その国に支払われた賠償金は大学を設立するのに使われた。
1687 The defendant said his behavior had been a temporary (a　　　).	被告は自分の行為を一時的な奇行だったと言った。
1688 The lawyer said the (o　　　) to prove guilt lay with the prosecution.	弁護士は，有罪を証明する責任は検察側にあると言った。
1689 I agreed to support their proposal if they would make minor (a　　　).	もし彼らが少し修正を加えていれば，私は彼らの提案を支持することに同意した。
1690 In the vote on the appointment, there were three (a　　　).	指名投票で棄権が3票あった。
1691 The candidate requested the (a　　　) of the election result.	その候補者は選挙結果の無効を申し入れた。
1692 The playwright had been a strong supporter of women's (s　　　).	その劇作家は女性参政権の強力な支持者だった。
1693 The prime minister continued to be popular in his own (c　　　).	首相は彼自身の選挙区では依然として人気があった。
1694 His mysterious (a　　　) keeps him from working on a regular basis.	不可解な病気のため，彼は常勤の仕事ができないでいる。
1695 She suffered from a mysterious (m　　　) that made her feel tired all the time.	彼女は，疲労感が常時続く原因不明の病気を患っていた。
1696 Her severe (m　　　) made it difficult for her to work properly.	彼女はひどい偏頭痛のためにきちんと働けなかった。
1697 The tear gas caused severe (i　　　) of the eyes.	催涙ガスによって目にひどい炎症が起きた。
1698 The fossil of the tail allowed the scientists to reconstruct the (a　　　) of the dinosaur.	その尾骨の化石のおかげで，科学者たちが恐竜の骨格構造を復元することが可能になった。
1699 He was given a complete (a　　　) before the operation on his stomach.	彼は胃の手術を受ける前に，全身麻酔を打たれた。
1700 Although the new treatment seemed very promising, doctors warned that it was not a (p　　　).	新治療法は極めて有望に思えたが，医者は万能薬ではないと注意した。

Unit 85の復習テスト解答 1681 larceny 1682 perjury 1683 felony 1684 commutation 1685 impunity 1686 indemnity 1687 aberration 1688 onus 1689 amendments 1690 abstentions 1691 annulment 1692 suffrage 1693 constituency 1694 ailment 1695 malady 1696 migraines 1697 inflammation 1698 anatomy 1699 anesthetic 1700 panacea

Unit 87　1721〜1740

書いて記憶

単語	1回目	2回目	3回目	意 味
1721 **prophecy** [prá(:)fəsi]				予言
1722 **propagation** [prà(:)pəgéɪʃən]				普及
1723 **protagonist** [proʊtǽgənɪst]				主人公
1724 **protrusion** [prətrúːʒən]				突出
1725 **reconciliation** [rèkənsɪliéɪʃən]				和解
1726 **referendum** [rèfəréndəm]				国民投票
1727 **reparation** [rèpəréɪʃən]				償い
1728 **restoration** [rèstəréɪʃən]				復旧，復興，修復
1729 **resurgence** [rɪsə́ːrdʒəns]				回復
1730 **resurrection** [rèzərékʃən]				復活
1731 **turmoil** [tə́ːrmɔɪl]				騒ぎ
1732 **treason** [tríːzən]				反逆
1733 **retaliation** [rɪtæ̀liéɪʃən]				報復
1734 **plot** [plɑ(:)t]				陰謀，構想，平面図
1735 **conscription** [kənskrípʃən]				徴兵
1736 **infighting** [ínfaɪtɪŋ]				内輪もめ，内紛
1737 **insurrection** [ìnsərékʃən]				暴動，反乱
1738 **neutrality** [njuːtrǽləṭi]				中立性
1739 **onrush** [á(:)nrʌ̀ʃ]				突撃，突進
1740 **persecution** [pə̀ːrsɪkjúːʃən]				迫害

Unit 86の復習テスト　わからないときは前Unitで確認しましょう。

例文	訳
1701 Experts are still divided as to the causes of (a　　　　).	専門家たちの自閉症の原因に関する見解は、いまだに分かれている。
1702 Her doctor advised her to visit a (n　　　　) as soon as possible.	主治医は彼女に、神経科医にできるだけ早く診てもらうよう助言した。
1703 The little girl had her irregular teeth fixed by an (o　　　　).	その小さな女の子は、歯並びの悪い歯を歯列矯正医に治してもらった。
1704 Pro-abortionists make a distinction between a human (e　　　　) and human life.	人工妊娠中絶医は人間の胎児と人間の生命とを分けて考えている。
1705 Then, at the (p　　　　) of his career, an injury forced the footballer to retire.	するとそのフットボール選手は、キャリアの絶頂期にけがのために引退せざるを得なくなった。
1706 He fell into the common (p　　　　) of becoming overconfident about his abilities.	彼は自分の能力について自信過剰になるという、ありがちな落とし穴にはまった。
1707 The local church was the (p　　　　) of the community's social life.	地元の教会は地域社会の生活の中心軸の役割を果たしていた。
1708 The ancient Greeks were (p　　　　) of modern science.	古代ギリシャ人は近代科学の先駆者であった。
1709 The introduced species had few natural (p　　　　) and spread rapidly.	外来種は天敵がほとんどいないため、急速に分布した。
1710 There are now many dire (p　　　　) about the end of the world.	世界の終末について、今や多くの不吉な前兆が存在する。
1711 The (p　　　　) of computers has both merits and demerits.	コンピューターの普及には長所と短所の両方がある。
1712 Since (p　　　　) is expected to be below normal this year, farmers fear a poor harvest.	今年は降水量が例年より少ないと予測されているので、農業者は不作を心配している。
1713 The aim of the system was the (p　　　　) of strangers from the campus.	この制度の目的は構内から部外者を排除することである。
1714 I was unaware of his strong (p　　　　) for sweet cakes and hot tea.	私は彼が甘いケーキと熱いお茶が極めて好きだということには気付いていなかった。
1715 After some (p　　　　), the clerk finally admitted losing the application.	いくつか言い逃れをした後で、その事務員はとうとう申込書を紛失したことを認めた。
1716 The filmmaker decided to make a record of the event for (p　　　　).	映画製作会社は後世のためにその大事件の記録を作ることを決定した。
1717 Every man wants to do his best to protect and help his (p　　　　) succeed in life.	誰でも自分の子どもたちを守り、彼らが人生で成功する助けとなるよう最善を尽くしたいと思っている。
1718 The prosecution's clever argument was countered by an even more convincing (r　　　　).	検察側の巧みな論証に対して、さらに説得力のある反駁がなされた。
1719 Following his (r　　　　) of the throne, the former king led a quiet life.	王座を放棄した後、前国王は静かな生活を送った。
1720 The (p　　　　) of future profits turned out to be too optimistic.	将来の利益の予測はあまりに楽観的なものとなった。

でる度 C
1721〜1740

Unit 86の復習テスト解答　1701 autism　1702 neurologist　1703 orthodontist　1704 embryo　1705 pinnacle　1706 pitfall
1707 pivot　1708 precursors　1709 predators　1710 premonitions　1711 prevalence　1712 precipitation　1713 preclusion
1714 predilection　1715 prevarication　1716 posterity　1717 progeny　1718 rebuttal　1719 renunciation　1720 projection

Unit 88 1741~1760

単語	1回目	2回目	3回目	意味
1741 **bunker** [bʌ́ŋkər]				掩蔽壕
1742 **debacle** [deɪbɑ́ːkl]				大失敗, 崩壊, 総崩れ
1743 **defector** [dɪféktər]				離反者, 脱党者
1744 **disarmament** [dɪsɑ́ːrməmənt]				軍縮, 武装解除
1745 **mishap** [míshæp]				不幸な出来事, 災害
1746 **fatality** [feɪtǽləṭi]				不慮の死者, 死を招く災害
1747 **toll** [toʊl]				死傷者数, 通行料
1748 **rebellion** [rɪbéljən]				反乱
1749 **schism** [skɪzm]				分裂
1750 **maneuver** [mənúːvər]				策略
1751 **massacre** [mǽsəkər]				大虐殺
1752 **rapprochement** [ræprouʃmɑ́ːn]				(特に国家間の)和解, 国交樹立
1753 **surveillance** [sərvéɪləns]				監視, 見張り
1754 **furlough** [fə́ːrloʊ]				(軍人の)休暇
1755 **inmate** [ínmèɪt]				(病院・老人ホーム・刑務所などの)収容者
1756 **debris** [dəbríː]				(破壊されたものの)瓦礫, 残骸, がらくた
1757 **derelict** [dérəlìkt]				遺棄物, 社会的な落伍者
1758 **fortification** [fɔ̀ːrṭəfɪkéɪʃən]				要塞
1759 **fortress** [fɔ́ːrtrəs]				要塞
1760 **fortitude** [fɔ́ːrṭətjùːd]				不屈の精神, 忍耐

Unit 87の復習テスト

わからないときは前Unitで確認しましょう。

例文	訳
1721 At the time, his (p　　　　) of ecological catastrophe was ignored.	当時、生態系破壊が起こるという彼の予言は無視されていた。
1722 He devoted himself to the (p　　　　) of his pacifist beliefs.	彼は平和思想の普及に専念した。
1723 The (p　　　　) of the play was seen as the author's self-portrait.	その劇の主人公は著者自身を描いたものと見なされた。
1724 There was a large rocky (p　　　　) on the side of the hill.	山腹には大きな岩の突起があった。
1725 The couple finally agreed to a (r　　　　) after a long separation.	夫婦は長い間別居していたが、ようやく和解にこぎつけた。
1726 A local (r　　　　) in California approved the use of marijuana for medicinal purposes.	カリフォルニアの住民投票は医療用にマリファナを使用することを認めた。
1727 As a (r　　　　) for being late, he offered to pay for the meal.	遅刻したことに対する償いとして、彼は食事代を支払うことを申し出た。
1728 The (r　　　　) of the fire-damaged palace took over five years.	火事で損傷した宮殿の復旧には5年以上を要した。
1729 The threat of war led to a (r　　　　) of support for the President.	戦争の脅威が大統領支持の回復につながった。
1730 Jesus' (r　　　　) is a central tenet of orthodox Christian belief.	キリストの復活はキリスト教の正統的信仰における中心的教義である。
1731 At the end of every term, the university always seems in great (t　　　　).	毎学期の終わりには、いつも大学は大騒ぎになるようだ。
1732 After a secret trial, the military spy was executed for (t　　　　).	非公開裁判の後、軍事スパイは反逆罪で処刑された。
1733 They guessed that the attack was a (r　　　　) for their earlier raid.	彼らはその攻撃は先の襲撃に対する報復だと推測した。
1734 Army leaders were involved in a (p　　　　) to depose the country's President.	軍の指導者たちは、国の大統領を退陣させる陰謀に関与していた。
1735 (C　　　　) in the United States ended after the Vietnam War.	アメリカ合衆国の徴兵制度はベトナム戦争後に終わった。
1736 The principal's problems were made worse by (i　　　　) among his staff.	校長の問題はスタッフ間の内輪もめで悪化した。
1737 Troops were sent in to crush the (i　　　　) in the province.	軍隊がその州の暴動を鎮圧するために送り込まれた。
1738 Many people doubted the (n　　　　) of the investigation.	多くの人々はその調査の中立性を疑った。
1739 The sudden (o　　　　) of the enemy took them by surprise.	敵の突然の突撃は彼らをとても驚かせた。
1740 The spokesman denied that any (p　　　　) of dissidents had taken place.	スポークスマンは反体制派に対するいかなる迫害も否定した。

Unit 87の復習テスト解答 1721 prophecy 1722 propagation 1723 protagonist 1724 protrusion 1725 reconciliation 1726 referendum 1727 reparation 1728 restoration 1729 resurgence 1730 resurrection 1731 turmoil 1732 treason 1733 retaliation 1734 plot 1735 Conscription 1736 infighting 1737 insurrection 1738 neutrality 1739 onrush 1740 persecution

Unit 89　1761〜1780

書いて記憶

単語	1回目	2回目	3回目	意味
1761 **inertia** [ɪnɔ́ːrʃə]				惰性，不活発
1762 **inhibition** [ìnhɪbíʃən]				抑制する気持ち
1763 **atheist** [éɪθiɪst]				無神論者
1764 **heretic** [hérətɪk]				異端者
1765 **benediction** [bènɪdíkʃən]				祝福，神の恵み
1766 **benefactor** [bénɪfæktər]				慈善[恩恵]を施す人
1767 **blasphemy** [blǽsfəmi]				(神への)冒涜，不敬
1768 **conversion** [kənvɔ́ːrʒən]				(〜への)改宗，(〜への)転換〈to〉
1769 **consecration** [kɑ̀(ː)nsəkréɪʃən]				聖職叙任(式)，神聖化
1770 **denomination** [dɪnɑ̀(ː)mɪnéɪʃən]				名称，宗派，(貨幣の)単位名称
1771 **sanctuary** [sǽŋktʃuèri]				聖域，避難所
1772 **incarnation** [ìnkɑːrnéɪʃən]				肉体を持つこと
1773 **discontent** [dìskəntént]				不満
1774 **dissonance** [dísənəns]				不調和，不調和な音
1775 **divulgence** [dəváldʒəns]				暴露
1776 **destitution** [dèstɪtjúːʃən]				極貧(状態)
1777 **demolition** [dèməlíʃən]				取り壊し，解体
1778 **depletion** [dɪplíːʃən]				枯渇，減少
1779 **detriment** [détrɪmənt]				害になるもの，損失
1780 **deviation** [dìːviéɪʃən]				(〜からの)逸脱〈from〉，偏差

Unit 88の復習テスト

わからないときは前Unitで確認しましょう。

例文	訳
1741 The prime minister directed operations from a secret (b　　).	首相は秘密の掩蔽壕より軍事作戦を指揮した。
1742 The attempt to rescue hostages in Iran turned into a (d　　).	イランでの人質救出作戦は大失敗に終わった。
1743 With time, the number of (d　　) from the regime increased.	時間がたつにつれて，政権からの離反者が増加した。
1744 The scientists were powerful advocates of nuclear (d　　).	その科学者たちは核軍縮の有力な提唱者だった。
1745 The factory should have taken proper measures to prevent such (m　　).	工場はそのような不幸な出来事を防ぐために適切な対策をとるべきだった。
1746 The explosion caused a number of (f　　) as well as widespread damage.	その爆発により，広範囲の被害とともに多数の死者が出た。
1747 The death (t　　) from the railway accident continued to climb.	鉄道事故での死者の人数は増え続けた。
1748 After the defeat, a series of (r　　) broke out around the country.	敗北後，国中で相次いで反乱が勃発した。
1749 The dispute led to a (s　　) in the opposition camp.	その論争が野党陣営の分裂へとつながった。
1750 The company's clever (m　　) in the market solidified its monopoly.	市場における会社の巧みな策略で独占が強化された。
1751 Who carried out the (m　　) of the villagers remains a matter of dispute.	誰が村人の大虐殺を実行したかは，依然として論争の的である。
1752 The recent (r　　) between India and the United States augurs well for peace in the region.	印米間の最近の和解は，地域の平和に向けての良い兆候である。
1753 He did not know why, but he felt sure he was under police (s　　).	なぜかわからなかったが，彼は確かに警察の監視下にあることを感じていた。
1754 The sailors were all headed home after getting a two-week (f　　).	水兵たちは皆，2週間の休暇を得て故郷に向かった。
1755 (I　　) in a local prison rioted and took several guards hostage.	地元刑務所の囚人が暴動を起こし，数人の看守を人質に取った。
1756 He spent the morning clearing up the (d　　) left by the storm.	彼は午前中，嵐によって残された瓦礫を片付けて過ごした。
1757 The city council voted to destroy an old (d　　) still afloat in the harbor.	市議会は，港に依然として漂う古い遺棄船を破壊することを議決した。
1758 Remains of Roman (f　　) were discovered near the town.	古代ローマの要塞の遺跡が町の近くで見つかった。
1759 The (f　　) of a local warlord is rumored to be somewhere in the mountains.	地元の将軍の要塞は，山の中のどこかにあるとうわさされている。
1760 Becoming a Zen monk often requires a great deal of zeal and (f　　).	禅僧になるには，しばしば大いなる情熱と不屈の精神が必要である。

Unit 88の復習テスト解答　1741 bunker　1742 debacle　1743 defectors　1744 disarmament　1745 mishaps　1746 fatalities　1747 toll　1748 rebellions　1749 schism　1750 maneuver　1751 massacre　1752 rapprochement　1753 surveillance　1754 furlough　1755 Inmates　1756 debris　1757 derelict　1758 fortifications　1759 fortress　1760 fortitude

Unit 90 1781〜1800

書いて記憶

単 語	1回目	2回目	3回目	意 味
1781 **solidarity** [sὰ(:)lədǽrəṭi]				団結
1782 **sovereignty** [sά(:)vrənti]				主権，統治権，独立国
1783 **conformist** [kənfɔ́ːrmɪst]				体制に従う人たち
1784 **deputy** [dépjuṭi]				代理(人)，副官
1785 **envoy** [énvɔɪ]				使者，外交官
1786 **monarch** [mά(:)nərk]				世襲的君主，独裁主権者
1787 **laureate** [lɔ́(:)riət]				受賞者
1788 **cortex** [kɔ́ːrteks]				(大脳)皮質
1789 **molecule** [mά(:)lɪkjùːl]				分子
1790 **cognition** [kɑ(:)gníʃən]				認識，認知
1791 **cluster** [klʌ́stər]				群れ，房
1792 **abyss** [əbís]				奈落の底，地獄，深淵
1793 **affliction** [əflíkʃən]				苦痛，苦難
1794 **addendum** [ədéndəm]				付録
1795 **avarice** [ǽvərɪs]				強欲，貪欲
1796 **blemish** [blémɪʃ]				汚点，しみ
1797 **brink** [brɪŋk]				(破滅の)瀬戸際，(絶壁などの)縁，端
1798 **coffer** [kɔ́(:)fər]				財源，基金
1799 **constriction** [kənstríkʃən]				締めつけ
1800 **dynasty** [dáɪnəsti]				王朝

Unit 89 の復習テスト

わからないときは前Unitで確認しましょう。

例文	訳
1761 Before we can make significant changes in society, we must overcome the (i　　　) of the past.	社会に意義のある変化をもたらす前に，我々は過去の惰性を克服する必要がある。
1762 After she left home, she threw off her (i　　　) and enjoyed herself.	家を出てから，彼女は抑制する気持ちを振り捨てて楽しんだ。
1763 He lost his religious faith and remained a confirmed (a　　　) for the rest of his life.	彼は信仰を失い，残りの人生は確固たる無神論者で通した。
1764 Eventually, the (h　　　) were expelled, and they started their own church.	結局異端者は排斥され，彼らは自分たち自身の教会を作った。
1765 The Pope himself offered (b　　　) at the groundbreaking for the new church.	新しい教会の起工式で，法王自身が祝福を与えた。
1766 An anonymous (b　　　) had donated a large sum to the orphanage.	匿名の慈善家が多額の金を児童養護施設に寄付した。
1767 During the inquisition in Europe, (b　　　) was punishable by death.	ヨーロッパにおける異端審問では，神への冒瀆は死刑に値した。
1768 His (c　　　) to Islam shocked many of his Christian friends.	彼のイスラム教への改宗は，キリスト教徒の多くの友人に衝撃を与えた。
1769 The (c　　　) of the new bishop was attended by many important dignitaries.	新司教の聖職叙任式には高位聖職者が多数出席した。
1770 Although holding no political post, Christ was given the (d　　　) of 'king.'	政治的地位はなかったが，キリストは「王」の称号を与えられた。
1771 Tourists were strictly forbidden from entering the religious (s　　　).	観光客は，その宗教上の聖域に入ることを厳禁された。
1772 The people believed that the boy was an (i　　　) of their god.	人々は，その少年が神の受肉（肉体化）だったと信じていた。
1773 There was growing (d　　　) with the cost-cutting policies.	コスト削減策に対する不満が高まっていた。
1774 The growing (d　　　) between the two groups made cooperation difficult.	二派間の不調和が高じて，協力が難しくなった。
1775 The (d　　　) of the secret agreement was a blow to the minister.	秘密協定の暴露は大臣にとって痛手だった。
1776 The U.N. delegation was appalled at the (d　　　) they saw in the war-torn country.	国連の代表団は戦禍を被った国の窮乏ぶりを見てがく然とした。
1777 Many people protested against the (d　　　) of the old courthouse.	多くの人が古い裁判所の取り壊しに抗議した。
1778 Everyone is concerned about the rapid (d　　　) of fossil fuels.	化石燃料の急速な枯渇をみんなが不安に思っている。
1779 We viewed the Secretary of State's actions as a major (d　　　) to world peace.	我々は国務長官の活動を世界平和にとって大きな害になるものと見なした。
1780 The president of the university would tolerate no (d　　　) from his regulations.	その大学の学長は，自分が作成した規則からの逸脱を一切許そうとしなかった。

Unit 89 の復習テスト解答　1761 inertia　1762 inhibitions　1763 atheist　1764 heretics　1765 benedictions　1766 benefactor　1767 blasphemy　1768 conversion　1769 consecration　1770 denomination　1771 sanctuary　1772 incarnation　1773 discontent　1774 dissonance　1775 divulgence　1776 destitution　1777 demolition　1778 depletion　1779 detriment　1780 deviation

Unit 91 1801〜1820

書いて記憶

単語	1回目	2回目	3回目	意味
1801 **entreaty** [ɪntríːṭi]				懇願
1802 **epitaph** [épɪtæf]				碑文, 墓碑銘
1803 **foray** [fɔ́(ː)reɪ]				(新分野への)進出, 急襲
1804 **hermit** [hə́ːrmɪt]				隠遁者, 世捨て人
1805 **impurity** [ɪmpjúərəṭi]				不純, 不道徳, 堕落していること
1806 **insignia** [ɪnsígniə]				記章
1807 **jubilee** [dʒúːbɪlìː]				特別な記念日
1808 **ledger** [lédʒər]				台帳
1809 **malleability** [mæliəbíləṭi]				適応性, 柔軟さ, 素直さ
1810 **repose** [rɪpóuz]				休むこと
1811 **precinct** [príːsɪŋkt]				周辺, 管轄区域
1812 **pseudoscience** [sjùːdousáɪəns]				疑似科学
1813 **resonance** [rézənəns]				響き
1814 **sanctity** [sǽŋktəṭi]				高潔さ, 神聖
1815 **sanitation** [sæ̀nɪtéɪʃən]				公衆衛生
1816 **savvy** [sǽvi]				手腕, (実際的な)知識
1817 **servitude** [sə́ːrvətjùːd]				隷属, 奴隷の境遇
1818 **stealth** [stelθ]				こっそりした方法
1819 **swamp** [swɑ(ː)mp]				沼地, 湿地
1820 **tyranny** [tírəni]				専制政治

Unit 90の復習テスト　わからないときは前Unitで確認しましょう。

例文	訳
1781 In times of national crisis, the leaders often call for (s　　　).	国家が危機の際は、指導者はよく団結を呼びかける。
1782 America has fought several wars to protect its (s　　　).	アメリカは、自国の主権を守るため、いくつかの戦争をしてきた。
1783 Most of the employees were (c　　　), unwilling to stand out.	従業員の大半は目立つのを嫌がる順応的な人たちだった。
1784 The prime minister's (d　　　) took control of the government in the crisis of power.	総理大臣の代理が、政権危機の際に政府を指揮した。
1785 Neighboring countries were invited to send (e　　　) to the talks.	近隣諸国は会談に使者を送るよう要請を受けた。
1786 A (m　　　) usually gains his or her power by virtue of his or her lineage.	君主は、たいてい家系のおかげで権力を得ている。
1787 The (l　　　) all arrived in Stockholm for the Nobel awards' ceremony.	受賞者がみんな、ノーベル賞授賞式に出席するため、ストックホルムに到着した。
1788 He had suffered severe damage to the (c　　　) of the brain.	彼は大脳皮質に深刻な損傷を受けた。
1789 While atoms consist of sub-atomic particles, (m　　　) consist of an arrangement of atoms.	原子は亜原子粒子から成り、分子は原子の配列から成る。
1790 Language and (c　　　) are important topics for psycholinguistic research.	言語と認識は、心理言語学研究の重要項目である。
1791 The hillsides in spring are decorated with (c　　　) of daffodils.	春の丘の斜面は、水仙の群落で飾られる。
1792 In Milton's narrative poem "Paradise Lost", God threw Satan into the (a　　　) of Hell.	ミルトンの物語詩『失楽園』の中で、神は悪魔を地獄の底に突き落とした。
1793 Doctors tried as hard as they could to relieve his terrible (a　　　).	彼の大変な苦痛を和らげるために、医師たちはできる限りのことをした。
1794 In an (a　　　) to the book, he discussed the new findings.	本の付録の中で彼は新しい研究結果について論じた。
1795 Motivated by (a　　　), the heirs to a family fortune reportedly committed murder.	強欲が動機で、一家の財産の相続人たちが殺人を犯したと言われている。
1796 The only (b　　　) on his record was a conviction for dangerous driving when he was a student.	彼の経歴における唯一の汚点は、学生時代に危険な運転をして有罪判決を受けたことであった。
1797 The economy was hovering on the (b　　　) of a recession.	経済は不況寸前のところで低迷していた。
1798 The new tax helped to swell the (c　　　) of the government.	新税は国庫を潤す助けとなった。
1799 He disliked the (c　　　) that came from being a public official.	彼は役人であるがゆえの締めつけが嫌いだった。
1800 The Romanov (d　　　) came to an end with the Russian communist revolution.	ロマノフ王朝はロシア共産革命で終焉を迎えた。

Unit 90の復習テスト解答　1781 solidarity　1782 sovereignty　1783 conformists　1784 deputy　1785 envoys　1786 monarch　1787 laureates　1788 cortex　1789 molecules　1790 cognition　1791 clusters　1792 abyss　1793 affliction　1794 addendum　1795 avarice　1796 blemish　1797 brink　1798 coffers　1799 constriction　1800 dynasty

Unit 92 1821~1840

書いて記憶

単語	1回目	2回目	3回目	意 味
1821 **velocity** [vəlá(:)səti]				速度，高速
1822 **vestige** [véstɪdʒ]				名残
1823 **volition** [voʊlíʃən]				意志
1824 **adulation** [ædʒuléɪʃən]				(極端な)賛美，お世辞，追従
1825 **anachronism** [ənækrənìzm]				時代錯誤
1826 **arrears** [əríərz]				滞納金
1827 **autonomy** [ɔːtá(ː)nəmi]				自治(権)，自主性
1828 **captive** [kæptɪv]				監禁された人，捕虜
1829 **clamor** [klǽmər]				叫び声，わめき声
1830 **contrivance** [kəntráɪvəns]				計略，考案物
1831 **decoy** [díːkɔɪ]				おとり
1832 **epiphany** [ɪpífəni]				ひらめき
1833 **equilibrium** [ìːkwɪlíbriəm]				平衡，釣り合い
1834 **leeway** [líːwèɪ]				余裕
1835 **leverage** [lévərɪdʒ]				影響力
1836 **linkage** [líŋkɪdʒ]				関連性
1837 **migration** [maɪgréɪʃən]				移住
1838 **periphery** [pərífəri]				周囲，外縁(地域)
1839 **quantum** [kwá(ː)ntəm]				量，量子
1840 **quorum** [kwɔ́ːrəm]				定(足)数

Unit 91の復習テスト

わからないときは前Unitで確認しましょう。

例文	訳
1801 Despite his colleagues' (e　　　), he insisted on resigning.	同僚たちの懇願にもかかわらず，彼は辞任すると言い張った。
1802 Some of the (e　　　) in the graveyard were surprisingly humorous.	墓地の碑文の中には思いのほかおどけたものもあった。
1803 This was the author's first (f　　　) into non-fiction writing.	これはその著者のノンフィクション作品への初めての進出だった。
1804 The old man lived the life of a (h　　　) in the mountains for years.	その老人は山の中で，何年もの間隠遁者の生活を送った。
1805 The obvious (i　　　) of his motives laid him open to criticism.	彼の動機は明らかに不純だったので，彼は批判にさらされた。
1806 She recognized the (i　　　) of the military police on his uniform.	彼女は彼の制服に付けられた憲兵の記章に気付いた。
1807 On the (j　　　) of the coronation, street parties were held everywhere.	戴冠記念日には，ストリートパーティーがあちこちで開催された。
1808 She entered every detail of her expenditure in a large (l　　　).	彼女は大きな台帳に支出の詳細をすべて書き込んだ。
1809 The new teacher was surprised by the (m　　　) of her students.	新任教師は生徒たちの適応性に驚いた。
1810 He painted a picture of his wife in (r　　　) on a sofa.	彼は妻がソファーで休んでいるところの絵を描いた。
1811 Each police (p　　　) patrols its own neighborhood.	各警察管区はそれぞれの近隣をパトロールする。
1812 He said that psychoanalysis was a mere (p　　　) like astrology.	彼は精神分析学は占星術のような単なる疑似科学だと言った。
1813 The high-quality violin had a beautiful (r　　　).	その高品質のバイオリンは美しい響きを持っていた。
1814 The priest was known for the (s　　　) of his private life.	その司祭は高潔な私生活で知られていた。
1815 Improvements in (s　　　) contributed to the disease's eradication.	公衆衛生の改善がその病気の撲滅へとつながった。
1816 Everyone admired the (s　　　) with which the foreman solved problems.	皆が現場監督の問題解決の手腕を称賛した。
1817 The slave dreamed of escaping from his (s　　　) to his master.	その奴隷は，主人に隷属している状況から脱することを夢見ていた。
1818 The guide emphasized the need for (s　　　) so as not to frighten the deer.	ガイドは，シカを怖がらせないためにこっそりした方法が必要だと強調した。
1819 The Florida (s　　　) are known as the 'Everglades.'	フロリダの沼地は「エバーグレーズ湿地」の名で知られている。
1820 The students helped to overthrow the (t　　　) of the dictator.	学生たちは独裁者の専制政治を打倒するのに協力した。

Unit 91の復習テスト解答　1801 entreaties　1802 epitaphs　1803 foray　1804 hermit　1805 impurity　1806 insignia　1807 jubilee　1808 ledger　1809 malleability　1810 repose　1811 precinct　1812 pseudoscience　1813 resonance　1814 sanctity　1815 sanitation　1816 savvy　1817 servitude　1818 stealth　1819 swamps　1820 tyranny

Unit 93 1841~1860

書いて記憶

単語	1回目	2回目	3回目	意味
1841 **rancor** [rǽŋkər]				恨み，敵意
1842 **ransom** [rǽnsəm]				身代金
1843 **sabotage** [sǽbətɑ̀ːʒ]				（労働争議の際などの）破壊行為，妨害
1844 **scapegoat** [skéɪpgòut]				身代わり，他人の罪を負う者
1845 **scheme** [skiːm]				計画，案
1846 **segregation** [sègrɪgéɪʃən]				隔離，人種差別
1847 **seismology** [saɪzmɑ́(ː)lədʒi]				地震学
1848 **shackle** [ʃǽkl]				手かせ，足かせ，拘束
1849 **showdown** [ʃóudàun]				最後の対決，（持ち札の）公開
1850 **splinter** [splíntər]				とげ，破片，分派
1851 **spree** [spriː]				浮かれ[ばか]騒ぎ
1852 **stipend** [stáɪpend]				給付金，奨学金
1853 **subsidence** [səbsáɪdəns]				地盤沈下
1854 **sway** [sweɪ]				支配，統治
1855 **tariff** [tǽrɪf]				関税
1856 **testimonial** [tèstɪmóuniəl]				推薦状
1857 **triumph** [tráɪʌmf]				大勝利
1858 **upshot** [ʌ́pʃɑ̀(ː)t]				結論，結果
1859 **verge** [vəːrdʒ]				瀬戸際，縁，へり
1860 **simulation** [sìmjuléɪʃən]				シミュレーション，模擬実験

Unit 92の復習テスト

例文	訳
1821 Technical developments have increased the (v　　　) of trains.	技術的進歩が電車の**速度**を高めた。
1822 The judges' wigs were a (v　　　) of the country's colonial period.	裁判官のかつらはその国の植民地時代の**名残**だった。
1823 The man sold his car of his own (v　　　).	男は自分自身の**意志**で車を売った。
1824 Pop stars often receive tremendous (a　　　) from their fans.	人気歌手たちは，しばしばファンから途方もない**賛美**を向けられる。
1825 The humor of Mark Twain's "Connecticut Yankee" is based on (a　　　).	マーク・トウェインの『コネチカット・ヤンキー』のユーモアは，**時代錯誤**に基づいている。
1826 The tenant still had not paid the (a　　　) on his rent.	その借家人は家賃の**滞納金**をまだ支払っていなかった。
1827 The organization has gained some (a　　　) from the government.	その組織は政府からいくらかの**自治権**を獲得した。
1828 The man had kept his daughter a (c　　　) in her own home.	その男は自分の娘を，彼女自身の家に**監禁**していた。
1829 There was a huge public (c　　　) over the recent political scandals.	最近の政治スキャンダルをめぐって，大衆は大いに**抗議の叫び**を上げた。
1830 Although she tried by every (c　　　) to fool me, I didn't believe her.	彼女はあらゆる**計略**を練って私をだまそうとしたが，私は彼女を信じなかった。
1831 The first brigade that advanced to the east was merely a (d　　　) for the real attack.	東へ進軍した第1旅団は，本格攻撃に向けた単なる**おとり**だった。
1832 The novelist had an (e　　　) while looking at the sea.	その小説家は海を眺めていて，突然**ひらめき**を得た。
1833 Whenever he drinks more than one beer, he tends to lose his (e　　　).	彼はビールを2杯以上飲むといつでも**バランス**を失う傾向がある。
1834 If he only had been given the (l　　　) to look for other solutions, he might have solved the problem.	ほかの解法を探す**余裕**さえ与えられていたら，彼はその問題を解けていたかもしれない。
1835 The man insisted that he had no (l　　　) on the present administration.	その男性は自分が現政権に**影響力**を持たないと主張した。
1836 The detective searched for evidence of some (l　　　) between the two crimes.	刑事はその2つの犯罪を**関連**づける証拠を捜査した。
1837 The (m　　　) of young people to the cities is a growing problem.	若者の都市への**移住**が問題となりつつある。
1838 We posted guards on the (p　　　) of the camp in case anyone tried to infiltrate in the night.	誰かが夜間に侵入するといけないので，我々は野営地の**周囲**に見張りを置いた。
1839 The serfs of the Middle Ages were given a specified (q　　　) of grain in return for their labor.	中世の農奴は労働と引き換えに一定**量**の穀物が与えられた。
1840 There wasn't a sufficient (q　　　) for a legal vote at the meeting.	その会議では規定投票数を充足する**定数**に達していなかった。

Unit 92の復習テスト解答　1821 velocity　1822 vestige　1823 volition　1824 adulation　1825 anachronisms　1826 arrears　1827 autonomy　1828 captive　1829 clamor　1830 contrivance　1831 decoy　1832 epiphany　1833 equilibrium　1834 leeway　1835 leverage　1836 linkage　1837 migration　1838 periphery　1839 quantum　1840 quorum

Unit 94 1861～1880

単語	1回目	2回目	3回目	意味
1861 **diatribe** [dáɪətràɪb]				(〜への) 痛烈な皮肉 〈against〉
1862 **electoral** [ɪléktərəl]				選挙の
1863 **incumbent** [ɪnkʌ́mbənt]				現職の
1864 **aboveboard** [əbʌ́vbɔ̀ːrd]				公明正大な
1865 **fatally** [féɪṭəli]				致命的に, 不運にも
1866 **neural** [njúərəl]				神経の
1867 **ongoing** [ɑ́(ː)ngòʊɪŋ]				現在行っている
1868 **flawed** [flɔːd]				欠陥のある
1869 **imposing** [ɪmpóʊzɪŋ]				堂々たる
1870 **mundane** [mʌ̀ndéɪn]				世俗的な, ありきたりの
1871 **cohesive** [koʊhíːsɪv]				結束した, 団結した, 密着した
1872 **daunting** [dɔ́ːntɪŋ]				人の気力をくじく
1873 **disproportionately** [dìsprəpɔ́ːrʃənətli]				過度に, 非常に
1874 **gallant** [gǽlənt]				勇敢な, 堂々とした
1875 **hefty** [héfti]				重い, 頑丈な
1876 **holistic** [hoʊlístɪk]				全体論的な
1877 **interminable** [ɪntə́ːrmɪnəbl]				永遠に続く, やむことのない
1878 **posthumously** [pɑ́(ː)stʃəməsli]				死後に
1879 **sustainable** [səstéɪnəbl]				持続可能な, 地球にやさしい
1880 **obsessive** [əbsésɪv]				過度の, 頭から離れない

Unit 93の復習テスト

わからないときは前Unitで確認しましょう。

例文	訳
1841 He showed surprisingly little (r　　　) towards those who had forced him to resign his position.	彼は自分を辞職に追いやった人々に対して，驚いたことにほとんど恨みを抱かなかった。
1842 The kidnappers demanded an enormous (r　　　) from the parents.	誘拐犯たちは親に莫大な身代金を要求した。
1843 The recent crash of a 747 was first attributed to (s　　　).	最近のボーイング747機の墜落は，当初は破壊工作が原因とされた。
1844 The government prefers to find a (s　　　) rather than acknowledge its own responsibility.	政府というものは自らの責任を認めるよりも，むしろ身代わりを見つけたがる。
1845 The boys came up with a (s　　　) to get revenge on the teacher.	少年たちは先生に報復するための計画を思いついた。
1846 Racial (s　　　) in the American South continued long after the Civil War.	アメリカ南部の人種隔離は南北戦争後も長く続いた。
1847 Satellite photos of movements in the earth's surface have advanced the accuracy of (s　　　).	地球の表層の動きを撮影した衛星写真のおかげで地震学がより正確となった。
1848 The unkempt prisoner appeared in court still in (s　　　).	髪がぼさぼさの囚人が，手錠をはめられたまま出廷した。
1849 The typical Western film ends with a (s　　　) between the good guys and the bad guys.	西部劇はたいてい，善玉と悪玉の対決で終わる。
1850 My son got a (s　　　) in his hand from carrying the newly cut boards.	息子は切ったばかりの板を運んでいて，手にとげが刺さった。
1851 His wife went on a shopping (s　　　) before Christmas and used all the money they had saved.	彼の妻はクリスマス前に買い物に浮かれて，ためていたお金を使い切ってしまった。
1852 Even after retirement, the old man received an adequate (s　　　) from his investments.	その老人は退職後でさえも，自分の投資先から十分な給付金を得ていた。
1853 The earthquake had led to widespread (s　　　) in the area.	地震はその地域に広範囲な地盤沈下をもたらした。
1854 He said that the Finance Ministry was still under the (s　　　) of outdated economic theories.	財務省はいまだに古臭い経済学説の支配下にあると，彼は言った。
1855 To protect its own industry, the country placed a (t　　　) on steel imports.	自国内の産業を保護するため，その国は輸入鉄鋼に関税をかけた。
1856 The applicant had added a (t　　　) from his previous boss.	応募者は前の上司からの推薦状を添えた。
1857 The fans were celebrating the (t　　　) of their team in the championships.	ファンたちは自分たちのチームの決勝戦での大勝利を祝福していた。
1858 The (u　　　) of his confession was that he was responsible for the crime he had been accused of.	彼の告白の結論は，自分が告発されている犯罪に責任があるというものだった。
1859 He was on the (v　　　) of losing his temper, but he managed to look calm.	彼はカッとなる瀬戸際だったが，どうにか平静を装っていた。
1860 The army used a computer to produce a (s　　　) of what would happen if the country was invaded.	陸軍はコンピューターを使って，国が侵略されたら何が起こるかのシミュレーションを作り出した。

Unit 93の復習テスト解答　1841 rancor　1842 ransom　1843 sabotage　1844 scapegoat　1845 scheme　1846 segregation　1847 seismology　1848 shackles　1849 showdown　1850 splinter　1851 spree　1852 stipend　1853 subsidence　1854 sway　1855 tariff　1856 testimonial　1857 triumph　1858 upshot　1859 verge　1860 simulation

Unit 95 1881〜1900

書いて記憶

単語	1回目	2回目	3回目	意味
1881 retentive [rɪténtɪv]				記憶力がよい，保持力のある
1882 venerable [vénərəbl]				由緒ある，敬うべき
1883 idiosyncratic [ìdiəsɪŋkrǽtɪk]				独特な，一風変わった
1884 condescending [kà(:)ndɪséndɪŋ]				人を見下すような
1885 clairvoyant [kleərvɔ́ɪənt]				千里眼の，透視力を持つ
1886 distractedly [dɪstrǽktɪdli]				うわの空で
1887 chaotic [keɪɑ́(:)tɪk]				無秩序の
1888 de facto [deɪ fǽktoʊ]				事実上の
1889 state-of-the-art [stèɪt əv ði: ɑ́:rt]				最新鋭の
1890 logistically [loʊdʒístɪkəli]				兵站上で，物資面で
1891 tribally [tráɪbəli]				部族で
1892 cardiovascular [kà:rdioʊvǽskjʊlər]				心臓血管の
1893 carnivorous [kɑ:rnívərəs]				肉食の
1894 potent [póʊtənt]				力のある，有効な
1895 arrogant [ǽrəgənt]				傲慢な
1896 acute [əkjú:t]				(痛みが)激しい，鋭い，急性の，深刻な
1897 astute [əstjú:t]				鋭敏な，洞察力のある，抜け目のない
1898 preemptive [priémptɪv]				先制の
1899 prescient [préʃənt]				予知の
1900 preferential [prèfərénʃəl]				優遇の，優先の

Unit 94の復習テスト　わからないときは前Unitで確認しましょう。

例文	訳
1861 The doctor delivered a (d　　　) against the evils of smoking.	その医者は，喫煙の弊害に関する痛烈な皮肉をまくし立てた。
1862 (E　　　) considerations led the government to delay the tax rise.	選挙への配慮のために政府は税金の引き上げを延期した。
1863 The young candidate knew that it would be difficult to unseat the (i　　　) mayor.	その若手候補者は，現職の市長をその座から降ろすことは難しいだろうとわかっていた。
1864 He insisted that the negotiations had been fair and (a　　　).	彼は交渉は公平で公明正大だったと主張した。
1865 His answer in the interview (f　　　) ruined his chances of getting the job.	面接での彼の応答が，仕事を得るチャンスを致命的に台無しにした。
1866 The machine was used to measure (n　　　) activity in the brain.	その機械は脳の神経作用を測定するために使用された。
1867 The police visit was part of an (o　　　) campaign against illegal drug use.	警察の訪問は，現在行っている不法薬物使用撲滅キャンペーンの一環だった。
1868 The problem was finally traced to a (f　　　) component in the engine.	問題はエンジンの欠陥部品にあることが，やっとわかった。
1869 Although he was short in stature, Napoleon's bearing made him an (i　　　) figure.	ナポレオンは背は低かったが，その態度で堂々とした姿に見えていた。
1870 Most truly spiritual people help others with the (m　　　) problems of life.	真に崇高な人たちのほとんどは世俗的な人生問題で他人を助ける。
1871 The immigrants formed a close (c　　　) community.	移民たちは，密接で結束力のある地域社会を形成した。
1872 Sorting out all his father's papers was a (d　　　) task for him.	父親の書類全部を仕分けすることは，彼にとってくじけそうになる仕事だった。
1873 Many said the punishments were (d　　　) severe.	多くの人は，それらの処罰は過度に厳しいと言った。
1874 The knights of medieval times were supposed to be (g　　　) and trustworthy.	中世の騎士は勇敢で信頼できるとされていた。
1875 After eating a (h　　　) lunch, he began to feel sleepy at his desk.	ボリュームのある昼食をとった後で，彼は机で眠くなってきた。
1876 He said that such a complex problem needed a (h　　　) solution.	彼は，このような複雑な問題は全体論的な解決方法が必要だと言った。
1877 The movie was so long and boring it seemed (i　　　).	映画は長く退屈だったので永遠に続くかと思われた。
1878 The scientist was awarded the prize for his achievements (p　　　).	その科学者は死後に業績に対する賞を授与された。
1879 Many scientists are looking for (s　　　) energy sources.	多くの科学者は持続可能なエネルギー源を求めている。
1880 The boy's (o　　　) interest in guns began to worry his parents.	その少年の銃に対する過度の興味は両親を心配させ始めた。

Unit 94の復習テスト解答　1861 diatribe　1862 Electoral　1863 incumbent　1864 aboveboard　1865 fatally　1866 neural
1867 ongoing　1868 flawed　1869 imposing　1870 mundane　1871 cohesive　1872 daunting　1873 disproportionately　1874 gallant
1875 hefty　1876 holistic　1877 interminable　1878 posthumously　1879 sustainable　1880 obsessive

Unit 96 1901〜1920

単語	1回目	2回目	3回目	意味
1901 **prophetic** [prəfétɪk]				予言する
1902 **provident** [prá(:)vɪdənt]				倹約な, 将来に備えた
1903 **prodigious** [prədídʒəs]				驚異的な, 巨大な
1904 **profuse** [prəfjúːs]				惜しみのない
1905 **profane** [prəféɪn]				世俗的な, 冒涜する
1906 **promiscuous** [prəmískjuəs]				手当たりしだいの, 乱雑な
1907 **probationary** [proʊbéɪʃəneri]				見習い期間の
1908 **prolonged** [prəlɔ́(ː)ŋd]				長引く
1909 **provincial** [prəvínʃəl]				偏狭な
1910 **provisional** [prəvíʒənəl]				暫定的な, 条件付きの
1911 **extraterrestrial** [èkstrətəréstrɪəl]				地球外の
1912 **exempt** [ɪgzémpt]				(〜を)免除された〈from〉
1913 **exorbitant** [ɪgzɔ́ːrbətənt]				法外な
1914 **extravagant** [ɪkstrǽvəgənt]				浪費する, 節度のない
1915 **fervent** [fə́ːrvənt]				熱烈な
1916 **vehement** [víːəmənt]				熱烈な
1917 **frantic** [frǽntɪk]				大急ぎの, 取り乱した, 熱狂した
1918 **fanatically** [fənǽtɪkəli]				熱狂的に
1919 **coherent** [koʊhíərənt]				統一のとれた, 理路整然とした
1920 **constitutional** [kà(:)nstətjúːʃənəl]				合憲である, 本質の

Unit 95の復習テスト　わからないときは前Unitで確認しましょう。

例文	訳
1881 The old secretary was famous for her (r　　　) memory.	長く勤めているその秘書は記憶力がよいことで有名だった。
1882 He believed that such a (v　　　) tradition should not be cast aside lightly.	そのような由緒ある伝統は軽々しく放棄されるべきではないと彼は考えていた。
1883 His (i　　　) approach to teaching annoyed some of his colleagues.	彼の独特な教え方は同僚の何人かを悩ませた。
1884 The children resented the (c　　　) way the visitor spoke to them.	子どもたちはその訪問者の人を見下すような話し方に腹を立てた。
1885 Since I am not (c　　　), I cannot predict the future.	私は千里眼ではないから、将来のことは予測できない。
1886 He answered her (d　　　), as though he were thinking about something else.	彼はあたかも何かほかのことを考えているかのように、彼女にうわの空で答えた。
1887 A (c　　　) mess of clothes and books lay on the floor.	衣服や本が床にめちゃくちゃな状態で散らかっていた。
1888 The general became the (d　　　) ruler of the country.	その将官はその国の事実上の統治者になった。
1889 The rich man installed a (s　　　) security system in his house.	その金持ちの男性は最新鋭のセキュリティーシステムを家に装備した。
1890 The general said that the battle plan was (l　　　) impossible.	将官はその戦術は兵站面で不可能だと言った。
1891 Most of the people in the village worked in a (t　　　) owned business.	その村のほとんどの人は部族で所有している仕事に携わっていた。
1892 The Westernization of the diet led to increased (c　　　) problems.	食事の西洋化は心臓血管の問題を増やすことになった。
1893 (C　　　) animals like cats need meat in their diet to survive.	ネコのような肉食の動物は、生きるためには食事に肉が必要だ。
1894 Many were amazed by the (p　　　) display of military power in the Gulf War.	多くの人は湾岸戦争での軍事力の強大な展開に仰天した。
1895 The principal's (a　　　) manner immediately annoyed the parents.	校長の傲慢な態度は、すぐに親たちをいらつかせた。
1896 He went to the doctor because he was suffering (a　　　) pains in his stomach.	彼は胃の激しい痛みに苦しんでいたので、医者へ行った。
1897 That film critic is famous for her (a　　　) but acerbic commentary.	その映画評論家は鋭敏だが辛辣な批評で有名である。
1898 The air force was ordered to launch a (p　　　) strike on the site.	空軍はその場所に先制攻撃を開始するように命令された。
1899 The scientist's warnings about the environmental dangers proved (p　　　).	環境危機に関するその科学者の警告から予知能力があることが判明した。
1900 The employees complained about the (p　　　) treatment given to other colleagues.	従業員たちはほかの同僚が受けていた優遇的な措置について不満を漏らした。

Unit 95の復習テスト解答　1881 retentive　1882 venerable　1883 idiosyncratic　1884 condescending　1885 clairvoyant
1886 distractedly　1887 chaotic　1888 de facto　1889 state-of-the-art　1890 logistically　1891 tribally　1892 cardiovascular
1893 Carnivorous　1894 potent　1895 arrogant　1896 acute　1897 astute　1898 preemptive　1899 prescient　1900 preferential

Unit 97 1921〜1940

書いて記憶

単語	1回目	2回目	3回目	意味
1921 **cognitive** [ká(:)gnəṭɪv]				認知の
1922 **contradictory** [kà(:)ntrədíktəri]				矛盾している
1923 **controversial** [kà(:)ntrəvə́:rʃəl]				問題の，物議を醸す
1924 **conciliatory** [kənsíliətɔ̀:ri]				和解の，懐柔的な
1925 **defamatory** [dɪfǽmətɔ̀:ri]				中傷的な
1926 **deferential** [dèfərénʃəl]				敬意を表する
1927 **derisive** [dɪráɪsɪv]				嘲笑的な
1928 **despondent** [dɪspá(:)ndənt]				落胆した
1929 **despicable** [dɪspíkəbl]				卑劣な，いけ好かない
1930 **diabolic** [dàɪəbá(:)lɪk]				悪魔の
1931 **disconcerting** [dìskənsə́:rṭɪŋ]				当惑させるような，厄介な
1932 **dismissive** [dɪsmísɪv]				尊大な，軽蔑的な
1933 **disparate** [díspərət]				全く異なる
1934 **dispensable** [dɪspénsəbl]				たいして重要でない，なくても困らない
1935 **dissenting** [dɪséntɪŋ]				異議を唱える
1936 **distraught** [dɪstrɔ́:t]				取り乱した
1937 **diminutive** [dɪmínjuṭɪv]				小さい
1938 **impalpable** [ɪmpǽlpəbl]				触知できない
1939 **imperious** [ɪmpíəriəs]				横柄な
1940 **impermeable** [ɪmpə́:rmiəbl]				通さない

Unit 96 の復習テスト

例文	訳
1901 His claims concerning the economy turned out to be (p　　　).	彼の経済についての主張は先見的であることが判明した。
1902 She had adopted the (p　　　) policy of saving for her old age.	彼女は老後のために倹約的な貯蓄方法を採り入れた。
1903 Hercules is legendary for his (p　　　) strength and his twelve labors.	ヘラクレスは驚異的な大力と12の功業で伝説となっている。
1904 The philanthropist made (p　　　) donations to the needy.	その慈善家は貧しい人々に惜しみのない寄付をした。
1905 It seemed unlikely that a priest would be interested in such a (p　　　) matter.	司教がこのような世俗的な事柄に興味があるとはありそうもないことだった。
1906 Hollywood starlets are known to have a (p　　　) nature.	ハリウッドの売り出し中の若手女優は見境のない気質を持っていることで知られている。
1907 Eventually, they agreed to employ the girl on a (p　　　) basis.	結局、彼らはその女の子を見習い扱いで雇うことに決めた。
1908 After a (p　　　) pause, the lecturer began to speak again.	長い間の後、講師は再び話し始めた。
1909 His decisions are often based on a somewhat (p　　　) world view.	彼の決定は、しばしば、どちらかと言うと偏狭な世界観に基づいている。
1910 The United Nations allocated (p　　　) food supplies to the refugees.	国連は難民たちに暫定的な補給食糧を配分した。
1911 The movie was about a boy discovering an (e　　　) life form.	その映画は地球外生物を見つけた少年の話だった。
1912 Are you (e　　　) from paying local taxes this year?	あなたは今年、地方税の支払いを免除されているのですか。
1913 The food is delicious but the price is (e　　　).	その食品はおいしいが価格は法外だ。
1914 Her (e　　　) spending has left her family virtually bankrupt.	彼女の浪費癖が原因で、家族は実質的に破産してしまった。
1915 The letters of Abelard and Heloise were (f　　　) proclamations of love.	アベラールとエロイーズの手紙は熱烈な愛の宣言だった。
1916 His denial of all responsibility was (v　　　) and sincere.	彼の全責任に対する拒絶は、熱烈で真剣なものだった。
1917 Aimlessly (f　　　) activity never leads to greater work efficiency.	目的もなしに慌ただしく動いても、仕事の効率は決して上がらない。
1918 The environmentalists were (f　　　) devoted to their cause.	環境保護主義者は自分たちの大義のために熱狂的に献身した。
1919 The researchers were asked to come up with a (c　　　) energy policy.	研究者は統一のとれたエネルギー政策を考え出すことを求められた。
1920 The high court ruled that the new law was (c　　　).	最高裁判所は新法は合憲であるとの判決を下した。

Unit 96 の復習テスト解答　1901 prophetic　1902 provident　1903 prodigious　1904 profuse　1905 profane　1906 promiscuous　1907 probationary　1908 prolonged　1909 provincial　1910 provisional　1911 extraterrestrial　1912 exempt　1913 exorbitant　1914 extravagant　1915 fervent　1916 vehement　1917 frantic　1918 fanatically　1919 coherent　1920 constitutional

Unit 98 1941〜1960

書いて記憶

単語	1回目	2回目	3回目	意 味
1941 **implacable** [ɪmplǽkəbl]				なだめられない
1942 **impregnable** [ɪmprégnəbl]				難攻不落の
1943 **impersonal** [ɪmpə́ːrsənəl]				よそよそしい, 非人間的な
1944 **impudent** [ímpjʊdənt]				生意気な, ずうずうしい
1945 **stalwart** [stɔ́ːlwərt]				確固とした, ぐらつかない, 頑健な
1946 **staunch** [stɔːntʃ]				筋金入りの, ゆるぎない
1947 **stolid** [stɑ́(ː)ləd]				ぼんやりした
1948 **suave** [swɑːv]				物腰の柔らかな
1949 **incongruous** [ɪnkɑ́(ː)ŋgruəs]				場違いである
1950 **inconsequential** [ɪnkɑ̀(ː)nsɪkwénʃəl]				取るに足らない, 重要でない
1951 **indiscriminate** [ìndɪskrímɪnət]				見境がない
1952 **insidious** [ɪnsídiəs]				陰険な
1953 **insipid** [ɪnsípɪd]				退屈な, 味のない
1954 **insolent** [ínsələnt]				傲慢な
1955 **insubstantial** [ìnsəbstǽnʃəl]				不十分な
1956 **insurmountable** [ìnsərmáʊntəbl]				克服不可能である
1957 **intrepid** [ɪntrépɪd]				大胆不敵な
1958 **indelible** [ɪndéləbl]				消すことのできない
1959 **insolvent** [ɪnsɑ́(ː)lvənt]				破産した, 支払い不能の
1960 **wanton** [wɑ́(ː)ntən]				不当な

Unit 97の復習テスト

わからないときは前Unitで確認しましょう。

例　文	訳
1921 The test was designed to measure a child's (c　　　　) development.	そのテストは子どもの認知発達を判断する目的で作られた。
1922 Many people pointed out how (c　　　　) his arguments were.	多くの人は彼の主張がいかに矛盾しているかを指摘した。
1923 The (c　　　　) new play was banned after three performances.	問題の新しい演劇は、3回公演をした後で上演禁止となった。
1924 As a (c　　　　) gesture, he offered to take his wife to dinner.	和解の意思表示として彼は妻を夕食に連れて行くことを申し出た。
1925 He had no choice but to respond to the (d　　　　) articles.	彼は中傷記事に応える以外に選択の余地がなかった。
1926 The younger scientist took a (d　　　　) attitude to the professor.	若手の科学者は教授に敬意を表する態度で接した。
1927 The cartoonist usually depicts politicians in a (d　　　　), cynical manner.	その漫画家は、たいてい、政治家たちを嘲笑的に皮肉っぽく描く。
1928 (D　　　　) and sullen, she finally realized she needed psychiatric help.	彼女は落胆してふさぎ込んでいたが、ようやく精神医学の助けが必要だと気付いた。
1929 The judge said that no crime was more (d　　　　) than robbing old people.	高齢者から盗みを働く以上に卑劣な犯罪はないと、その裁判官は述べた。
1930 Out of the corner of my eye, I could see his (d　　　　) grin.	私は目の端で彼の悪魔のような笑みを見て取った。
1931 He found the student's questions (d　　　　) and hard to answer.	その生徒の質問は答えるのが難しく当惑させるものだと彼は思った。
1932 The professor's (d　　　　) attitudes towards his students left him isolated.	学生たちに対する尊大な態度がその教授を孤立させた。
1933 Japanese demonstrate widely (d　　　　) levels of English proficiency.	日本人の英語の習熟度は極めてばらつきがある。
1934 I was shocked when my boss said that the temporary workers were (d　　　　).	私は、上司が派遣社員はたいして重要ではないと言った時に衝撃を受けた。
1935 Apart from a few (d　　　　) voices, most people agreed with him.	何人かの異議を唱える声は別にして、ほとんどの人は彼に同意した。
1936 I didn't understand how (d　　　　) she was until I saw her.	会って初めて、彼女がいかに取り乱しているかがわかった。
1937 Jockeys must be of (d　　　　) size for their horses to compete.	騎手は馬が競争するために小柄である必要がある。
1938 The symptoms had been (i　　　　) at first, but later they were clearer.	最初、症状は触知できないものだったが、後にはっきりしてきた。
1939 The chief nurse spoke in an (i　　　　) way to her subordinates.	主任看護師は部下に横柄な態度で話した。
1940 An (i　　　　) layer of rubber kept the contents of the bag dry.	ゴムの不浸透性のおかげで、バッグの中の物は乾いたままだった。

Unit 97の復習テスト解答　1921 cognitive　1922 contradictory　1923 controversial　1924 conciliatory　1925 defamatory
1926 deferential　1927 derisive　1928 Despondent　1929 despicable　1930 diabolic　1931 disconcerting　1932 dismissive　1933 disparate
1934 dispensable　1935 dissenting　1936 distraught　1937 diminutive　1938 impalpable　1939 imperious　1940 impermeable

Unit 99　1961〜1980

書いて記憶

単語	1回目	2回目	3回目	意　味
1961 abhorrent [æbhɔ́ːrənt]				忌まわしい
1962 abominable [əbá(ː)mɪnəbl]				極悪非道な，嫌悪すべき
1963 heinous [héɪnəs]				極悪非道の
1964 incremental [ìŋkrɪméntəl]				増加する
1965 indebted [ɪndétəd]				(〜に)負うところがある 〈to〉
1966 insurgent [ɪnsə́ːrdʒənt]				反乱を起こした
1967 inflamed [ɪnfléɪmd]				扇動されて激化した，炎症を起こした
1968 indignant [ɪndígnənt]				(〜に)憤慨して 〈at〉
1969 incipient [ɪnsípiənt]				初期の
1970 unabashedly [ʌ̀nəbǽʃɪdli]				臆面もなく
1971 untenable [ʌ̀nténəbl]				擁護[弁明]できない
1972 precipitous [prɪsípətəs]				絶壁の，険しい
1973 predatory [prédətɔ̀ːri]				捕食性の，略奪する
1974 presumptuous [prɪzʌ́m(p)tʃuəs]				ずうずうしい
1975 pretentious [prɪténʃəs]				気取った，うぬぼれた
1976 cagey [kéɪdʒi]				(〜について)話したがらない 〈about〉，秘密主義の
1977 cryptic [kríptɪk]				暗号を用いる，秘密の，神秘的な
1978 furtive [fə́ːrtɪv]				人目を盗んでの，こそこそした
1979 adversarial [æ̀dvərséəriəl]				敵対的な
1980 mutinous [mjúːtənəs]				反抗的な

Unit 98の復習テスト

例文	訳
1941 The local people were (i　　　) in their opposition to the plan.	地元の人たちのその計画に対する反対はなだめられない。
1942 The castle's walls were (i　　　) against their primitive weapons.	城の外壁は彼らの原始的な武器に対して難攻不落だった。
1943 He spoke in an (i　　　) way as if the problem did not concern him.	彼は，あたかもその問題とは無関係であるかのようによそよそしいそぶりで話した。
1944 The teacher disliked the (i　　　) way in which the boy answered him.	先生は，その男の子の生意気な返事の仕方が気に入らなかった。
1945 He had been a (s　　　) supporter of the labor union for many years.	彼は長年，労働組合の確固たる支持者だった。
1946 He was a (s　　　) believer in the efficacy of herbal medicines.	彼は漢方薬の効能を固く信じていた。
1947 She was a (s　　　), hardworking girl, who showed little emotion.	彼女は，無表情で勤勉な女の子で，ほとんど感情を表に出さない。
1948 The (s　　　) young man turned out to be an insurance salesman.	物腰の柔らかなその男性は保険のセールスマンであることがわかった。
1949 His remarks at the wedding struck many people as (i　　　).	彼の結婚式での発言は多くの人に場違いであると感じさせた。
1950 A few (i　　　) changes were made to the contract for legal reasons.	取るに足らない数点の変更が法的な理由で規約に成された。
1951 He was completely (i　　　) about who he invited to his parties.	彼は全く見境なくパーティーに招待する人を選んだ。
1952 The speech was seen as an (i　　　) attack on the new policy.	そのスピーチは新しい方針に対する陰険な攻撃のように思われた。
1953 Most critics found his novel (i　　　) and lifeless.	評論家の大半は，彼の小説は退屈で生気がないと感じていた。
1954 In fact, he was fired for an (i　　　) attitude toward the boss.	事実，彼は上司に不遜な態度をとったので解雇された。
1955 After his rather (i　　　) lunch, he soon began to feel hungry again.	量が十分でない昼食をとった後，彼はすぐに再び空腹になり始めた。
1956 They had faced seemingly (i　　　) problems at first.	彼らは最初，一見克服不可能であると思える問題に直面した。
1957 The (i　　　) exploits of Superman exemplify a classic American hero.	スーパーマンの大胆な離れ技は古典的アメリカンヒーローを体現している。
1958 Although the tragedy occurred in childhood, its effects were (i　　　).	その悲劇は子ども時代に起こったが，影響は消すことができなかった。
1959 Just this week, another Japanese bank declared itself (i　　　).	ほんの今週，また別の日本の銀行が自己破産を公表した。
1960 The critic said the action showed a (w　　　) disregard for human rights.	批評家は，その行動は人権の不当な無視を意味すると言った。

Unit 98の復習テスト解答
1941 implacable　1942 impregnable　1943 impersonal　1944 impudent　1945 stalwart　1946 staunch
1947 stolid　1948 suave　1949 incongruous　1950 inconsequential　1951 indiscriminate　1952 insidious　1953 insipid
1954 insolent　1955 insubstantial　1956 insurmountable　1957 intrepid　1958 indelible　1959 insolvent　1960 wanton

Unit 100 1981~2000

書いて記憶

単語	1回目	2回目	3回目	意味
1981 **averse** [əvə́ːrs]				反対して, 気が進まない
1982 **truculent** [trʌ́kjulənt]				攻撃的な
1983 **abrasive** [əbréɪsɪv]				いらいらさせる
1984 **irascible** [ɪrǽsəbl]				短気な
1985 **agrarian** [əgréəriən]				農地の, 農業の
1986 **forensic** [fərénsɪk]				犯罪科学の, 法廷の, 法医学の
1987 **ornithological** [ɔ̀ːrnəθɑ(ː)lɑ́dʒɪkəl]				鳥類学の
1988 **statutory** [stǽtʃutɔ̀ːri]				法定の
1989 **empirically** [ɪmpírɪkəli]				実験結果に基づき
1990 **erudite** [érjudàɪt]				学究的な, 博識の
1991 **esoteric** [èsətérɪk]				難解な, 秘密の, 秘伝の
1992 **perilous** [pérələs]				危険に満ちた
1993 **pernicious** [pərníʃəs]				有害な, 破壊的な
1994 **intriguing** [ɪntríːgɪŋ]				興味をそそる, 陰謀をたくらむ
1995 **intuitive** [ɪntjúːəṭɪv]				直観的な
1996 **incisive** [ɪnsáɪsɪv]				辛辣な, 痛烈な
1997 **pungent** [pʌ́ndʒənt]				(においが)鼻につんとくる, (批評などが)辛辣な
1998 **rampant** [rǽmpənt]				はびこる, 荒々しい
1999 **rapacious** [rəpéɪʃəs]				貪欲な
2000 **haggard** [hǽgərd]				やつれた

Unit 99の復習テスト

わからないときは前Unitで確認しましょう。

例文	訳
1961 The atrocity was condemned as (a　　　) to all civilized people.	その残虐行為はすべての文明人にとって忌まわしいものとして非難された。
1962 The gang was accused of performing (a　　　) acts for money.	その暴力団は金目当ての極悪非道な行為をしたことで告訴された。
1963 The prosecutor called it a (h　　　) crime and demanded the maximum sentence.	検事はその事件を凶悪犯罪と見なし，最高刑を求刑した。
1964 He agreed to make (i　　　) payments on the loan.	彼は段階的に増加するローンの支払いに同意した。
1965 The novelist said that he was (i　　　) to his wife for the idea for his latest book.	その小説家は，最新作の着想は妻に負っていると述べた。
1966 (I　　　) rebels launched another successful raid on government forces.	反乱軍が政府軍にさらなる急襲を仕掛け，成功した。
1967 The man attempted to calm the (i　　　) feelings of the crowd.	男は群衆の激化した感情を抑えようとした。
1968 He was still (i　　　) at the rude way the bureaucrat had spoken to him.	彼はその官僚の彼に対する無礼な口の利き方に，いまだに憤慨していた。
1969 He was still an (i　　　) novelist at the time and had not yet become famous.	当時，彼はまだ駆け出しの小説家で，有名にはなっていなかった。
1970 The new chairman adopted an (u　　　) ruthless policy of job cuts.	新社長は臆面もなく無慈悲な雇用削減政策を打ち出した。
1971 It took the historian many years to admit that his theory was (u　　　).	彼の理論が擁護し難いものだと歴史家に認めさせるには，長い年月を要した。
1972 The white cliffs of Dover are (p　　　) rock formations above the sea.	ドーバーの白い断崖は，海上に突き出た絶壁の岩の層からできている。
1973 Anthropologists still argue over early man's (p　　　) nature.	人類学者は初期人類の捕食性をめぐって今でも議論している。
1974 It was (p　　　) of him to make so many demands of a stranger.	見知らぬ人にそのように多くの要求をするなんて，彼はずうずうしかった。
1975 Critics slammed the experimental new film as being (p　　　) and obscure.	批評家たちは，その実験的な新作映画は気取っていてわかりにくいと酷評した。
1976 His (c　　　) response immediately made the police suspicious of him.	彼が話したがらないので警察は直ちに彼を疑った。
1977 She sent me a (c　　　) message that I had trouble understanding.	彼女が暗号で伝言を送ってきたので，私には解読困難だった。
1978 His (f　　　) glances at his colleagues led me to suspect a conspiracy.	彼が仲間を盗み見したため，私は共謀を疑った。
1979 They successfully transformed their (a　　　) relationships into cooperative ones.	彼らは見事に敵対関係を協力関係に変えた。
1980 He found it difficult to deal with a class of (m　　　) teenagers.	彼は反抗的な10代の生徒のクラスを相手にするのは難しいとわかった。

Unit 99の復習テスト解答 　1961 **abhorrent** 　1962 **abominable** 　1963 **heinous** 　1964 **incremental** 　1965 **indebted** 　1966 **Insurgent** 　1967 **inflamed** 　1968 **indignant** 　1969 **incipient** 　1970 **unabashedly** 　1971 **untenable** 　1972 **precipitous** 　1973 **predatory** 　1974 **presumptuous** 　1975 **pretentious** 　1976 **cagey** 　1977 **cryptic** 　1978 **furtive** 　1979 **adversarial** 　1980 **mutinous**

Unit 101 2001〜2020

書いて記憶

単語	1回目	2回目	3回目	意味
2001 **harrowing** [hǽrouɪŋ]				痛ましい
2002 **glib** [glɪb]				口達者な，口先だけの
2003 **verbose** [vəːrbóus]				回りくどい
2004 **loquacious** [loukwéɪʃəs]				おしゃべりな
2005 **vociferous** [vousífərəs]				声高な
2006 **taciturn** [tǽsɪtə̀ːrn]				口数の少ない
2007 **muffled** [mʌ́fld]				くぐもったような
2008 **boisterous** [bɔ́ɪstərəs]				やかましい，(天候などが) 荒れた
2009 **rhetorically** [rɪtɔ́(ː)rɪkəli]				美辞麗句を並べて
2010 **euphoric** [jufɔ́ːrɪk]				幸福感にあふれた，とてもうれしくなり陶酔する
2011 **expedient** [ɪkspíːdiənt]				好都合な
2012 **felicitous** [fəlísətəs]				適切な，幸運な
2013 **languid** [lǽŋgwɪd]				元気がない，物憂い
2014 **sullen** [sʌ́lən]				不機嫌な，うっとうしい
2015 **jaded** [dʒéɪdɪd]				うんざりした，疲れ果てた
2016 **morose** [məróus]				気難しい，不機嫌な
2017 **fastidious** [fæstídiəs]				好みのうるさい，気難しい，神経質な
2018 **malignant** [məlígnənt]				悪意のある，(病理学的に) 悪性の
2019 **venomous** [vénəməs]				有毒な，悪意のある
2020 **virulent** [vírjulənt]				悪性の，悪意に満ちた

Unit 100の復習テスト

わからないときは前Unitで確認しましょう。

例文	訳
1981 I am not (a) to further discussion, though I might not change my views.	私は自分の考えを変えないかもしれないが，議論を進めることに**反対している**わけではない。
1982 As he spoke, the crowd began to grow increasingly (t).	彼が話すにつれ，群衆はますます**攻撃的な**態度になった。
1983 The philosopher's (a) manner made him unpopular with students.	その哲学者は**癇にさわる**態度をとるので，学生に不人気だった。
1984 Although he was known as (i), his true nature was soft-hearted.	彼は**短気だ**として知られていたが，本質は穏和だった。
1985 After the war, a number of important (a) reforms were carried out.	戦後，多くの重要な**農地**改革が実施された。
1986 (F) investigations have become increasingly sophisticated.	**犯罪科学**捜査はますます最新技術になってきている。
1987 The authorities consulted an (o) expert about the eggs they had found.	当局は彼らが見つけた卵について，**鳥類学の**専門家に助言を求めた。
1988 There were (s) penalties for breaking the regulations.	規則に違反したことに対する**法定**刑があった。
1989 The hypothesis was later verified (e) by experiments.	その仮説は後に**実験結果に基づき**，実証された。
1990 I just came across an impressively (e) study of pragmatism.	私は印象深い**学究的な**プラグマティズム研究にちょうど出くわした。
1991 His book is interesting but full of difficult (e) references.	彼の本は面白いが**難解な**論及でいっぱいだ。
1992 He knew the journey across the winter mountains would be a (p) one.	冬山横断の旅が**危険な**ものになるであろうことは，彼も知っていた。
1993 Certain kinds of (p) viruses thrive even in sanitary conditions.	ある種の**有害な**ウイルスは衛生状態が良くても繁殖する。
1994 He had bought the book because of its (i) cover.	彼は**興味をそそる**表紙に引かれてその本を購入した。
1995 The dog seemed to have an (i) sense that they were going away.	その犬は彼らが去るということを**直観する**力を持っているようだった。
1996 He was famous for his (i) reviews with their sharp observations.	彼は鋭い観察力で**辛辣な**評論を書くことで有名だった。
1997 The moment he entered the house, he noticed a (p) smell of curry.	彼は家に入った瞬間に，カレーの**刺激的な**においを感じた。
1998 Some say that bribery and distortion are (r) in post-communist Russia.	共産主義崩壊後のロシアでは，賄賂や事実の歪曲は**はびこっている**という話もある。
1999 The Roman emperor Caligula's (r) appetites helped destroy Rome.	ローマ皇帝カリグラの**飽くことを知らない**欲望がローマ破滅につながった。
2000 Many people were shocked at the (h) faces of the survivors.	多くの人たちは生存者たちの**やつれた**顔を見てショックを受けた。

Unit 100の復習テスト解答　1981 averse　1982 truculent　1983 abrasive　1984 irascible　1985 agrarian　1986 Forensic　1987 ornithological　1988 statutory　1989 empirically　1990 erudite　1991 esoteric　1992 perilous　1993 pernicious　1994 intriguing　1995 intuitive　1996 incisive　1997 pungent　1998 rampant　1999 rapacious　2000 haggard

Unit 102 2021〜2040

書いて記憶

単語	1回目	2回目	3回目	意　味
2021 **penitent** [pénətənt]				悔い改めた、後悔している
2022 **ascetic** [əsétɪk]				禁欲的な、苦行の
2023 **juvenile** [dʒúːvənàɪl]				青少年の
2024 **adjunct** [ǽdʒʌŋkt]				非常勤の、補助の
2025 **analogous** [ənǽləgəs]				(〜に)似ている〈to〉
2026 **askew** [əskjúː]				不満そうに、斜めに、傾いて
2027 **ablaze** [əbléɪz]				輝いて
2028 **agape** [əɡéɪp]				口をぽかんと開けて
2029 **agnostic** [æɡnɑ́(ː)stɪk]				懐疑的な、不可知論者の
2030 **ambient** [ǽmbiənt]				周囲の
2031 **anemic** [əníːmɪk]				貧血(症)の、元気のない
2032 **attuned** [ətjúːnd]				合った
2033 **burnished** [bə́ːrnɪʃt]				磨き上げられた
2034 **bungling** [bʌ́ŋɡlɪŋ]				手際の悪い
2035 **cavernous** [kǽvərnəs]				洞窟のような
2036 **inveterate** [ɪnvétərət]				常習的な
2037 **cumulative** [kjúːmjulət̬ɪv]				累積する
2038 **fiendish** [fíːndɪʃ]				悪魔のような、不快な
2039 **fortuitously** [fɔːrtjúːətəsli]				偶然に
2040 **grudgingly** [ɡrʌ́dʒɪŋli]				しぶしぶ

Unit 101の復習テスト

わからないときは前Unitで確認しましょう。

例文	訳
2001 She told her (h　　　) story to the press after her narrow escape.	彼女は命拾いをした後、報道関係者に対して痛ましい話をした。
2002 Critics condemned the book as (g　　　) and insubstantial.	批評家たちは、その本を言葉巧みなだけで中身がないとしてこき下ろした。
2003 I quickly tire of James Fenimore Cooper's (v　　　) style.	私はジェームズ・フェニモア・クーパーのくどい文体にはすぐ飽きる。
2004 Many traditional cultures claim that girls are more (l　　　) than boys.	多くの伝統的な文化は、女の子は男の子よりもおしゃべりだとしている。
2005 When the teacher announced a test, there were (v　　　) protests from the class.	先生がテストの発表をした時、生徒の中から声高な抗議が上がった。
2006 That child has always been (t　　　) but very perceptive of others.	その子どもはいつも口数が少なかったが、他人に対する洞察は鋭かった。
2007 I could hear (m　　　) voices next door, but couldn't make out any words.	隣家からくぐもったような声が聞こえたが、何の言葉も聞き取れなかった。
2008 When the children became too (b　　　), he took them outside so that they could run about.	子どもたちがやかましくなり過ぎたので、彼は子どもたちを外に連れ出して、走り回れるようにした。
2009 The actor spoke (r　　　) of the talents of his deceased colleague.	その俳優は他界した仲間の才能について美辞麗句を連ねて話した。
2010 The townspeople became (e　　　) when the local team won.	町民は地元チームが勝利を収めたとき、幸福感でいっぱいになった。
2011 His solution to the problem is the most (e　　　) option.	彼のその問題に対する解決法が最も好都合な選択だ。
2012 It took most of the night to reach a (f　　　) solution to our dilemma.	我々のジレンマの適切な解決法に到達するまで、ほぼ一晩かかった。
2013 The boy seemed so (l　　　) we wondered if he was healthy.	その少年があまりに元気がなかったので、私たちは彼の健康をいぶかった。
2014 The little girl stood with a (s　　　) expression on her face.	その少女は不機嫌な表情を顔に浮かべて立っていた。
2015 He felt (j　　　) with a life of endless parties and expensive holidays.	彼は延々と続くパーティーと金のかかる休暇の暮らしにうんざりした。
2016 His superior was a (m　　　), pessimistic person with a bad temper.	彼の上司は気難しく悲観的で不機嫌な人だった。
2017 Joe's (f　　　) attention to detail is often a waste of time.	ジョーは細かな点にこだわるが、時間の浪費であることが多い。
2018 She had a (m　　　) effect on the morale of the entire group.	彼女はグループ全体の士気に好ましくない影響を与えた。
2019 India has many (v　　　) species of snakes, such as cobras.	インドには毒を持つ種類の、コブラのようなヘビがたくさんいる。
2020 A (v　　　) disease began to rage through the refugee camp.	悪性の病気が難民キャンプで猛威を振るい始めた。

Unit 101の復習テスト解答　2001 harrowing　2002 glib　2003 verbose　2004 loquacious　2005 vociferous　2006 taciturn
2007 muffled　2008 boisterous　2009 rhetorically　2010 euphoric　2011 expedient　2012 felicitous　2013 languid　2014 sullen
2015 jaded　2016 morose　2017 fastidious　2018 malignant　2019 venomous　2020 virulent

Unit 103 (2041～2060)

書いて記憶

単語	1回目	2回目	3回目	意　味
2041 **ignominious** [ìgnəmíniəs]				不名誉な，屈辱的な
2042 **irrevocable** [ɪrévəkəbl]				取り消せない
2043 **illiberal** [ɪlíbərəl]				反自由主義の，狭量な
2044 **subversive** [səbvə́ːrsɪv]				破壊的な
2045 **iridescent** [ìrɪdésənt]				玉虫色の，きらきら光る
2046 **kindred** [kíndrəd]				同種の，関連のある
2047 **superficial** [sùːpərfíʃəl]				表面的な
2048 **malleable** [mǽliəbl]				素直な，融通の利く，可鍛性の
2049 **microscopically** [màɪkrəskɑ́(ː)pɪkəli]				極めて詳細に
2050 **murky** [mə́ːrki]				うさん臭い，暗い
2051 **nimble** [nímbl]				(動作・頭の)回転の速い
2052 **onerous** [óʊnərəs]				厄介な，煩わしい，骨の折れる
2053 **pallid** [pǽlɪd]				(顔・肌などが)青白い，つまらない
2054 **phenomenal** [fəná(ː)mɪnəl]				驚異的な，自然現象に関する
2055 **reprehensible** [rèprɪhénsəbl]				非難されるべき
2056 **sectarian** [sektéəriən]				派閥の，分派の
2057 **seditious** [sɪdíʃəs]				扇動を行う
2058 **upscale** [ʌ̀pskéɪl]				高級な
2059 **void** [vɔɪd]				(～の)ない〈of〉
2060 **volatile** [vá(ː)lətəl]				揮発性の，気まぐれな，変動しやすい

Unit 102の復習テスト

例文	訳
2021 (P　　　) pilgrims flock to that famous shrine every year.	毎年，悔い改めた巡礼者がその有名な神殿に集まる。
2022 The founders of most major religions tended to lead (a　　　) lifestyles.	ほとんどの主要宗教の創始者たちは禁欲的な生活を送る傾向があった。
2023 (J　　　) delinquency is a social problem that seems to be getting worse.	青少年の非行は社会問題となっていて，悪化しつつあるように思われる。
2024 He found a job as an (a　　　) professor but he wanted to become a permanent staff member.	彼は非常勤教授の職を見つけたが，終身職員になりたかった。
2025 Fables are often (a　　　) to moral dilemmas in real life.	寓話は，実生活の道徳的ジレンマに類似することが多い。
2026 Despite their careful planning, the concert went (a　　　) from the beginning.	慎重に計画したにもかかわらず，コンサートは最初から不満な出来だった。
2027 The whole street was (a　　　) with bright Christmas decorations.	通り全体が明るい色のクリスマスの飾りで輝いていた。
2028 He watched her leave, his mouth (a　　　) with astonishment.	彼は驚いて口をぽかんと開けて，彼女が去るのを見ていた。
2029 The scientist said that he remained (a　　　) about the new theory.	その科学者は，新理論に対して依然として懐疑的であると言った。
2030 The hospital's (a　　　) colors were designed to soothe the patients.	病院の周囲の色は患者を落ち着かせるためにデザインされた。
2031 After her illness, she seemed to be recovering but was still (a　　　).	病気の後，彼女は回復しているように見えたが，まだ貧血気味だった。
2032 The company wanted a designer (a　　　) to the tastes of young people.	その会社は若者の好みに合ったデザイナーを求めていた。
2033 The (b　　　) metal statue shone brightly in the sunlight.	磨き上げられた金属像は太陽光線を浴びて光っていた。
2034 His (b　　　) attempts to fix the car had only made the problem worse.	彼の手際の悪い車を修理するやり方は，問題をさらに悪化させただけだった。
2035 When they spoke, their voices echoed across the (c　　　) hall.	彼らが話した時，彼らの話し声は洞窟のような講堂に響き渡った。
2036 Few believed his story because he was known to be an (i　　　) liar.	彼は常習的な嘘つきとして知られているので，彼の話を信じる人はほとんどいなかった。
2037 The (c　　　) effect of the rainfall had been to weaken the soil.	降雨の蓄積作用で，土壌が弱くなってしまった。
2038 Many people were horrified by the use of such (f　　　) weapons.	多くの人たちはそんな悪魔のような武器の使用に震えあがった。
2039 He was beginning to feel lost when (f　　　) he spotted a friend.	彼は偶然に友達を見つけた時，戸惑いを覚え始めていた。
2040 His opponent (g　　　) conceded defeat in the chess match.	チェスの試合で彼の対戦者はしぶしぶ敗北を認めた。

Unit 102の復習テスト解答　2021 Penitent　2022 ascetic　2023 Juvenile　2024 adjunct　2025 analogous　2026 askew
2027 ablaze　2028 agape　2029 agnostic　2030 ambient　2031 anemic　2032 attuned　2033 burnished　2034 bungling
2035 cavernous　2036 inveterate　2037 cumulative　2038 fiendish　2039 fortuitously　2040 grudgingly

でる度 C

2041〜2060

Unit 104 (2061〜2080)

書いて記憶

単語	1回目	2回目	3回目	意味
2061 **bent** [bent]				不正な，曲がった
2062 **berserk** [bərsə́ːrk]				狂暴な
2063 **cerebral** [sérəbrəl]				理性的な，(大)脳の
2064 **contingent** [kəntíndʒənt]				(〜に)依存する〈on〉，不測の
2065 **culpable** [kʌ́lpəbl]				有罪の，非難に値する
2066 **demure** [dɪmjúər]				内気な，おとなしい，上品ぶった
2067 **droll** [droʊl]				ひょうきんな
2068 **frigid** [frídʒɪd]				酷寒の，冷淡な
2069 **gaunt** [gɔːnt]				やせ衰えた
2070 **gluttonous** [glʌ́tənəs]				食いしん坊の
2071 **moot** [muːt]				意味を持たない，議論の余地のある
2072 **munificent** [mjuːnífɪsənt]				気前のよい
2073 **narrowly** [nǽroʊli]				かろうじて
2074 **notoriously** [noʊtɔ́ːriəsli]				札付きの，悪名高く
2075 **oblique** [əblíːk]				遠回しの，間接的な，傾いた
2076 **obtrusive** [əbtrúːsɪv]				ひどく目立つ，押しつけがましい
2077 **odious** [óʊdiəs]				嫌な
2078 **ominous** [ɑ́(ː)mɪnəs]				不穏な，不吉な，気味の悪い
2079 **opulent** [ɑ́(ː)pjʊlənt]				ぜいたくな，裕福な，豊富な
2080 **famished** [fǽmɪʃt]				飢えている

Unit 103の復習テスト　わからないときは前Unitで確認しましょう。

例文	訳
2041　His resignation was an (i　　　) end to a once promising career.	かつては前途有望なキャリアを期待されていたのに，彼の辞職は**不名誉な**結末だった。
2042　The court declared that its ruling was (i　　　).	判決は**確定である**と，法廷は宣言した。
2043　The newspaper was known for its (i　　　) views on immigration.	その新聞は外国からの移住に対して**反自由主義の**見解を示すことで知られていた。
2044　So-called (s　　　) elements in society are still being purged.	いわゆる社会の**破壊**分子は今でも追放されたままである。
2045　He wore an (i　　　) suit made of some synthetic fabric.	彼は合成繊維でできた**玉虫色の**スーツを着ていた。
2046　As the two schools had (k　　　) problems, they decided to cooperate.	2校は**同じような**問題を抱えていたので協力し合うことにした。
2047　The newspaper's report was criticized as (s　　　) and misleading.	その新聞の報道は，**表面的で**誤解を招くものであるとして非難された。
2048　She had the chance to shape the children's (m　　　) minds.	彼女は子どもたちの**素直な**気質を形成する機会に恵まれた。
2049　The committee examined the research proposal (m　　　) before approving it.	委員会は承認する前に調査企画書を**極めて詳細に**検討した。
2050　The businessman was said to have a (m　　　) past in the construction business.	その実業家は建設業で**うさん臭い**過去があったと言われていた。
2051　He was a (n　　　) debater and it was hard to catch him in a contradiction.	彼は頭の**回転が速い**論客だったので，彼の矛盾点をつくのは難しかった。
2052　He found dealing with students' parents an especially (o　　　) duty.	彼は生徒たちの両親に応対することは特に**骨の折れる**仕事だということがわかった。
2053　After months of severe dieting, her face looks drawn and (p　　　).	厳しいダイエットを数か月した結果，彼女の顔はげっそりとして**青白く**見える。
2054　The little boy seemed to have a (p　　　) knowledge of the city.	少年は都市について**驚異的な**知識を持っているようだった。
2055　The judge said that such a (r　　　) crime deserved a severe punishment.	裁判官はこのような**非難されるべき**犯罪は厳しい刑に値すると言った。
2056　The revolutionary group was beset by a series of (s　　　) conflicts.	その革命グループは一連の**派閥**闘争に悩まされた。
2057　He was found to be in possession of a number of (s　　　) pamphlets.	彼は多くの**扇動的な**ビラを所有しているところを見つかった。
2058　On their wedding anniversary, he took his wife to an (u　　　) restaurant.	結婚記念日に彼は妻を**高級**レストランに連れて行った。
2059　The area was (v　　　) of houses for as far as he could see.	彼が見渡す限り，その地域に家は**なかった**。
2060　The liquid in the tank is so (v　　　) that it is necessary to seal it carefully.	タンクの中の液体は**揮発性が高い**ので，注意深く密封する必要がある。

Unit 103の復習テスト解答　2041 ignominious　2042 irrevocable　2043 illiberal　2044 subversive　2045 iridescent　2046 kindred　2047 superficial　2048 malleable　2049 microscopically　2050 murky　2051 nimble　2052 onerous　2053 pallid　2054 phenomenal　2055 reprehensible　2056 sectarian　2057 seditious　2058 upscale　2059 void　2060 volatile

Unit 105 2081〜2100

書いて記憶

単語	1回目	2回目	3回目	意味
2081 **recurrent** [rɪkə́:rənt]				再発性の
2082 **replete** [rɪplí:t]				(〜が)豊富な〈with〉, いっぱいで
2083 **senile** [sí:naɪl]				老齢による, 老人の
2084 **sheer** [ʃɪər]				全くの, 切り立った
2085 **sleek** [sli:k]				滑らかでつやつやした, 人あたりが良い
2086 **snide** [snaɪd]				皮肉な
2087 **sturdily** [stə́:rdili]				しっかりと
2088 **sumptuous** [sʌ́mptʃuəs]				豪華な, 金をかけた
2089 **taut** [tɔ:t]				張り詰めた, 整然とした
2090 **tenuous** [ténjuəs]				希薄な, 内容の乏しい
2091 **terse** [tə:rs]				簡潔な
2092 **translucent** [trænslú:sənt]				半透明の
2093 **upstage** [ʌ́psteɪdʒ]				舞台後方の
2094 **vigilant** [vídʒələnt]				慎重な, 油断のない
2095 **critical** [krítɪkəl]				(〜に)批判的な〈of〉, 重大な
2096 **obtuse** [əbtjú:s]				鈍い, 鈍角の
2097 **flawless** [flɔ́:ləs]				非の打ち所がない
2098 **intact** [ɪntǽkt]				損なわれていない, 元のままの
2099 **voluptuous** [vəlʌ́ptʃuəs]				肉感的な
2100 **identical** [aɪdéntɪkəl]				一卵性の, 同一の

Unit 104の復習テスト　わからないときは前Unitで確認しましょう。

例文	訳
2061 He found a (b　　　) official and bribed him to give him a passport.	彼は不正な役人を見つけて，パスポートを発行してくれるようにと賄賂を贈った。
2062 The man lost his temper and went (b　　　), attacking anyone in sight.	その男性は激怒して荒れ狂い，目に入る人を手当たり次第に攻撃した。
2063 His approach to people is more (c　　　) than sympathetic.	彼の人々に接する態度は，感情に訴えるというより理性に訴えるものである。
2064 My participation was (c　　　) on your meeting specified conditions.	私の参加は，あなたが特定条件を満たしているかにかかっていた。
2065 After a long trial, the jury determined that the defendant was (c　　　).	長い審理の後，被告は有罪であると陪審団は裁決した。
2066 It was hard to believe that the (d　　　) young woman before them was on trial for murder.	彼らの前にいる若くて内気な女性が，殺人容疑で公判中だとは信じ難かった。
2067 His (d　　　) sense of humor made him popular with everyone.	ひょうきんなユーモアで彼は皆に人気だった。
2068 The winters in the northern American states are extremely (f　　　).	アメリカ北部の州の冬はひどく酷寒である。
2069 I was concerned at his (g　　　) appearance after hearing of his long illness.	私は，長い間病気していたと聞いた後の彼のやせ衰えた姿を見て心配だった。
2070 They spent a (g　　　) week in Paris sampling local restaurants.	彼らはパリの地元のレストランで味見をしながら，食いしん坊な1週間を過ごした。
2071 He said it was a (m　　　) point whether he would actually attend the conference.	彼は，実際に会議に出席するか否かは意味のない問題だと言った。
2072 We were astonished by the (m　　　) gifts he had given us.	私たちは彼がくれた気前のよい贈り物にびっくりした。
2073 The driver (n　　　) avoided running into the deer on the road.	運転手は道路上のシカに衝突するのをかろうじて避けた。
2074 The previous chairman was a (n　　　) arrogant person.	前会長は札付きの傲慢な人だった。
2075 His comments on the painting were taken as an (o　　　) criticism of its owner.	その絵画に対する彼の評論は，絵の所有者への遠回しの非難だと受け取られた。
2076 An (o　　　) poster warned students not to smoke on campus.	ひどく目立つポスターが，学生に構内でタバコを吸わないようにと警告していた。
2077 The task was (o　　　) but necessary.	その仕事は嫌なものだったが必要だった。
2078 Recent economic signs in Southeast Asia have been becoming more and more (o　　　).	東南アジアの最近の経済状況はますます不穏になってきた。
2079 She was surprised when she saw his (o　　　) home with its expensive furnishings.	高価な備え付け家具のそろった彼のぜいたくな家を見て，彼女は驚嘆した。
2080 After the rugby match, both teams felt thirsty and (f　　　).	ラグビーの試合の後で，両チームはのどが渇いて腹がペコペコだと感じた。

Unit 104の復習テスト解答　2061 bent　2062 berserk　2063 cerebral　2064 contingent　2065 culpable　2066 demure　2067 droll　2068 frigid　2069 gaunt　2070 gluttonous　2071 moot　2072 munificent　2073 narrowly　2074 notoriously　2075 oblique　2076 obtrusive　2077 odious　2078 ominous　2079 opulent　2080 famished

Unit 105の復習テスト

わからないときは前Unitで確認しましょう。

例文	訳
2081 For the rest of his life, he suffered from (r　　　) bouts of malaria.	彼は死ぬまで再発性のマラリアの発作に苦しんだ。
2082 The American state of Indiana is (r　　　) with a variety of wild flowers.	アメリカのインディアナ州は，いろいろな野生の花が豊富だ。
2083 His family realized that he was becoming (s　　　) when he forgot his own address.	彼が自分の住所を思い出せなくなった時，家族は彼が老いつつあるのだと気付いた。
2084 I read his novel but thought it was (s　　　) nonsense.	彼の小説を読んだが，全くのナンセンスだと思った。
2085 He brushed the cat's fur until it looked (s　　　) and tidy.	彼はネコの毛をつやつやしてこぎれいになるまでブラッシングした。
2086 When the man promoted his own son, there were many (s　　　) comments.	男性が自分の息子を昇進させた時，多くの皮肉な意見が上がった。
2087 The little boy answered the teacher's questions (s　　　).	少年は先生の質問にしっかりと答えた。
2088 We sat down to a (s　　　) dinner with our guests.	私たちは客と一緒に，豪華な食卓に着いた。
2089 A (t　　　) rope above the river allowed us to cross without getting wet.	川の上にぴんと張ったロープのおかげで私たちはぬれずに渡ることができた。
2090 The student's essay indicated that he had only a (t　　　) understanding of the topic.	その学生の小論文は，彼がそのテーマに対して薄っぺらな理解しかしていないことを示していた。
2091 Proverbs are typically (t　　　) but wise expressions of traditional values.	諺は普通，伝統的な価値観の簡潔だが賢明な表現である。
2092 The box was made of a (t　　　) green plastic material.	その箱は半透明の緑色のプラスチック素材でできていた。
2093 He moved into an (u　　　) position in order to deliver his speech.	彼はスピーチを行うために舞台後方の位置へ移動した。
2094 The politician was known as a (v　　　) defender of human rights.	その政治家は人権の慎重な擁護者として知られていた。
2095 Although he supported the proposal in public, he was known to be (c　　　) of it privately.	彼は表向きはその提案を支持したが，個人的にはその提案に批判的であると知られていた。
2096 I couldn't believe how (o　　　) such an educated man could be.	それほど教育のある人がそんなに鈍感になるなんて信じられなかった。
2097 One critic said that the film was a (f　　　) work of art, perfect in every way.	その映画は芸術作品として非の打ち所がなく，あらゆる点で完璧だと，ある評論家は語った。
2098 No matter how difficult things got, he kept his integrity (i　　　).	事態がどんなに厳しくなろうとも，彼は自分の誠実さを損なわずに保った。
2099 Marilyn Monroe became an icon of (v　　　) American beauty.	マリリン・モンローはアメリカの肉感的な美女の象徴となった。
2100 (I　　　) twins are siblings that originate from a single fertilized egg.	一卵性双生児は単一の受精卵から生まれる兄弟である。

Unit 105の復習テスト解答　2081 recurrent　2082 replete　2083 senile　2084 sheer　2085 sleek　2086 snide　2087 sturdily　2088 sumptuous　2089 taut　2090 tenuous　2091 terse　2092 translucent　2093 upstage　2094 vigilant　2095 critical　2096 obtuse　2097 flawless　2098 intact　2099 voluptuous　2100 Identical

熟語編

熟語 300

Unit 106
〜
Unit 120

Q 単語集のほかに「英英辞典」や「シソーラス（類語辞典）」を使った単語学習法を教えてください。

A 多くの学習者は，わからない単語が出てきたときには英和辞典を利用していることと思います。英語学習を始めたときからの習慣で，それ自体は悪いことではありません。ただ英検1級を目指して勉強する過程で，英英辞典やシソーラスを活用することは大変有効です。突然英和辞典を英英辞典に持ちかえることは難しいと思いますが，以下のような機会に学習の一部に取り入れていくとよいでしょう。

まずは，『でる順パス単』の中で似た意味の単語が並んでいるときです。日本語訳も似ていて，その違いがよくわからないときに，英英辞典やシソーラスを引くことで理解を深めることができます。私自身の経験から，形容詞のニュアンスを知るときには特に効果的だと感じています。

もう1つは多読時です。英字新聞や小説を読むときには，知らない単語が出てきてもその都度辞書を引くことはないと思います。細部にこだわるよりも，ある程度スピードを上げて日本語に訳さずに読むことが理想的です。けれども文脈を理解する上で不可欠な単語や「この単語前に覚えたけど…」と思ったときには英英辞典で確認し，日本語を介さず読み進めてみましょう。

最後に，英英辞典やシソーラスを使用することの利点として，英検の読解やリスニングでよく見かける言い換え表現が増えることがあげられます。さらには辞書を引きながらも英語表現のインプットができるわけですから，英作文などで利用可能な表現を増やすこともできます。効率的な学習法の1つとして，今後ぜひ取り入れてみましょう。

単語学習の不安を先生に相談してみよう！

Unit 106 2101～2120

書いて記憶

熟語	1回目	2回目	意味
2101 abide by			（規則など）に従う
2102 act up			（興奮して）暴れる，（機械などが）異常に作動する
2103 add up to			結局～になる，～につながる
2104 adhere to			～に従う，～に固執する
2105 atone for			～を償う
2106 attribute A to B			AはBに起因すると考える
2107 bail out			（企業など）を救済する，～を保釈する
2108 bank on			～を当てにする
2109 barge into			～にどかどか入り込む，（会話など）に割り込む
2110 bawl out			～を厳しく叱りとばす
2111 be bogged down in			～に行き詰まる
2112 be cut out for			～に向いている
2113 be geared up for			～の準備をする
2114 be keyed up			興奮している，緊張している
2115 bear down on			～に真剣に対処する
2116 bear out			（仮説など）を証明する
2117 bear the brunt of			～の矢面に立つ
2118 beat up			～をさんざん殴る
2119 beef about			～のことで文句を言う
2120 beef up			～を強化する

Unit 107 2121〜2140

書いて記憶　学習日　月　日

熟語	1回目	2回目	意味
2121 belt out			〜を大声で歌う
2122 black out			（発表など）を抑える，一時的に意識を失う
2123 blare out			鳴り響く
2124 blot out			〜を消し去る
2125 blow over			（嵐・困難などが）過ぎ去る，（うわさが）忘れ去られる
2126 boil down to			〜に帰着する
2127 botch up			〜をしくじる
2128 bow out			辞任する
2129 box up			〜を箱詰めする
2130 branch out into			〜に事業を拡張する
2131 break away from			〜から脱却する
2132 breeze into			〜にすっと入ってくる
2133 brim over with			〜でみなぎる
2134 browse through			（本）を拾い読みする
2135 bubble over with			〜で満ちあふれる
2136 buckle down to			〜に本腰を入れる
2137 bundle up			〜を暖かく包み込む
2138 bury *oneself* in			〜に没頭する
2139 butt in			口を挟む
2140 butter up			〜にごまをする

Unit 106の復習テスト　わからないときは前Unitで確認しましょう。

例文	訳
2101 The boy was warned that if he did not (a　　　) (　　　) the school rules, he would be expelled.	校則に従わないならば退学になると，その男の子は警告を受けた。
2102 At the banquet table, two drunken businessmen were (a　　　) (　　　).	宴会では2人の酔っ払ったビジネスマンが暴れていた。
2103 Bill's skill at the piano and Joanna's beautiful voice (a　　　) (　　　) (　　　) a winning combination.	ビルのピアノの技量とジョアンナの美声は，必勝のコンビになった。
2104 I must ask you to (a　　　) (　　　) the terms of our agreement and not reveal any information to outsiders.	我々の合意の条件に従っていただき，情報は一切外部に漏らさないよう，お願いしたい。
2105 The released prisoner said he had (a　　　) (　　　) his crimes.	釈放された囚人は罪を償ったと言った。
2106 The writer (a　　　) his success (　　　) luck and good teachers.	その作家は自身の成功を運と良い先生たちのおかげだと考えた。
2107 The central bank was criticized for (b　　　) (　　　) companies that had made risky loans.	リスクの高い融資を受けてきた企業を救済したことで，中央銀行は非難を浴びた。
2108 The president always (b　　　) (　　　) the hard working nature of his employees.	社長は常に従業員たちのよく働く性格を当てにしている。
2109 Suddenly, a man (b　　　) (　　　) the room and began shouting.	突然，男性が部屋にどかどか入り込み，叫び始めた。
2110 His teacher (b　　　) him (　　　) for missing the math test.	先生は彼が数学のテストを受けなかったので彼を大声で非難した。
2111 Sorry I couldn't call you last week; I (w　　　) (　　　) (　　　) (　　　) work.	先週，電話をかけられなくてごめんなさい。仕事に行き詰まっていたんです。
2112 I quit being a builder because I (w　　　) (　　　) (　　　) (　　　) the physical labor.	私は肉体労働に向いていなかったので建築作業員の仕事を辞めた。
2113 Because the students (w　　　) all (　　　) (　　　) (　　　) the test, they were quite upset when it was suddenly postponed for a week.	学生たちはすっかり試験の準備をしていたので，試験が急に1週間延期になった時，非常に動揺した。
2114 He (w　　　) so (　　　) (　　　) about the forthcoming race that he could not settle down and relax at all.	彼はあまりにも次のレースのことで興奮していたので，全く落ち着いてリラックスできなかった。
2115 The minister promised that he would (b　　　) (　　　) (　　　) waste and inefficiency.	大臣は無駄と非効率に真剣に対処することを約束した。
2116 The recently discovered manuscript (b　　　) (　　　) the theory that Shakespeare spent part of his youth in France.	最近発見された原稿は，シェイクスピアは青年時代の一部をフランスで過ごしたという説を証明している。
2117 The soldiers at the front (b　　　) (　　　) (　　　) (　　　) the attack.	前線の兵士は攻撃の矢面に立った。
2118 The drug dealer was (b　　　) (　　　) by members of a rival gang.	麻薬密売人は対立する暴力団員にさんざん殴られた。
2119 Jim often (b　　　) (　　　) his salary.	ジムはよく給料のことで文句を言う。
2120 The company headhunted a number of specialists in order to (b　　　) (　　　) its IT department.	その企業はIT部門を強化するために，大勢の専門家たちをヘッドハンティングした。

→ 2121〜2140

Unit 106の復習テスト解答　2101 abide by　2102 acting up　2103 added up to　2104 adhere to　2105 atoned for　2106 attributed, to　2107 bailing out　2108 banks on　2109 barged into　2110 bawled, out　2111 was bogged down in　2112 wasn't cut out for　2113 were, geared up for　2114 was, keyed up　2115 bear down on　2116 bears out　2117 bore the brunt of　2118 beaten up　2119 beefs about　2120 beef up

Unit 108　2141〜2160

書いて記憶

熟語	1回目	2回目	意味
2141 buy off			〜を買収する
2142 cart A off to B			AをBへ連れ去る
2143 carve up			〜を分割する
2144 cash in on			〜に乗じる
2145 cast *one's* mind back to			(昔)のことを思い起こす
2146 cave in to			〜に屈する
2147 chalk up			〜の記録を達成する
2148 change over			交代する
2149 chase up			〜を探し出す
2150 choke back			〜をこらえる
2151 clam up			黙り込む
2152 claw back			〜を徐々に取り戻す
2153 come in for			(非難など)を受ける
2154 cook up			〜をでっち上げる
2155 cop out of			〜を回避する
2156 cordon off			〜を封鎖する
2157 crack down on			〜を厳しく取り締まる
2158 crack up			精神的に参る, 笑いこける
2159 crank out			〜を機械的に量産する
2160 creep into			〜にそっと忍び込む

Unit 107の復習テスト　わからないときは前Unitで確認しましょう。

例　文	訳
2121 At the end of the ceremony, the students (b　　) (　　　) the school song.	式典の最後に生徒たちは校歌を大声で歌った。
2122 The government attempted to (b　　) (　　　) any reference to the dissident.	政府は反対派のいかなる発言も公表を抑えようとした。
2123 Music (b　　) (　　　) from the teenager's room day and night.	音楽がそのティーンエイジャーの部屋から四六時中、鳴り響いた。
2124 The woman did her best to (b　　) (　　　) all memory of the incident.	女性はその出来事のすべての記憶を消し去るために最善を尽くした。
2125 I'm waiting for Europe's debt crisis to (b　　) (　　　) before I invest.	私は投資する前にヨーロッパの債権危機が過ぎ去るのを待っている。
2126 The dispute between the two countries (b　　) (　　) (　　) the question of which was the rightful owner of the island.	2国間の紛争は、その島の正当な所有国はどちらかという問題に帰着した。
2127 The police (b　　) (　　　) the inquiry and the criminal was never brought to justice.	警察が捜査をしくじったため、犯罪者は裁判にかけられることはなかった。
2128 The retiring chairman said he intended to (b　　) (　　　) gracefully.	退任の近い会長は潔く辞任するつもりだと言った。
2129 Her parents (b　　) (　　　) her belongings and sent them to her.	両親は彼女の持ち物を箱詰めし、彼女に送った。
2130 As it grew, the company began to (b　　) (　　) (　　) new areas of business.	会社は成長するにつれて、さまざまなビジネスの新しい分野に手を広げ始めた。
2131 The company said it wanted to (b　　) (　　) (　　) its conservative image.	会社は保守的なイメージから脱却することを望んでいると言った。
2132 The boy (b　　) (　　　) the classroom twenty minutes late.	その少年は20分遅刻して、教室にさっと入ってきた。
2133 Her husband was (b　　) (　　) (　　) resentment at her.	彼女の夫は彼女に対する怒りでみなぎっていた。
2134 The students (b　　) (　　　) newspapers and magazines to find topics for their speeches.	学生たちはスピーチの題材を探すために新聞や雑誌を拾い読みした。
2135 At the wedding, the bride (b　　) (　　) (　　) happiness.	結婚式では、花嫁は幸福感に満ちあふれていた。
2136 After he entered university, it took him a while to (b　　) (　　) (　　) his studies, but as soon as he did he began to get excellent grades.	大学入学後、勉強に本腰を入れるのにしばらく時間がかかったものの、本腰が入るやいなや、彼は素晴らしい成績を取り始めた。
2137 She (b　　) (　　　) the baby in a blanket before taking him out.	彼女は外に連れ出す前に毛布で赤ん坊を暖かくくるんだ。
2138 The boy (b　　) (　　) (　　) preparing for his final examinations.	その少年は期末試験の準備に没頭した。
2139 As she explained the situation, her husband kept (b　　) (　　) (　　) and correcting her remarks.	彼女が状況について説明していると、夫が口を挟んで、彼女の発言を訂正し続けた。
2140 I hate being (b　　) (　　　) by students who think that compliments will win them a good grade.	お世辞を言えば良い成績が取れると思っている学生にごまをすられるのが、私は気に食わない。

熟語編

↓
2141
〜
2160

Unit 107の復習テスト解答　2121 belted out　2122 black out　2123 blared out　2124 blot out　2125 blow over　2126 boiled down to　2127 botched up　2128 bow out　2129 boxed up　2130 branch out into　2131 break away from　2132 breezed into　2133 brimming over with　2134 browsed through　2135 bubbled over with　2136 buckle down to　2137 bundled up　2138 buried himself in　2139 butting in　2140 buttered up

Unit 109 (2161〜2180)

書いて記憶

熟語	1回目	2回目	意 味
2161 crop up			（問題などが）急に持ち上がる
2162 crouch down			しゃがむ
2163 dabble in			〜に手を出す
2164 dash off			〜を一気に仕上げる
2165 deal out			〜を分配する
2166 delegate A to B			AをBに委ねる
2167 descend on			〜に押しかける，〜を襲撃する
2168 dispense with			〜なしで済ませる
2169 distract A from B			AをBから気を散らす
2170 dote on			〜を溺愛する
2171 drag off			〜を無理に連れていく
2172 drag on			（会議などが）だらだら長引く
2173 draw in			〜を勧誘する
2174 drift off to sleep			うとうと眠る
2175 drum up			（支持・取引など）を懸命に得ようとする
2176 dwell on			〜を力説する，〜を長々と話す
2177 ease off			（雨などが）小降りになる，和らぐ，緩む
2178 ease out			〜を辞任に追い込む
2179 egg 〜 on			（人）にけしかける
2180 eke out			（生計）を何とかして立てる，〜の不足分を補う

Unit 108の復習テスト

例文	訳
2141 The crooked businessman tried to (b)( ) the local police but he was arrested for bribery instead.	悪徳業者は地元警察を買収しようとしたが，反対に贈賄で逮捕された。
2142 Eventually, the police (c) the men ( )( ) the station for questioning.	結局，警察は尋問するために男たちを署へ連行した。
2143 The victorious nations (c)( ) the territory into colonies.	戦勝国は領土を分割して植民地にした。
2144 In an attempt to (c)( )( ) the fashion for things Chinese, the TV channel decided to dramatize a classic Chinese novel.	中国ブームに乗じようとして，そのテレビ局は中国の古典小説のドラマ化を決定した。
2145 The speaker asked them to (c)( )( )( )( ) their childhood.	話し手は彼らに子どもの頃のことを思い起こすよう頼んだ。
2146 After a few days of fighting, the rebels (c)( )( ) the government forces.	数日間の戦闘後，反逆者たちは政府軍に屈した。
2147 Matsui (c)( ) two more home runs.	松井はさらに2本のホームランを記録した。
2148 On their journey, the two drivers (c)( ) every few hours.	旅行中，2人の運転手が数時間ごとに交代した。
2149 Her boss asked her to (c)( ) any documents concerning the case.	上司は彼女に事件に関するどんな書類でも探し出すようにと頼んだ。
2150 Although he was angry, he (c)( ) his complaints and remained silent.	彼は怒っていたが，文句を言うのをこらえて黙っていた。
2151 When the teacher questioned the boy, he (c)( ) immediately.	先生が少年に問いただすと，彼はすぐさま黙り込んだ。
2152 Japan Automobiles is trying to (c)( ) market share.	ジャパンオートモビルズはマーケットシェアを徐々に取り戻そうとしている。
2153 After the riot, the police (c)( )( ) a lot of criticism for their handling of the incident.	暴動の後，警察は事件の処理に関して多くの非難を受けた。
2154 You are late again. Don't even think of (c)( ) an excuse this time.	君はまた遅刻だ。今度は言い訳をでっち上げようなんて考えるんじゃないぞ。
2155 He accused her of (c)( )( ) her duty as a mother.	彼は母親としての務めを回避しているとして彼女を責めた。
2156 The police (c)( ) the murder scene to prevent members of the public from entering.	警察は公衆の立ち入りを防ぐために殺人現場を封鎖した。
2157 The principal warned that he was going to (c)( )( ) students copying their homework from each other.	学生たちが互いの宿題を複写し合っていることを厳しく取り締まるつもりだと，校長は警告した。
2158 He (c)( ) under the pressure of his job and had to spend six months on leave to recover.	彼は仕事の重圧で精神的に参ってしまい，回復するために6か月の休みを取らなければならなかった。
2159 The thriller writer (c)( ) a novel a year for ten years.	そのスリラー作家は10年間，年に1冊の割合で小説を次々と量産した。
2160 A suspicion that he was being cheated (c)( ) his mind.	だまされているのではないかという疑念が，彼の心の中にそっと忍び込んできた。

Unit 108の復習テスト解答 2141 buy off　2142 carted, off to　2143 carved up　2144 cash in on　2145 cast their minds back to　2146 caved in to　2147 chalked up　2148 changed over　2149 chase up　2150 choked back　2151 clammed up　2152 claw back　2153 came in for　2154 cooking up　2155 copping out of　2156 cordoned off　2157 crack down on　2158 cracked up　2159 cranked out　2160 crept into

Unit 110 2181~2200

書いて記憶

熟語	1回目	2回目	意味
2181 face off			対決する
2182 factor in			～を考慮に入れる
2183 fade in			～を次第に明るくする
2184 fall back on			（いざという時に）～に頼る
2185 fall flat			失敗となる
2186 fall out with			～と仲たがいする
2187 fall through			失敗に終わる
2188 fan out			四方八方に散らばる
2189 farm out			～を下請けに出す
2190 fend for *oneself*			自力で生きていく
2191 fend off			（質問）をかわす
2192 ferret out			～を探し出す
2193 feud about			～をめぐって反目する
2194 fill A in on B			AにBに関する情報を伝える
2195 firm up			～を確実なものにする
2196 fizzle out			途中で失敗に終わる
2197 flare up (at)			（～に）むきになって怒る
2198 flash back to			～を急に思い出す
2199 flesh out			～に肉付けする，～を具体化する
2200 flip out			かっとなる，ひどく興奮する

Unit 109の復習テスト

例文	訳
2161 The launch of the new car was delayed after a number of small problems (c) ( ) at the last moment.	土壇場になっていくつもの小さな問題が持ち上がったため、新車の発売は延期された。
2162 The children (c) ( ) to watch the ants running about.	子どもたちはアリが走り回っているのを見るためにしゃがんだ。
2163 She (d) ( ) the stock market and lost some money.	彼女は株取引に手を出し、いくらかの金を失った。
2164 In the end, he (d) ( ) the essay the night before it was due.	結局、彼は締め切りの前夜に小論を一気に書き上げた。
2165 The foreman (d) ( ) the weekly wages to the gang of laborers.	作業長は週給を労働者の一団に分配した。
2166 Mr. Smith will (d) his authority ( ) Mr. Garcia.	スミス氏は彼の権限をガルシア氏に委ねるつもりだ。
2167 During the summer months, hordes of tourists (d) ( ) the little seaside resort.	夏の間に、観光客の大群が、その海辺の小さなリゾート地に押しかけた。
2168 The school decided to (d) ( ) the services of the caretaker.	学校は管理人の業務なしで済ませることに決めた。
2169 She told her husband not to (d) their son ( ) his homework.	彼女は夫に息子が宿題から気を散らさないようにしてくれと言った。
2170 Both sets of grandparents (d) ( ) the new baby.	両家の祖父母が生まれたばかりの赤ん坊を溺愛した。
2171 The security men (d) ( ) the intruder for questioning.	警備員たちが尋問するために侵入者を無理に連れていった。
2172 The lecture (d) ( ) and the audience gradually became more and more restless.	講演がだらだらと長引いて、聴衆たちは次第に落ち着かなくなっていった。
2173 The man's job was to try and (d) ( ) new clients to the company.	男性の仕事は会社に新たな顧客を勧誘しようとすることだった。
2174 I was just (d) ( ) ( ) ( ) when I was startled by a noise outside my window.	窓の外の音にはっとした時、私はちょうどうとうと眠っていた。
2175 He went from door to door trying to (d) ( ) support for his campaign against the new supermarket.	スーパーマーケット新設に反対する運動への支援を得るべく、彼は一軒一軒の家を回った。
2176 In his speech, the school principal (d) ( ) the need for students to prepare properly for classes.	校長はスピーチの中で、生徒たちが授業の準備を十分にすることの必要性を力説した。
2177 After a few hours, the typhoon began to (e) ( ).	数時間後、台風が静まり始めた。
2178 The previous chairperson had been (e) ( ) after the bank was taken over by a rival.	銀行が競合相手に乗っ取られると、前会長は辞任に追い込まれた。
2179 His friends (e) him (o) to steal the money from her purse.	彼の友達は彼女の財布から金を盗むように彼にけしかけた。
2180 For a few years he (e) ( ) a living doing odd jobs.	2、3年間、彼はアルバイトをして生計を立てた。

Unit 109の復習テスト解答 2161 cropped up 2162 crouched down 2163 dabbled in 2164 dashed off 2165 dealt out 2166 delegate, to 2167 descended on 2168 dispense with 2169 distract, from 2170 doted on 2171 dragged off 2172 dragged on 2173 draw in 2174 drifting off to sleep 2175 drum up 2176 dwelt on 2177 ease off 2178 eased out 2179 egged, on 2180 eked out

Unit 111 2201~2220

熟語	1回目	2回目	意味
2201 float around			広まる
2202 flood in			殺到する
2203 fly off the handle			かっとなる
2204 follow through			～を最後までやり通す, ～に最後まで従う
2205 foreclose on			～に担保権を行使する
2206 fork out			(大金)を支払う
2207 freeze up			態度を固くする, (表情などが)こわばる
2208 fritter away			～を無駄遣いする
2209 gain on			～に追いつく
2210 gang up on			～に集団で攻撃する
2211 get A across to B			AをBに理解させる
2212 glance off			～をかすめる
2213 gloss over			～を取り繕う
2214 grope for			～を手さぐりで捜す
2215 hail A as B			AをBとして迎え入れる
2216 hammer out			～を案出する
2217 hang out in			～でぶらぶらして時を過ごす
2218 harp on			～について繰り返し話す
2219 have it out with			～と議論して決着をつける
2220 head off			～を食い止める

Unit 110の復習テスト

例文	訳
2181 The rival teams (f) ( ) in the championship finals.	決勝戦でライバルチーム同士が対決した。
2182 After (f) ( ) all the expenses, they decided the plan would not make a profit.	すべての経費を考慮に入れた後、彼らはその計画は利益が出ないとの結論に達した。
2183 The movie began by (f) ( ) a scene of the couple on a beach.	その映画は、海辺のカップルのシーンを次第に明るくすることから始まった。
2184 Jim assured her that she could always (f) ( ) ( ) him.	いつでも自分に頼っていいと、ジムは彼女を安心させた。
2185 The advertising campaign (f) ( ) when its star was arrested.	広告キャンペーンは、広告の人気スターが逮捕された時に失敗となった。
2186 They were good friends but they (f) ( ) ( ) each other in an argument over a girl.	2人は仲の良い友達だったが、1人の女性をめぐって言い争いをして仲たがいした。
2187 As long as the deal doesn't (f) ( ) at the last moment, the contract will be signed next Friday.	商談が最終段階で失敗に終わらない限り、今度の金曜日に契約は締結されるだろう。
2188 Volunteers (f) ( ) over the countryside in their search for the missing girl.	行方不明になった少女を捜して、ボランティアたちが田園地帯の四方八方に散らばった。
2189 When he was busy, the translator (f) ( ) work to his students.	忙しい時、その翻訳家は自分の生徒に仕事を下請けに出した。
2190 After her husband passed away, the widow had to (f) ( ) ( ).	夫が亡くなった後、その未亡人は自力で生きていかなければならなかった。
2191 The film star tried to (f) ( ) questions about his marriage by talking about his new movie.	その映画スターは自分の新しい映画について話すことで、結婚に関する質問をかわそうとした。
2192 They (f) ( ) a solution to sexism.	彼らは男女差別の解決法を探し出した。
2193 The two nations have been (f) ( ) which of them owns the islands for decades.	両国は数十年にわたり、その島々の領有権をめぐって反目している。
2194 Susie (f) us ( ) ( ) the details of the meeting.	スージーは私たちに会議について詳しく教えてくれた。
2195 They decided to (f) ( ) the arrangement by drawing up a contract.	彼らは契約書を作成することによって、協定を確実なものにしようと決めた。
2196 The protest eventually (f) ( ) after it began to rain heavily.	反対運動は大雨が降り始めたので、結局のところ、途中で失敗に終わった。
2197 Sometimes her boss (f) ( ) her for no clear reason.	彼女の上司は、時折はっきりした理由もなく彼女に対してむきになって怒った。
2198 As he entered the campus, he (f) ( ) ( ) his own student days.	キャンパスに足を踏み入れると、彼は自分の学生時代を急に思い出した。
2199 His boss told him to (f) ( ) his idea a bit and then bring it back for further consideration.	提案にもう少し肉付けをしてから、さらなる検討に向けて再提出するように、と上司は彼に言った。
2200 When he found out he was going to be fired, he (f) ( ) completely.	彼は解雇されることがわかった時、怒り狂った。

Unit 110の復習テスト解答 2181 faced off 2182 factoring in 2183 fading in 2184 fall back on 2185 fell flat 2186 fell out with 2187 fall through 2188 fanned out 2189 farmed out 2190 fend for herself 2191 fend off 2192 ferreted out 2193 feuding about 2194 filled, in on 2195 firm up 2196 fizzled out 2197 flared up at 2198 flashed back to 2199 flesh out 2200 flipped out

Unit 112 2221〜2240

書いて記憶

熟語	1回目	2回目	意味
2221 hem in			〜を囲む
2222 hike up			〜を引き上げる
2223 hinge on			〜次第である
2224 hit it off with			〜と馬が合う
2225 hit the roof			激怒する
2226 hold down			（職・地位など）に就いている
2227 hold out for			〜を要求して譲らない
2228 hold over			〜を延期する
2229 hole up			隠れる
2230 horse around			ばか騒ぎをする
2231 huddle with			〜と相談する，〜と密談する
2232 hunker down			身を潜める
2233 identify with			〜に共感する
2234 impose on			〜を押しかける，つけ込む
2235 intercede with			〜に取りなす
2236 interfere with			〜を妨げる，〜に干渉する
2237 iron out			〜を解決する
2238 jack up			（価格）を引き上げる
2239 keep after			〜に催促し続ける
2240 kick up			（騒ぎなど）を引き起こす，（ほこりなど）をけ立てる

Unit 111の復習テスト

例文	訳
2201 The idea had been (f) ( ) for some time before it was discussed.	そのアイデアは，話し合われる前に，しばらくの間**広まって**いた。
2202 Invitations for the singer to appear on stage (f) ( ) from TV companies.	その歌手への出演依頼がテレビ局から**殺到した**。
2203 Ms. Swain (f) ( ) ( ) ( ) when Cal didn't behave.	キャルの態度が悪かったので，スウェイン先生は**かっとなった**。
2204 Unfortunately, he failed to (f) ( ) on his original offer.	残念ながら，彼は最初の提案を**最後までやり通す**ことができなかった。
2205 When the couple fell behind with their payments, their bank (f) ( ) the loan and seized their property.	その夫婦の支払いが滞った時，銀行は融資**に対する担保権を行使して**，夫婦の財産を差し押さえた。
2206 He resented (f) ( ) money for his son's graduate studies.	彼は息子の大学院研究に多額の金**を支払う**ことを腹立たしく思った。
2207 When he got up to speak, he suddenly (f) ( ) and stood there silently.	彼は話そうとして立ち上がった時，突然，**体がかちこちになってしまい**黙ったまま立ちすくんだ。
2208 Diana got a part time job with the aim of saving money, but she (f) ( ) most of her earnings on cosmetics and magazines.	ダイアナは貯金目的でパートの仕事に就いたが，化粧品や雑誌に稼ぎの大半を**無駄遣いした**。
2209 The new company rapidly began to (g) ( ) its rivals in the field.	新会社はその分野での競合会社に急速に**追いつき**始めた。
2210 The girl complained that her classmates were always (g) ( ) ( ) her.	その少女は級友たちがいつも，少女に**集団で攻撃してくる**ことに文句を言った。
2211 How can I (g) my point ( ) ( ) them?	自分の目的を**どうやって**彼ら**に理解させ**ればよいのだろうか。
2212 The bullet (g) ( ) a rock and wounded him in the arm.	弾丸が岩**をかすめ**，彼の腕を負傷させた。
2213 You can't just (g) ( ) his poor performance.	君は彼の能力不足**を取り繕う**なんてできないよ。
2214 He (g) ( ) the appropriate words to use to tell her what he felt.	彼は自分の思いを彼女に伝えるための適切な言葉**を捜していた**。
2215 Many people (h) the prime minister ( ) the savior of the country.	多くの人が首相を国の救世主**として熱烈に支持した**。
2216 It took the diplomats months to (h) ( ) the precise wording of the new treaty.	新条約の適切な言い回しを**案出する**のに，外交官たちは数か月を要した。
2217 The local youngsters would (h) ( ) ( ) the café on weekends.	地元の若者たちは週末にはカフェ**でぶらぶらして時を過ごした**ものだった。
2218 She hated the way her husband (h) ( ) money all the time.	彼女は夫が四六時中お金**についてくどくど話す**ことが大嫌いだった。
2219 Peggy was not ready to (h) ( ) ( ) ( ) Jim.	ペギーはジム**と議論して決着をつける**心構えができていなかった。
2220 The company president said that he was confident they would be able to (h) ( ) the threat from their new rivals.	新参の競合会社による脅威**を食い止める**自信はあると，社長は言った。

熟語編
2221〜2240

Unit 111の復習テスト解答 2201 floating around 2202 flooded in 2203 flew off the handle 2204 follow through 2205 foreclosed on 2206 forking out 2207 froze up 2208 frittered away 2209 gain on 2210 ganging up on 2211 get, across to 2212 glanced off 2213 gloss over 2214 groped for 2215 hailed, as 2216 hammer out 2217 hang out in 2218 harped on 2219 have it out with 2220 head off

Unit 113　2241〜2260

書いて記憶

熟語	1回目	2回目	意味
2241 knuckle down			真剣に取り組む
2242 knuckle under			屈服する
2243 lag behind			〜に後れを取る
2244 lash out at			〜を痛烈に非難する
2245 launch into			〜を始める
2246 lay it on thick			大げさに言う
2247 leaf through			〜をぱらぱらめくって目を通す
2248 lean on			〜に圧力をかける
2249 let down			〜を失望させる
2250 level off			横ばいになる
2251 level with			〜に対して率直に言う
2252 live down			（失敗）を人に忘れさせる，（悲しみなど）を忘れ去る
2253 lop off			〜を切り取る
2254 make off with			〜を奪い去る
2255 mark down			〜を値下げする
2256 mark out			〜を区画する
2257 mark up			〜を値上げする
2258 measure out			〜を量り分ける
2259 measure up to			（基準など）に達する
2260 mill about			〜を動き回る

Unit 112の復習テスト

例文	訳
2221 After (h)( ) the enemy, the army attacked them at dawn.	敵陣を囲んだ後，軍隊は夜明けに彼らを攻撃した。
2222 The government decided to raise revenue by (h)( ) the tax on cigarettes.	政府はタバコ税を引き上げることで歳入を増加させることを決定した。
2223 The team's chance of victory (h)( ) the performance of its star players.	そのチームの勝利はスター選手の成績次第である。
2224 Susie (h)( )( ) well ( ) her mother-in-law.	スージーは義母ととても馬が合った。
2225 When she told her father about the accident, he (h)( )( ).	彼女が事故について話した時，父親は激怒した。
2226 Charlie (h)( ) a good job at a high salary.	チャーリーは高収入のいい仕事に就いていた。
2227 The workers decided to (h)( )( ) a better offer from management.	労働者たちは経営者側により良い提案をあくまでも要求することに決めた。
2228 Because of the bad weather, the sports meet was (h)( ) for a week.	悪天候のため，スポーツ大会は1週間後に延期された。
2229 The escaped convicts (h)( ) in a remote farmhouse.	脱獄囚たちは人里離れた農家に潜伏した。
2230 The teacher came in to find the students (h)( ).	先生が入ってきて，生徒たちがばか騒ぎしているのを見つけた。
2231 During the break, the team (h)( ) their coach to discuss tactics.	小休止の間に，チームは戦略を検討すべくコーチと話し合った。
2232 Most residents (h)( ) in their homes until the storm passed.	ほとんどの住民は嵐が静まるまで家に身を潜めた。
2233 Mary felt she could (i)( ) the heroine of the novel as their experiences were so remarkably similar.	経験していることがあまりにもよく似ていたので，メアリーはその小説のヒロインに共感することができた。
2234 I'm sorry to (i)( ) you at home, but I really need to discuss tomorrow's meeting with you privately.	家まで押しかけてすみません。明日のミーティングについて，あなたと個人的に話し合う必要がどうしてもあったものですから。
2235 The group asked the politician to (i)( ) the government.	その団体は政治家に政府に取りなしてくれるよう頼んだ。
2236 The noise from the traffic outside (i)( ) his concentration, making it difficult for him to study.	往来の交通から届く騒音に集中力を妨げられて，彼は勉強がしづらかった。
2237 The computer engineer spent the weekend (i)( ) various bugs in the new program.	そのコンピューター・エンジニアは，週末を費やして，新プログラムのいろいろな不具合を解決した。
2238 Supermarkets took advantage of the paper shortage to (j)( ) the prices of all paper products.	スーパーマーケットは紙不足につけ込んで，すべての紙製品の価格を引き上げた。
2239 His wife (k)( ) him until he finally agreed to fix the broken window.	彼の妻は彼が壊れた窓の修理を承知するまで，彼にしつこく言い続けた。
2240 The customer (k)( ) a fuss about his cutlery, saying that it had not been properly washed.	きちんと洗われていなかったと言って，その客は自分の食器のことで騒ぎを引き起こした。

Unit 112の復習テスト解答 2221 hemming in 2222 hiking up 2223 hinged on 2224 hit it off, with 2225 hit the roof 2226 held down 2227 hold out for 2228 held over 2229 holed up 2230 horsing around 2231 huddled with 2232 hunkered down 2233 identify with 2234 impose on 2235 intercede with 2236 interfered with 2237 ironing out 2238 jack up 2239 kept after 2240 kicked up

Unit 114 2261〜2280

書いて記憶

熟語	1回目	2回目	意味
2261 mull over			〜を熟考する
2262 muscle in on			〜に強引に入り込む
2263 nail down			（日取り）を確定する
2264 narrow down			〜を絞り込む
2265 nibble at			〜を少しずつかじる
2266 nod off			うとうとして眠り込む
2267 nose around			〜を捜し回る
2268 nose out			〜に僅差で勝つ
2269 opt for			〜を選ぶ
2270 own up to			〜を白状する
2271 pack off			〜を送り出す
2272 palm A off on B			AをBにだまして押し付ける
2273 pan out			成功する
2274 paper over			〜を取り繕う
2275 parcel out			〜を分配する, 〜を分け与える
2276 pass down			（後世に）〜を伝える
2277 pass off A as B			AをBと偽る
2278 pass up			（機会など）を逃す
2279 patch up			〜を急いでまとめる, 〜に応急処置をする
2280 pay off			元が取れる, （借金など）を完済する

Unit 113の復習テスト　わからないときは前Unitで確認しましょう。

例文	訳
2241 She told her daughter to (k　　)(　　) and write her science report.	彼女は娘に科学のレポートに真剣に取り組み，書くようにと言った。
2242 Finally, their lazy son (k　　)(　　) and got a job.	ついに彼らのぐうたらな息子は降参し，仕事に就いた。
2243 For most of the race, he was (l　　)(　　) the other competitors, but then in the last ten minutes, he made a supreme effort and came in first.	レース中ほとんどずっと，彼はほかの選手に後れを取っていたが，最後の10分で，彼は渾身の力を振り絞って，1位でゴールした。
2244 The president (l　　)(　　)(　　) critics, saying they were in the pay of a foreign government.	彼らは外国政府の飼い犬だと，大統領は批判者たちを痛烈に非難した。
2245 Please don't ask him about work or he'll (l　　)(　　) a detailed description of all the problems the business is facing.	あの人に仕事のことを聞いちゃだめだよ。さもないと，彼は今仕事が直面しているすべての問題を細々と説明し始めるから。
2246 He (l　　)(　　)(　　) when he told his excuse to his boss for being late.	彼は遅刻した理由を上司に話す時，大げさに言った。
2247 While she waited, she (l　　)(　　) the magazines on the table.	彼女は待っている間，テーブルの上の雑誌をぱらぱらめくって目を通した。
2248 The mayor was said to have (l　　)(　　) the editor to shelve the story.	市長はその話を握りつぶすために編集者に圧力をかけたと言われた。
2249 Everybody felt (l　　)(　　) when their team failed to win the final.	チームが決勝戦で負けた時，皆失望した。
2250 Finally, the rise in the value of the dollar began to (l　　)(　　).	ついに，ドルの価値は横ばいになり始めた。
2251 I'll (l　　)(　　) you. If your play doesn't improve, I'll take you off the team.	率直に言います。あなたのプレーが上達しないならば，チームから外れてもらいます。
2252 He never (l　　)(　　) his failure to secure the deal and eventually he left the company for another one.	彼は取引を確保できなかった失敗を人々の記憶から消すことができないまま，結局，社を去って他社に移った。
2253 He took out a knife and (l　　)(　　) a bunch of bananas from the tree.	彼はナイフを取り出して，木からバナナの房を切り取った。
2254 During the bomb scare at the museum, a thief (m　　)(　　)(　　) a valuable painting.	美術館が爆破予告による恐怖で揺れている間に，泥棒が貴重な絵画を奪い去った。
2255 The store decided to (m　　)(　　) their prices by 50 percent.	その店は価格を50%値下げすることを決定した。
2256 He (m　　)(　　) on a map the area they would patrol.	彼は地図上でパトロールする地域を区画した。
2257 Most shops make a profit by (m　　)(　　) the prices of goods they buy from wholesalers.	ほとんどの店は，問屋から仕入れた品物の値段を引き上げることで利益を得ている。
2258 The chemist (m　　)(　　) a small amount of the new drug.	薬剤師は新薬を少量ずつ量り分けた。
2259 Jane was pleased that she had been promoted, but she was worried that she would not (m　　)(　　)(　　) her new duties.	ジェーンは昇進してうれしくはあったものの，自分が新しい職務の水準に達していないのでは，と心配していた。
2260 Fans were (m　　)(　　) the festival site from the morning.	ファンたちは朝から祭りの会場を動き回っていた。

Unit 113の復習テスト解答　2241 knuckle down　2242 knuckled under　2243 lagging behind　2244 lashed out at　2245 launch into
2246 laid it on thick　2247 leafed through　2248 leaned on　2249 let down　2250 level off　2251 level with　2252 lived down　2253 lopped off
2254 made off with　2255 mark down　2256 marked out　2257 marking up　2258 measured out　2259 measure up to　2260 milling about

Unit 115 (2281~2300)

熟語	1回目	2回目	意味
2281 pep up			～を盛り上げる
2282 perk up			元気になる
2283 peter out			次第に消滅する
2284 phase out			～を段階的に廃止する
2285 piece together			(事実・情報など)をつなぎ合わせる
2286 pile up			たまる
2287 pin down			～を突き止める
2288 pine for			～を切望する
2289 pipe down			静かにする
2290 pitch in			協力する
2291 play down			～をもみ消す, ～を軽視する
2292 play off			(勝敗のつかなかった試合の)勝負をつける
2293 pluck up			(勇気)を奮い起こす
2294 plug away at			～にこつこつ励む
2295 plunge into			～に飛び込む, ～をし始める
2296 poke around			探し回る, 引っかき回す
2297 pore over			～を熟読する, ～を熟考する
2298 pull off			～をやってのける
2299 pull through			(危機など)を乗り切る
2300 put down A on B			AをBの頭金として払う

Unit 114 の復習テスト　わからないときは前Unitで確認しましょう。

例文	訳
2261 She asked for a few weeks to (m　　)(　　) the offer and to discuss it with her family.	その申し出についてよく考え家族と話し合うために、2、3週間の時間をもらえるよう彼女は頼んだ。
2262 A neighboring gang tried to (m　　)(　　)(　　) their territory.	近隣の非行グループが彼らの縄張りに強引に入り込もうとした。
2263 He finally managed to (n　　)(　　) a meeting.	彼はようやく、何とか会議の日取りを確定した。
2264 The detective (n　　)(　　) the suspects to two men.	刑事は容疑者を2人の男に絞り込んだ。
2265 He (n　　)(　　) some cheese while he worked at his desk.	彼はデスクで仕事中に、チーズをかじっていた。
2266 It had been such a long day that he kept (n　　)(　　) during the play.	その日はあまりにも長い1日だったので、彼は観劇中にうとうとし続けていた。
2267 He hated it when his boss started (n　　)(　　) his desk.	彼は上司が彼の机を捜し回るのが、とても嫌だった。
2268 He just managed to (n　　)(　　) his rivals and win the marathon.	彼はどうにかライバルたちに僅差で勝って、そのマラソン大会を制した。
2269 The students had the choice of taking an exam or writing an essay. Most (o　　)(　　) the latter.	学生たちには試験を受けるかレポートを書くかという選択肢があった。大半の学生は後者を選んだ。
2270 After the teenager (o　　)(　　)(　　) smoking in the backyard, his father gave him a lecture on the danger to his health.	その10代の若者が裏庭でタバコを吸っていたことを白状すると、父親は彼に健康への危険性について説教した。
2271 In the end, they decided to (p　　)(　　) their children to a summer camp.	結局、彼らはサマーキャンプに子どもたちを送り出すことに決めた。
2272 He accused the salesman of trying to (p　　) a faulty computer (　　)(　　) him.	彼は、欠陥コンピューターを彼にだまして押し付けようとしたセールスマンを訴えた。
2273 When their plan did not (p　　)(　　), they were forced to think again.	計画が不成功に終わると、彼らは再考を余儀なくされた。
2274 Although they (p　　)(　　) the quarrel, they were never as friendly again.	彼らはもめ事を取り繕ったが、決して再び仲よくなることはなかった。
2275 The leader (p　　)(　　) the remaining rations to his hungry men.	リーダーは腹をすかせた部下たちに残りの糧食を分配した。
2276 The jewelry had been (p　　)(　　) in his mother's family for generations.	その宝石は彼の母方の一族に代々受け継がれていた。
2277 The artist was caught trying to (p　　)(　　) one of his own works (　　) a painting by Picasso.	その画家は、自分の作品の1枚をピカソの絵画と偽ろうとして逮捕された。
2278 Don't (p　　)(　　) the pie; it's so good.	このパイを遠慮しないで。おいしいから。
2279 The nations (p　　)(　　) a temporary peace for Christmas.	各国はクリスマスに向けて、一時停戦案を急きょまとめた。
2280 He took a big risk buying the shares in the company, but it (p　　)(　　) and he was able to use the profit to start his own business.	彼は大きなリスクを負ってその会社の株を購入したが、元が取れて、彼はその利益を使って自分の事業を立ち上げることができた。

Unit 114 の復習テスト解答　2261 mull over　2262 muscle in on　2263 nail down　2264 narrowed down　2265 nibbled at　2266 nodding off　2267 nosing around　2268 nose out　2269 opted for　2270 owned up to　2271 pack off　2272 palm, off on　2273 pan out　2274 papered over　2275 parceled out　2276 passed down　2277 pass off, as　2278 pass up　2279 patched up　2280 paid off

Unit 116 2301〜2320

書いて記憶

熟語	1回目	2回目	意味
2301 put down A to B			AをBのせいにする
2302 puzzle over			〜に頭を悩ませる
2303 rack up			〜を獲得する
2304 rail against			〜を激しく非難する
2305 rake off			〜の分け前を（不正に）取る
2306 rally around			結集する，〜の味方につく
2307 rattle off			〜をすらすらと言う［書く，行う］
2308 rifle through			〜をくまなく探す
2309 rip through			〜を突き抜けて進む
2310 root for			〜を応援する
2311 rope in			〜を駆り出す
2312 rub off on			〜に良い影響を与える
2313 ruminate over			〜について思いめぐらす
2314 run off with			〜を持ち逃げする
2315 run up			（借金など）を重ねる
2316 rustle up			〜を急いで準備する
2317 scrape by on			〜で何とか暮らしていく
2318 scrape together			〜を苦労してかき集める
2319 scratch out			（生計）をどうにかこうにか立てる
2320 scrub up			徹底的に洗浄する

Unit 115の復習テスト　わからないときは前Unitで確認しましょう。

例文	訳
2281 He always tried to (p　　)(　　) his classes with videos and games.	彼はいつもビデオやゲームを使って授業を盛り上げようとした。
2282 After they had eaten, the children began to (p　　)(　　) again.	子どもたちは食事をした後に、再び元気になり始めた。
2283 After a while, the letters from their son (p　　)(　　) and they never heard from him again.	しばらくすると、息子からの手紙は次第になくなり、ついには息子の消息は途絶えた。
2284 The auto company gradually (p　　)(　　) production of the old model although it was still selling well.	旧型車の売り上げは依然として好調だったものの、自動車会社はその生産を段階的に廃止した。
2285 When he had (p　　)(　　) the evidence, he realized what had happened.	証拠をつなぎ合わせた時に、彼は何が起こったか納得がいった。
2286 The work kept (p　　)(　　) and he was forced to do overtime almost every day.	仕事がたまり続けたので、彼はほとんど毎日残業せざるを得なかった。
2287 He found it impossible to (p　　)(　　) the cause of the problem.	彼はその問題の原因を突き止めるのは不可能だとわかった。
2288 She had been (p　　)(　　) a chance to play on the school team.	彼女は学校のチームでプレーできる機会を切望していた。
2289 She shouted to the children to (p　　)(　　) and go to sleep.	彼女は子どもたちに静かにして寝るようにと大声で言った。
2290 Paul thought that it would take ages to clean up after the party, but his friends all (p　　)(　　) and the work was finished in no time.	パーティーの後片付けには長時間かかるだろうとポールは思っていたが、友達全員が協力してくれて、作業はあっという間に終わった。
2291 The school did its best to (p　　)(　　) the incident.	その学校は事件をもみ消すために全力を尽くした。
2292 As there was no score, the teams had to (p　　)(　　) the following week.	0対0の引き分けだったので、両チームは次の週に勝負をつけなければならなかった。
2293 I'm going to (p　　)(　　) my courage and ask my boss to give me a raise.	勇気を奮い起こして、上司に給料を上げてくれるよう頼んでみるよ。
2294 He said he was still (p　　)(　　)(　　) writing novels in his spare time.	彼は、今も空き時間に小説を書くことにこつこつと励んでいると言った。
2295 The young man ran down the beach and (p　　)(　　) the sea.	その若者はビーチを駆け下りて、海に飛び込んだ。
2296 The professor loves (p　　)(　　) in second-hand bookshops, looking for works by his favorite authors.	教授は、古書店をのぞき回って、お気に入りの作家の作品を探すことが大好きだ。
2297 He knew that his mother (p　　)(　　) his letters, reading them again and again until she had nearly memorized them.	彼は母親が自分の書いた手紙を熟読し、何度も何度も読み返して、ほとんど暗記するまでになっていることを知っていた。
2298 Make up your mind to (p　　)(　　) something great.	何か偉大なことを成し遂げる決心をしなさい。
2299 The patient had a life-threatening disease, but thanks to the new drug, he was able to (p　　)(　　) and recover.	患者は命にかかわる病気にかかっていたが、新薬のおかげで乗り切って回復することができた。
2300 The couple (p　　)(　　) all their savings (　　) the house and borrowed the rest of the money they needed from a bank.	その夫婦は家の購入の頭金として貯金全額を払い、必要な残額は銀行から借りた。

熟語編

→ 2301 ～ 2320

Unit 115の復習テスト解答　2281 pep up　2282 perk up　2283 petered out　2284 phased out　2285 pieced together　2286 piling up　2287 pin down　2288 pining for　2289 pipe down　2290 pitched in　2291 play down　2292 play off　2293 pluck up　2294 plugging away at　2295 plunged into　2296 poking around　2297 pored over　2298 pull off　2299 pull through　2300 put down, on

Unit 117 2321〜2340

書いて記憶

熟語	1回目	2回目	意味
2321 scuffle with			〜と乱闘する
2322 set forth			〜を説明する
2323 settle on			〜を決める
2324 shell out			(金額)をしぶしぶ支払う
2325 shove around			〜をこき使う
2326 show out			〜を送り出す
2327 shrug off			〜を気にしない
2328 shy away from			〜を避ける，〜を敬遠する
2329 simmer down			気持ちを静める
2330 sink in to			〜に十分に理解される
2331 siphon off			(資金など)を流用する，〜を吸い上げる
2332 skim off			(金)を横領する
2333 slip by			(時などが)いつの間にか過ぎていく
2334 smooth down			〜をなだめる
2335 smooth over			〜を取り繕う，〜を和らげる
2336 snap off			〜をぽきっと折る
2337 snap up			〜を先を争って買う
2338 soak up			(雰囲気など)を楽しむ，(知識など)を吸収する
2339 sort out			〜を整理する
2340 sound A out on B			BについてAの意向を打診する

Unit 116の復習テスト

わからないときは前Unitで確認しましょう。

例文	訳
2301 Some cynics (p　　　) (　　　) the actress's success (　　　) her father's extensive connections in the movie business.	その女優の成功を，父親が映画業界に持つ強大なコネのおかげだと冷笑する人々もいた。
2302 He sat (p　　　) (　　　) the math problem for at least an hour.	彼は，少なくとも1時間，数学の問題に頭を悩ませて座っていた。
2303 After (r　　　) (　　　) his first million dollars, he decided to retire.	初めての100万ドルを獲得してから，彼は引退することにした。
2304 The union leader (r　　　) (　　　) the government's economic policies.	労働組合の幹部は政府の経済政策を激しく非難した。
2305 He was accused of illegally (r　　　) (　　　) money from the pension fund.	彼は年金基金から不正にピンはねしたことで訴えられた。
2306 When one of the villagers fell ill, the others would (r　　　) (　　　) to help.	村人の1人が病気になった時，村人たちは助けるために結集したものだった。
2307 Although her son got poor grades at school, he could (r　　　) (　　　) the names of all the players in the football league.	彼女の息子は，学校での成績は悲惨なものだったが，フットボールリーグの選手全員の名前をすらすら言うことができた。
2308 He caught his colleague (r　　　) (　　　) the drawers of his desk.	彼は同僚が彼の机の引き出しをくまなく調べているところを見つけた。
2309 A powerful tornado (r　　　) (　　　) the area, destroying homes.	強力な竜巻がその地域を直撃し，家屋を破壊した。
2310 One of the presidential candidates, Bill Jones, was from the town so naturally, everyone there was (r　　　) (　　　) him in the election.	大統領候補者の1人であるビル・ジョーンズはその町の出身だったので，当然のことながら地元のみんなが選挙で彼を応援していた。
2311 On Sunday, he found himself (r　　　) (　　　) to help with the spring cleaning.	日曜日に，彼はいつの間にか春の大掃除の手伝いに駆り出されていた。
2312 The teacher made him sit next to the most serious boy in the class in the hope that some of his attitude would (r　　　) (　　　) (　　　) him.	先生が彼をクラスで一番まじめな子の隣に座らせたのは，その子の態度のいくらかが彼に良い影響を与えることを願ってのことだった。
2313 The idea came to him suddenly one evening when he was sitting (r　　　) (　　　) what he should do after college.	その考えが彼に突然浮かんだのは，ある夜，大学を卒業したら何をしようかと思いめぐらしながら座っていた時のことだった。
2314 The stranger (r　　　) (　　　) (　　　) all the shop's earnings for the month.	見知らぬ人物がその店の1か月の売上金を持ち逃げした。
2315 Before the man went back to his country, he (r　　　) (　　　) large debts at various banks.	男は国に帰る前に，あちこちの銀行で多額の借金を重ねた。
2316 The late guests asked the landlady to (r　　　) (　　　) some supper for them.	遅く来た客が宿屋の女主人に夕食を急いで準備してくれるように頼んだ。
2317 While he was at college, he managed to (s　　　) (　　　) (　　　) the allowance that his parents gave him.	彼は大学時代，両親がくれる小遣いで何とか暮らしていた。
2318 Her parents managed to (s　　　) (　　　) the money for her to go to college.	彼女の両親は彼女が大学に行けるようお金を苦労してかき集めた。
2319 After they married, they (s　　　) (　　　) a living on his meager wages.	彼らは結婚後，彼のわずかな給料で生計をどうにかこうにか立てた。
2320 The doctor and nurses began to (s　　　) (　　　) in preparation for the operation.	医師と看護師たちは手術の準備をするために手や腕を徹底的に洗浄し始めた。

Unit 116の復習テスト解答　2301 put down, to　2302 puzzling over　2303 racking up　2304 railed against　2305 raking off　2306 rally around　2307 rattle off　2308 rifling through　2309 ripped through　2310 rooting for　2311 roped in　2312 rub off on　2313 ruminating over　2314 ran off with　2315 ran up　2316 rustle up　2317 scrape by on　2318 scrape together　2319 scratched out　2320 scrub up

Unit 118 2341~2360

書いて記憶　　学習日　月　日

熟語	1回目	2回目	意味
2341 sound off			まくし立てる
2342 spin off			～を副産物として生み出す，（会社・資産など）を分離独立させる
2343 spoil for			～をしきりに求める
2344 sponge off			（親のすね）をかじる，スポンジでふき取る
2345 spring up			急に起こる，現れる
2346 spur on			～を奮い立たせる
2347 square up			支払いを済ませる
2348 squeeze in			～を（スケジュールに）割り込ませる
2349 stamp out			～を撲滅する
2350 stand in for			～の代役を務める
2351 stand out			目立つ
2352 stand up for			～を守る，～を支持する
2353 stick around			近くで待つ，辺りをぶらぶらする
2354 stick up for			～を弁護する
2355 stir up			（感情など）をかき立てる，（騒ぎなど）を引き起こす
2356 store up			～を蓄える
2357 strike off			～を除名する
2358 strike up			（関係）を取り結ぶ，演奏を始める
2359 stumble upon			～を偶然見つける，～に思いがけず出くわす
2360 suck up to			～の機嫌をとる

Unit 117の復習テスト

例文	訳
2321 Several demonstrators (s) ( ) the police and were arrested.	数人のデモ参加者が警察と乱闘し、逮捕された。
2322 He (s) ( ) his plans for reform to the board of directors.	彼は重役会に改革の計画を説明した。
2323 After much discussion, they finally (s) ( ) a day for the wedding.	十分に話し合った後、彼らはやっと挙式の日取りを決めた。
2324 How much did you (s) ( ) for your uniform?	制服にいくら支払ったの？
2325 The school bully was always (s) ( ) the smaller boys.	学校のいじめっ子は、いつも自分より小さな少年たちをこき使っていた。
2326 He stood at the front door and (s) the guests ( ) one by one.	彼は玄関に立って1人ずつ客を見送った。
2327 Whatever failures he suffered, he always (s) them ( ) and began again.	どのような失敗を経験しても、彼はいつもそれを気にせず再び始めた。
2328 Those present at the party (s) ( ) ( ) Susie.	パーティーの出席者たちは、スージーを避けた。
2329 He lost his temper and resigned on the spot, but later, after he had (s) ( ), he began to regret what he had done.	彼はカッとなってその場で辞職してしまったが、後になって落ち着いてみると、自分のしでかしたことを後悔し始めた。
2330 When will it (s) ( ) ( ) you that the only way to pass exams is by studying for them?	試験に受かる唯一の方法は勉強することだってことが、君には一体いつになったらわかってもらえるんだい？
2331 The official was arrested for (s) ( ) money intended for the relief of the earthquake victims.	地震の被災者救済のための資金を流用していたために、その公務員は逮捕された。
2332 It was discovered that the bank manager had been (s) ( ) money from his customers' accounts for years.	銀行の支店長が長年にわたって顧客たちの口座から資金を横領していたことが明らかになった。
2333 Their time together on weekends always (s) ( ) quickly.	彼らが週末に一緒にいる時間は、いつもあっという間に過ぎていった。
2334 She did her best to (s) ( ) her parents' irritation.	彼女は両親のいらだちをなだめるために最善を尽くした。
2335 He tried to (s) ( ) the mistake but it was quickly noticed.	彼はミスを取り繕うとしたが、すぐに見つかってしまった。
2336 The boys (s) ( ) the long icicles and used them as swords.	少年たちは長いつららをぽきっと折り、刀として使った。
2337 Demand for housing was so strong that any new properties that came on the market were (s) ( ) immediately.	住宅への需要は非常に強かったので、市場に出てきた新しい物件はどんなものであれ、たちまち先を争って買われた。
2338 For a few days, he just (s) ( ) the local atmosphere in the town.	数日間、彼はただ町の地元風な雰囲気を楽しんだ。
2339 Her first job was to (s) ( ) all the papers left by her predecessor.	彼女の最初の仕事は、前任者が残したすべての書類を整理することだった。
2340 (S) him ( ) ( ) whether he's interested in coming.	来る気があるかどうか、彼に打診してみてください。

Unit 117の復習テスト解答 ● 2321 scuffled with　2322 set forth　2323 settled on　2324 shell out　2325 shoving around　2326 showed, out　2327 shrugged, off　2328 shied away from　2329 simmered down　2330 sink in to　2331 siphoning off　2332 skimming off　2333 slipped by　2334 smooth down　2335 smooth over　2336 snapped off　2337 snapped up　2338 soaked up　2339 sort out　2340 Sound, out on

Unit 119 2361~2380

書いて記憶

熟語	1回目	2回目	意味
2361 sweat it out			はらはらして待つ, 最後まで頑張り通す
2362 tack on			～を付加する
2363 take in			～をだます, ～を理解する
2364 take it out on			～に当たり散らす
2365 take off			軌道に乗る, (売り上げが)急に伸びる
2366 take on			(性質など)を帯びる, (仕事など)を引き受ける
2367 take to			～を好きになる
2368 talk down			～を言い負かす, ～を論破する
2369 tap into			～に進出する, ～を利用する
2370 taper off			先細りになる
2371 tear down			(建物など)を取り壊す
2372 thin out			～を減らす
2373 thrash out			～を徹底的に議論する
2374 throw in			～を差し挟む
2375 tide ～ over			(人)に困難を乗り切らせる
2376 tie A in with B			AをBと結びつける
2377 tip off			～に密告する
2378 tower over			～をはるかに超える
2379 toy with			(考えなど)をいい加減に扱う
2380 trail off			次第に小さくなる

Unit 118の復習テスト

例文	訳
2341 At dinner his father began (s　　)(　　　) again about politics and what he would do if he were president.	夕食の席で，また彼の父親は政治について，自分が大統領だったらどうするか，**まくし立て**始めた。
2342 The popular police drama has already (s　　)(　　　) two other series based on characters from the show.	その人気刑事ドラマはすでに，番組の登場人物を使った2つの別シリーズ**を副産物として生み出し**ている。
2343 The opposition had been (s　　)(　　　) a fight with the government for months and the scandal was the perfect opportunity.	野党は数か月にわたって政府とやり合いたくて**うずうず**していたので，そのスキャンダルは絶好の機会だった。
2344 The student said he hated people who just (s　　)(　　　) their parents.	その生徒は，ただ親のすね**をかじっている**だけの人が嫌いだと言った。
2345 In no time at all, new factories began to (s　　)(　　　) in the town.	あっという間に，街に新しい工場群が**誕生し**始めた。
2346 He did not enjoy studying law, but he was (s　　)(　　　) by the thought of the money he could make once he qualified as a lawyer.	法律学の勉強は彼には楽しくなかったが，ひとたび弁護士の資格を得たら手に入るであろう収入のことを考えると，彼は**奮い立った**。
2347 After (s　　)(　　　) with the cashier, the couple left the restaurant.	レジ係のところで**支払いを済ませて**，カップルはレストランを出た。
2348 The dentist promised to (s　　) her (　　　) in-between appointments.	歯科医はほかの予約の間に彼女を**割り込ませる**ことを約束した。
2349 The principal swore to (s　　)(　　　) any smoking in his school.	校長は学校での喫煙**を撲滅する**ことを誓った。
2350 The old man fell ill so his son had to (s　　)(　　)(　　) him at the ceremony.	その老人は病気になったので，彼の息子が式典で彼**の代役を務め**なければならなかった。
2351 Her height and bright red hair meant that she always (s　　)(　　) in a crowd.	彼女は背が高い上に，明るい赤毛をしていたので，いつも人混みの中で**目立った**。
2352 At the memorial service, his friend said that John Robinson had always (s　　)(　　)(　　) his beliefs, even when it had made him unpopular.	ジョン・ロビンソンはたとえ自分が嫌われても，常に自分の信念**を守って**いたと，告別式で彼の友人は述べた。
2353 George told me to (s　　)(　　) so we could play catch.	キャッチボールをするので**近くにいて**，とジョージは僕に言った。
2354 James (s　　)(　　)(　　) his friend and defended him against their classmates.	ジェームズは友達**をかばって**，同級生たちから彼を守った。
2355 The union leader was accused of trying to (s　　)(　　) discontent among the workers.	労働組合の幹部は労働者たちの不満**をかき立て**ようとしたとして非難された。
2356 The villagers began to (s　　)(　　) vegetables to last them through the winter.	村人たちは冬越しの野菜**を蓄え**始めた。
2357 After he was caught cheating, his name was (s　　)(　　) the club's membership.	彼はカンニングしているところを見つかったので，クラブ会員から名前が**削除さ**れた。
2358 The two new employees (s　　)(　　) a friendship that was to last the rest of their lives.	2人の新入社員の間に，生涯続くことになる友情が**芽生えた**。
2359 Late one night, the scientist (s　　)(　　) a solution to the problem.	ある晩遅くに，科学者はその問題に対する解決方法**を偶然発見した**。
2360 His superior told him to stop (s　　)(　　)(　　) him all the time.	彼の上司は，しょっちゅう自分の**ご機嫌をとること**をやめるよう彼に言った。

Unit 118の復習テスト解答　2341 **sounding off**　2342 **spun off**　2343 **spoiling for**　2344 **sponged off**　2345 **spring up**　2346 **spurred on**　2347 **squaring up**　2348 **squeeze, in**　2349 **stamp out**　2350 **stand in for**　2351 **stood out**　2352 **stood up for**　2353 **stick around**　2354 **stuck up for**　2355 **stir up**　2356 **store up**　2357 **struck off**　2358 **struck up**　2359 **stumbled upon**　2360 **sucking up to**

Unit 120　2381〜2400

書いて記憶

熟語	1回目	2回目	意味
2381 trim down			〜を削減する
2382 trip over			転ぶ
2383 trump up			〜を捏造する
2384 turn over a new leaf			心を入れ替える
2385 vouch for			〜を保証する
2386 walk out on			(人)のもとを去る
2387 wash out			(試合など)を(雨で)中止させる，〜を疲れさせる
2388 weed out			〜を排除する
2389 weigh in			仲裁に入る，割り込む
2390 whip up			(感情)をかき立てる，〜を手早くこしらえる
2391 whisk away			〜を持ち去る
2392 win over			〜を味方に入れる
2393 wind down			くつろぐ，(ネジが)ゆるむ
2394 wind up *doing*			〜する羽目になる
2395 wipe out			〜を撲滅する
2396 wolf down			〜をがつがつ食べる
2397 wrap up			〜を終える
2398 wriggle out of			〜をうまく切り抜ける
2399 wring A out of B			AをBから絞り出す
2400 zero in on			〜に照準を合わせる

Unit 119の復習テスト

わからないときは前Unitで確認しましょう。

例文	訳
2361 I have to (s　　) (　　) (　　) until I get my test result back.	私はテスト結果が戻ってくるまで，はらはらして待たなければならない。
2362 He found that the hotel had (t　　) (　　) some extra charges.	彼はホテルが請求書に追加料金を付加したことに気付いた。
2363 She had been completely (t　　) (　　) by her friend's lie, so she was shocked to discover it was not true.	彼女はすっかり友達の嘘にだまされていたので，それが真実でないとわかってショックを受けた。
2364 Mother (t　　) (　　) (　　) (　　) me when she feels frustrated.	母はむしゃくしゃすると私に当たり散らす。
2365 At first, the new product looked as though it might not (t　　) (　　), but then in March, sales began to soar.	その新製品は最初は軌道に乗らないように思われたが，3月になって売り上げが急に伸び始めた。
2366 The leaves are (t　　) (　　) their brilliant hues.	木々の葉が素晴らしい色合いを帯びてきている。
2367 Although they had not met before, the child immediately (t　　) (　　) him.	彼らはこれまで会ったことはなかったが，その子どもはすぐに彼のことを好きになった。
2368 At the meeting, he managed to (t　　) (　　) those opposing the plan.	ミーティングで，彼はその計画に反対する者たちを何とか言い負かすことができた。
2369 The clothing store decided to launch a new youth brand in order to (t　　) (　　) the expanding teenage market.	その衣料品店は拡大中のティーン市場に進出すべく，新しい若者向けブランドを立ち上げることにした。
2370 At first, sales grew steadily, but then they began to (t　　) (　　) as the economy weakened.	初めのうちは売り上げは着々と伸びていったが，不景気になると売り上げは先細りになり始めた。
2371 She was strongly opposed to the plan to (t　　) (　　) the old city hall and build a new one.	古い市役所を取り壊して新しい市役所を建設する計画に対して，彼女は猛反対していた。
2372 The company decided to (t　　) (　　) the sales staff at their stores.	その会社は彼らの店の販売員を減らすことを決定した。
2373 We must hold a meeting to (t　　) (　　) our marketing policy for next year.	会議を開いて，次年度のマーケティング方針を徹底的に議論しなければなりません。
2374 Every so often, the chairman (t　　) (　　) a comment of his own.	折を見つけては，議長は彼自身の意見を差し挟んだ。
2375 He borrowed some money from the bank to (t　　) him (　　) until the new year.	新年までを乗り切るために，彼は銀行から借金をした。
2376 They planned to (t　　) the ceremony (　　) (　　) the opening of the new library.	彼らは式典を新図書館の開設と結びつける計画を立てた。
2377 One of the terrorists (t　　) (　　) the local police about the bomb.	テロリストの1人が爆弾について地元の警察に密告した。
2378 The scientist's achievements (t　　) (　　) those of his contemporaries.	その科学者の業績は彼と同時代の人の業績をはるかに超えていた。
2379 Actually, I'm (t　　) (　　) the idea of leaving my job, although I haven't completely made my mind up yet.	実はまだはっきり決めたわけではないんですが，仕事を辞めることをなんとなく考えているんです。
2380 The boy began his recitation well but then he (t　　) (　　) into silence.	少年は上手に暗唱を始めたが，声が次第に小さくなり黙った。

Unit 119の復習テスト解答 2361 sweat it out　2362 tacked on　2363 taken in　2364 takes it out on　2365 take off　2366 taking on　2367 took to　2368 talk down　2369 tap into　2370 taper off　2371 tear down　2372 thin out　2373 thrash out　2374 threw in　2375 tide, over　2376 tie, in with　2377 tipped off　2378 towered over　2379 toying with　2380 trailed off

Unit 120の復習テスト

例文	訳
2381 All the executives were asked to (t) ( ) their expenses in the coming year.	重役は全員、来年度の経費を削減するように求められた。
2382 He (t) ( ) as he ran for the bus and broke his wrist.	彼はバスに間に合うように走った時、転んでしまい、手首を骨折した。
2383 He said the police had (t) ( ) the charges in order to punish him.	彼は警察が彼を罰するために罪を捏造したと言った。
2384 After he got married, he (t) ( ) ( ) ( ) ( ) and stopped drinking altogether.	結婚してから、彼は心を入れ替えて、酒をきっぱりやめた。
2385 Is there anyone who can (v) ( ) the truth of what you say?	君が言っていることの正当性を保証することのできる人は、誰かいるのかい?
2386 One day she just got up and (w) ( ) ( ) her husband.	ある日彼女は起床すると、夫のもとを去った。
2387 Persistent rain (w) ( ) the second day of the tennis tournament.	降りやまない雨のために、テニス大会の2日目が雨天中止になった。
2388 The background check was designed to (w) ( ) troublemakers from the organization.	その身元調査は、組織から厄介者を排除することが目的だった。
2389 In the middle of the argument, her brother (w) ( ) to support her.	口論の最中に、彼女の兄が彼女を支持するために仲裁に入った。
2390 The politician was accused of (w) ( ) anger against the immigrant community.	その政治家は移民グループに対する怒りをかき立てているとして糾弾された。
2391 As soon as he showed them the painting, he (w) it ( ) for safekeeping.	彼は彼らに絵画を見せるとすぐに、保管のためにそれをさっさと片付けた。
2392 The boy did his best to (w) ( ) her father but to no avail.	少年は父親を味方に引き入れるために最善を尽くしたが、無駄だった。
2393 After getting home, he usually (w) ( ) by having a drink and reading the newspaper.	彼は普段、帰宅後には、酒を飲みながら新聞を読んでくつろいでいた。
2394 The evening (w) ( ) ( ) him over a hundred dollars as he had to take a taxi home.	その晩、彼はタクシーで帰宅しなくてはならなかったので、結局100ドル以上も使う羽目になった。
2395 Thanks to the vaccine, the disease has now been almost completely (w) ( ) in Africa.	ワクチンのおかげで、その病気は今やアフリカではほとんど完全に撲滅されている。
2396 She told her son not to (w) ( ) his food so quickly.	彼女は息子に、そんなに急いで食べ物をがつがつ食べないようにと言った。
2397 Let's (w) ( ) the homework and hit the sack.	宿題を終わらせて、床に就こう。
2398 He had always managed to (w) ( ) ( ) criminal charges before.	彼はこれまでのところ、いつも何とか刑事訴訟からうまく切り抜けてきた。
2399 She (w) the water ( ) her wet towel and hung it up to dry.	彼女はぬれたタオルの水を絞り出し、乾かすためにつるした。
2400 Scientists (z) ( ) ( ) the cause of the epidemic.	科学者たちは伝染病の原因に照準を合わせた。

Unit 120の復習テスト解答　2381 **trim down**　2382 **tripped over**　2383 **trumped up**　2384 **turned over a new leaf**　2385 **vouch for**　2386 **walked out on**　2387 **washed out**　2388 **weed out**　2389 **weighed in**　2390 **whipping up**　2391 **whisked, away**　2392 **win over**　2393 **wound down**　2394 **wound up costing**　2395 **wiped out**　2396 **wolf down**　2397 **wrap up**　2398 **wriggle out of**　2399 **wrung, out of**　2400 **zeroed in on**

さくいん

※見出し語番号を表示しています。

単語編

A

abate	1465
abdicate	0160
aberration	1687
abhorrent	1961
abject	0544
ablaze	2027
abominable	1962
abomination	1112
abort	0146
aboveboard	1864
abrasive	1983
abridged	0546
abrogate	1521
abruptly	1185
abscond	0161
absolve	1522
abstention	1690
absurdity	1117
abundance	0948
abuse	0844
abyss	1792
accelerate	0730
accentuate	0729
acclaim	1438
accomplice	1670
accost	1585
accrue	1568
accusation	1662
acquittal	1675
acrimony	0373
acute	1896
adamant	0527
addendum	1794
addictive	1213
address	0033
adept	0549
adequate	1257
adherent	0283
adjacent	1381
adjourn	0147
adjudicate	1441
adjunct	2024
administer	0035
admonish	0198
adolescent	1221
adorn	0787
adroit	0548
adulation	1824
advent	0984
adversarial	1979
advocate	0275
aesthetically	0496
affability	1094
affable	0607
affidavit	1667
affiliation	0944
affinity	0317
affix	0891
affliction	1793
affluent	0532
affront	0374
agape	2028
agenda	1042
aggravate	0159
agility	0302
agitate	1458
agnostic	2029
agonize	0212
agrarian	1985
ailment	1694
alacrity	1102
alienate	0195
alienation	1148
alignment	1158
allay	0092
allegory	0320
alleviate	0091
alliance	1645
allocate	0832
allude	0081
allure	0303
aloof	0560
altruism	0928
altruistic	0473
ambient	2030
ambiguous	1340
ambivalence	1089
ambivalent	0540
ambush	1450
ameliorate	1446
amenable	1269
amend	0051
amendment	1689
amenity	1021
amicable	1252
amity	0937
amnesty	0430
amplify	0887
anachronism	1825
analogous	2025
anatomy	1698
anemic	2031
anesthetic	1699
animosity	0371
annihilate	1502
annihilation	1656
annotation	0342
annulment	1691
anoint	1442
anonymous	0477
antagonistic	0553
antagonize	1404
antibiotic	0953
antipathy	0420
apathetic	0561
apathy	1118
apex	0321
appalled	0696
apparition	1068
appease	0093
append	1556
apprehend	0009
aptitude	0292
arbitrary	0554
arbitrate	1443
arcane	1312
archaeologist	1004
archaic	0682
arduous	0647
array	1628
arrears	1826
arrogant	1895
artifact	0926
ascension	0323
ascetic	2022
askew	2026
assail	1493
assault	0875
assertive	1276
assessment	0934
asset	1053
assiduous	1281
assimilate	0836
astound	1454
astute	1897
asylum	0347
atheist	1763
atrocity	0421
attenuate	1586
attic	1073
attribute	1078
attuned	2032
audacity	0313
auditorium	1076
augment	1415
auspice	0256
auspicious	0643
austere	0512
authentic	0479
authoritative	1282
autism	1701
autonomy	1827
autopsy	0968
avarice	1795
averse	1981
aversion	0372
avert	0107
avid	0552
axis	1159

B

backlash	0245
backlog	0343
baffle	1455
bail	1676
balance	0991
balk	0108
ballot	1153
banal	0670
banish	1489
bankruptcy	1056
banter	0369
barrage	0431
barren	1348
bask	0213
beckon	0185
bedraggled	1339
beguile	1587
belittle	0778
bellicose	0698
belligerent	0555
bemoan	1459
benchmark	0335
benediction	1765
benefactor	1766
beneficiary	1012
benevolently	1254
benign	0606
bent	2061
berate	0134
bereave	1534
berserk	2062
bestow	0716
bewitched	1391
bias	0935
bibliography	1064
bigot	1010
bionic	1205
bizarre	1333
blanch	1416
bland	1361
blasphemy	1767
blatantly	0557
bleak	1203
blemish	1796
blissful	1247
blister	0364
bluff	0178
blunder	0413
bluntly	0558
blur	0175
blurt	1419
boisterous	2008
bolster	0046
bombard	0876
boon	1091
bountiful	1248
bounty	1092
bout	0360
brandish	1408
brawl	1154
breakthrough	0239
brevity	0252
bribery	1060
brink	1797
broach	0179
brunt	0432
bucolic	1383
buffer	0253
bungling	2034
bunker	1741
buoyant	0609
burgeon	0066
burnished	2033

C

cagey	1976
cajole	0164
calamity	1653
caliber	0293
camaraderie	0267
candid	0530
candor	0304
canvass	1409
capitulate	1406
capricious	1299
captivation	1098
captive	1828
cardinal	1350
cardiovascular	1892
caricature	1065
carnivorous	1893
catalyst	0416
catastrophe	1652
catastrophically	0658
caustic	0513
cavernous	2035
cease	0846
celibate	1384
censure	0838
cerebral	2063
certitude	1122
cessation	0433
chafe	0897
chaotic	1887
charade	1650
charlatan	1651
chasten	1569
chronic	1212
chronicle	1066
cinch	0452
cipher	0434
circulate	0847
circumlocution	1160
circumstantial	1192
circumvent	0121
claim	0848
clairvoyant	1885
clamor	1829
clandestine	0504
clarify	0708
classified	0505
clemency	1106
clench	0180
clique	0466
clobber	1588
clout	0467
clump	1570
clumsy	0483
cluster	1791
clutter	1571
coalition	1648
coarse	1334
coax	0893
coerce	0055
coffer	1798
cogitate	1487
cognition	1790
cognitive	1921
coherent	1919
cohesive	1871
coincidence	0930
collaborate	0883
collation	0344
collision	1041
coma	0965
combustion	1168
commence	0884
commensurate	0493
commiserate	0010
commitment	1054
commodity	1177
commonplace	1357
commotion	0444
communal	1179
commutation	1684
compassion	1084
compatible	1266
compile	0856
complacency	1085
complex	0925
compliance	1088
complicity	1671
composure	1086
comprehensive	1392
compunction	1087
concede	1435
conceit	1115
concession	0445
conciliatory	1924
concoct	0214
concur	1436
concussion	0363
condemnation	1673
condescending	1884
condescension	1107
condolence	1019
condone	0011
conducive	0650
confer	1616
confidential	1190
configuration	1161
confinement	1140
confiscate	0003
confiscation	1051
conflagration	0400
conformist	1783
confound	0124
confrontational	1315
conglomerate	0324
congregate	0831
conjecture	0386
conjugate	1618
connotation	0999
conscience	1629
conscription	1735
consecrate	1433
consecration	1769
consequently	1344
consign	1417
consignment	0326
consolidate	1437

263

word	#	word	#	word	#	word	#	word	#
consort	0280	dart	0918	derisive	1927		1873	elusive	0672
consortium	1646	daunting	1872	derive	0004	dispute	0417	emaciated	0584
conspicuous	1194	dawdle	0172	derogatory	0576	disrupt	0770	emanate	1475
conspiracy	1052	dazzle	0064	descendant	0278	dissect	0127	emancipate	1476
constellation	1129	de facto	1888	despicable	1929	dissemble	1529	embargo	1057
constituency	1693	dearth	0398	despondent	1928	disseminate	0073	embark	0798
constitutional	1920	debacle	1742	destined	1371	dissension	0396	embedded	0683
constriction	1799	debar	1490	destitute	0582	dissenting	1935	embezzle	0797
consummate	1293	debase	0115	destitution	1776	dissertation	0982	emblazon	0788
contagious	0562	debilitate	1463	detain	1526	dissident	0579	embody	0795
contaminate	0157	debit	1059	detect	0067	dissipate	1590	embolden	0794
contamination	1175	debris	1756	detention	1677	dissolution	0975	embrace	0799
contemplate	0784	debtor	1007	deter	0105	dissonance	1774	embroil	1477
contemplative	0570	debunk	0068	deteriorate	0785	dissuade	0197	embryo	1704
contemporary	1201	decadence	0383	detest	0005	distend	0763	emigrate	0733
contend	0776	decant	0744	detonate	0187	distinct	1287	eminence	0299
contentious	0478	decay	0786	detour	0979	distractedly	1886	empathic	1224
contiguous	1188	deceased	0635	detract	0117	distraught	1936	empathize	0792
contingency	0362	decent	1249	detriment	1779	distressing	1223	emphatic	1225
contingent	2064	deceptive	1300	detrimental	0577	ditch	0772	empirically	1989
contraband	0337	decimate	1619	devastate	0878	diverge	0791	empower	0793
contradict	0777	decipher	1401	devastation	0423	diverse	1180	emulate	0062
contradictory	1922	decorum	0305	deviate	0119	diversify	0919	enact	0036
contraption	1156	decoy	1831	deviation	1780	diversion	0978	encapsulate	0751
contravene	1410	decree	0388	devious	0617	diversity	0234	encompass	0189
contrivance	1830	decrepit	1245	devoid	1327	divert	0789	encroach	0104
contrive	1434	decry	1524	devout	1277	dividend	0992	encrypt	0190
controversial	1923	deduce	1420	dexterity	0307	divine	1373	encumber	1478
conventional	1390	deduction	0995	diabolic	1930	divulgence	1775	endemic	0564
conversion	1768	deface	0780	diagnose	0174	docile	0686	endorse	0053
conveyance	0327	defamatory	1925	diagnosis	0958	dogmatic	0659	endow	1423
convict	1444	defame	0781	diameter	1170	dormant	1209	endowment	0242
conviction	1123	defector	1743	diatribe	1861	downplay	1591	enforce	0816
conviviality	0300	deference	0977	dice	0915	drab	0618	enforcement	0238
copious	1271	deferential	1926	dictum	1630	drain	0742	engender	0814
corroborate	0085	deferment	1641	diffident	0578	drastically	1241	engrossed	0534
corrode	1531	defiance	0381	diffuse	1472	drawback	1108	engulf	0813
corrosive	1316	deficiency	0951	dilapidated	0583	drawl	1552	enhance	0041
cortex	1788	deficit	0994	dimension	1162	dreary	1328	enlighten	0029
counterfeit	0345	deflect	0790	diminish	0113	drench	0743	enormous	1259
counterfeiter	1005	defraud	0165	diminutive	1937	dribble	1558	enroll	0812
counterpart	0291	defunct	0484	disarmament	1744	droll	2067	ensue	0815
countless	1354	defuse	0094	disavow	1527	drub	0903	entail	0753
courier	1146	defy	1402	disband	0151	dubious	0539	entice	0063
cove	1074	deity	1130	discard	0771	dues	0996	enticement	1097
coverage	1048	delegation	1647	discern	0892	dupe	0167	entity	0457
covert	0503	deliberation	1674	discernible	0485	duplicate	0037	entreaty	1801
cozy	1265	delineate	1418	discharge	0760	duplicity	0310	entrench	1479
crabby	1303	delineation	1169	disciplinary	1372	durability	0328	entrepreneur	1044
cramp	0955	deluge	0399	disconcerting	1931	duration	0316	entrust	0752
craze	1000	delusion	0972	discontent	1773	dutifully	1255	enumerate	1480
credibility	0250	delve	0215	discourse	0981	dwindle	0118	enunciate	0088
credulity	1101	demean	0116	discreet	1272	dynasty	1800	envoy	1785
creed	0460	demeanor	0294	discrepancy	0397			enzyme	0960
cringe	1589	demise	0356	disdain	1528	**E**		epicenter	0964
criterion	0986	demographic	1196	disgruntled	0580			epidemic	0563
critical	2095	demolition	1777	disguise	0385	ebb	1029	epiphany	1832
crucial	1286	demoralized	0581	disgust	0976	ebullience	0308	epitaph	1802
crude	1189	demur	1464	disheveled	1338	echelon	0332	epitomize	0012
crunch	0171	demure	2066	dislodge	0152	eclipse	0114	equilibrium	1833
crux	1155	denigrate	1525	dismal	1330	ecstatic	0538	equity	1128
cryptic	1977	denomination	1770	dismantle	0769	edible	1400	equivalent	0508
culmination	1138	denote	0894	dismiss	0126	edify	1411	equivocal	1341
culpability	0415	denounce	0131	dismissive	1932	eerie	0619	equivocate	1471
culpable	2065	dense	1356	disorientated	1311	efficacious	1258	eradicate	0154
culprit	0281	depiction	0462	disparage	0227	efficacy	0353	erode	1530
cumulative	2037	deplete	0230	disparate	1933	effigy	1135	erratic	0574
curb	0099	depletion	1778	disparity	0395	elaborate	0714	erroneous	0575
curfew	0446	deplorable	0545	dispatch	0188	electoral	1862	erudite	1990
cursory	0573	deploy	0186	dispel	0761	elevation	1043	erudition	0942
curtail	0112	deportation	0382	dispensable	1934	elicit	0008	erupt	0865
curtly	0559	deprecate	0779	dispensation	1640	eligible	1290	eschew	1428
custody	1620	deprivation	0973	disperse	0153	elimination	0391	esoteric	1991
		deputy	1784	dispirited	1222	elocution	0301	espionage	1680
D		deregulate	0745	displace	0762	elongate	0709	esteem	0880
		derelict	1757	disposal	0974	eloquent	0646	ethical	1217
dainty	0649	deride	0759	disposition	1080	elucidate	1553	eulogize	1439
dangle	0871	derision	0384	disproportionately		elude	0120	eulogy	0378

Word	#	Word	#	Word	#	Word	#	Word	#
euphoric	2010	faze	1563	gaunt	2069	hunch	1099	incoherent	0596
evacuate	0767	feasible	1270	genetically	1206	hurtle	0226	incongruous	1949
evade	0216	feat	0259	genial	1267	hybrid	1207	inconsequential	1950
evaporate	0886	feign	0007	gimmick	0468	hygiene	0952	incredulous	1229
evict	0765	felicitous	2012	gist	0243	hygienic	0634	incremental	1964
evoke	0902	felicity	0456	glean	1572	hype	0334	incriminate	0810
evolve	0863	felony	1683	glib	2002	hypnosis	0970	incubator	0969
exacerbate	0158	ferocious	0587	glitch	0331	hypnotize	1432	inculcate	0028
exasperate	0819	fertility	1028	gloat	0193	hypothesis	1638	incumbent	1863
excavate	0070	fervent	1915	gluttonous	2070	hypothesize	1431	incur	0228
excel	0879	fervor	1631	gnaw	1559	hypothetical	1198	indebted	1965
exclusive	0543	fetter	0192	gorge	0923			indelible	1958
excruciatingly	0673	feud	0418	gradient	1071	**I**		indemnity	1686
execute	1541	fiasco	0414	graft	0961	icon	1639	indicative	0642
exemplary	0492	fidelity	0306	grapple	0904	identical	2100	indictment	1663
exemplify	0895	fiendish	2038	gratified	1246	idiosyncrasy	1081	indigenous	0498
exempt	1912	filthy	0588	gratuity	0273	idiosyncratic	1883	indignant	1968
exert	0905	fiscal	0641	gravity	0260	idyllic	1395	indiscretion	0311
exhilaration	0309	flabbergasted	1370	gregarious	0639	ignite	1575	indiscriminate	1951
exhort	0054	flagrant	0589	grievance	0377	ignominious	2041	indispensable	1187
exhortation	1139	flamboyantly	0631	grind	0002	illiberal	2043	indoctrinate	0027
exodus	0428	flattery	0379	grudge	0314	illicit	1332	indolence	0312
exonerate	0191	flaunt	0090	grudgingly	2040	illustrious	0644	induce	0754
exorbitant	1913	flawed	1868	grueling	0590	immaculate	0591	inducement	1174
exorcise	1535	flawless	2097	grumble	0906	imminent	0524	inept	0550
exorcism	0392	flimsy	0657	guarantee	0721	immunity	0357	inert	1307
expand	0706	flourish	0917	guise	1035	impair	0823	inertia	1761
expansively	1256	fluctuate	0013	gullible	0625	impalpable	1938	inevitable	1215
expedient	2011	foil	1505	guzzle	0867	impartiality	1116	infancy	1017
expedite	0044	foist	1506			impasse	0411	infatuated	0537
expel	0766	foliage	1027	**H**		impeachment	1665	infectious	0565
expenditure	0987	foment	1564	habitat	1025	impeccable	0592	infer	0079
expertise	0943	footage	0329	habitual	1369	impede	1498	infested	0566
expiate	1486	foray	1803	haggard	2000	impediment	0410	infighting	1736
expire	0855	forebode	0707	haggle	0194	impending	0523	infiltrate	1492
explicit	1261	forensic	1986	hallmark	1049	imperative	1216	infirmity	0950
exploit	1536	forfeit	0850	halt	0704	imperious	1939	inflamed	1967
exploratory	1197	forgery	0346	hamper	0801	impermeable	1940	inflammation	1697
exponential	1394	forgo	0014	haphazardly	0629	impersonal	1943	influx	0244
expulsion	1654	formidable	1314	harbinger	0265	impervious	0522	infraction	1678
expunge	1537	fortification	1758	harness	0896	impetus	1143	infringement	0394
exquisite	0519	fortify	0043	harrowing	2001	implacable	1941	infusion	1002
exterminate	0747	fortitude	1760	harry	1491	implant	0026	ingenious	1291
extermination	1655	fortress	1759	hassle	0419	implement	0030	ingenuity	1114
externalize	1484	fortuitously	2039	hatch	0857	implicate	0851	ingratiate	0756
extinct	1208	founder	0232	haughty	1304	implicit	0697	inhabitant	1026
extinction	0235	fragility	1131	haven	0348	implore	0056	inherent	0499
extol	0061	frail	1331	havoc	0424	imposing	1869	inhibit	1507
extort	0748	frantic	1917	hazard	0403	imposition	1062	inhibition	1762
extract	0746	fraternity	1649	heave	0183	impound	1594	inhospitable	1231
extradite	1540	fraud	1679	hectic	1329	impoverish	1421	initially	1343
extrapolate	1539	fraudulent	0674	hedge	1429	impregnable	1942	inject	0864
extraterrestrial	1911	fraught	0655	heed	0705	improvise	0717	inmate	1755
extravagant	1914	frazzle	1592	heedless	0627	imprudent	0626	innate	1228
extricate	1538	freight	1632	hefty	1875	impudent	1944	innocuous	0651
extrinsic	0502	frenetic	0536	heinous	1963	impulse	1124	innuendo	0998
exuberant	0535	frigid	2068	hemisphere	1072	impulsive	1367	inoculate	0862
exult	1485	frisk	0015	hereditary	0632	impunity	1685	inquisitive	0602
		frivolous	1297	heretic	1764	impurity	1805	insatiable	0603
F		frugal	0525	heritage	1142	inadvertently	0628	inscription	1634
fabricate	0034	fuel	0703	hermit	1804	inane	1227	inscrutable	0488
facade	0270	fugitive	0282	hibernate	0858	inanimate	1226	insidious	1952
facet	0269	full-fledged	1283	hilarious	1273	inaugurate	0039	insignia	1806
facetious	0685	fumble	0873	hinder	0802	inauguration	1055	insinuation	0997
facilitate	0048	furlough	1754	hindrance	0409	incapacitate	0877	insipid	1953
faction	0440	furtive	1978	hindsight	0449	incarnation	1772	insolent	1954
faculty	1621	futile	0486	hoard	1593	incense	1157	insolvent	1959
fad	1001			hoax	0319	incentive	0271	instigate	0057
fallacy	0387	**G**		hobble	1573	inception	0983	instill	0811
fallible	1313	gadget	0330	holistic	1876	incessant	0597	insubstantial	1955
famine	1032	gait	1163	homage	0380	incidence	0936	insular	0660
famished	2080	gallant	1874	homogeneous	0633	incinerate	1576	insulate	0016
fanatically	1918	galvanize	0045	hostile	1294	incipient	1969	insurgent	1966
farce	0463	garble	0916	hover	0907	incisive	1996	insurmountable	1956
fastidious	2017	garner	0077	hub	0349	incite	0059	insurrection	1737
fatality	1746	garnish	0078	huddle	1574	inclement	0684	intact	2098
fatally	1865	gaudy	0630	humiliate	0827	inclusive	0542	intake	1003
								intangible	0594

☐ integral	0652	☐ languishing	0662	☐ medieval	1200	☐ notoriously	2074	☐ pare	1466
☐ integrate	0755	☐ lanky	1375	☐ mediocre	1358	☐ novelty	1145	☐ parry	1598
☐ integration	0336	☐ lapse	1614	☐ meditate	0783	☐ novice	0285	☐ pasture	1075
☐ integrity	1113	☐ larceny	1681	☐ meekly	0531	☐ nucleus	1623	☐ patent	1176
☐ intercept	1497	☐ latent	0501	☐ memento	0451	☐ nudge	0868	☐ paternity	0247
☐ interject	0217	☐ latitude	1635	☐ menace	0442	☐ nullify	0148	☐ pathetic	1336
☐ interminable	1877	☐ laudable	0648	☐ menacingly	1318			☐ patriot	1643
☐ intermittently	0598	☐ laureate	1787	☐ menial	0620	**O**		☐ patronage	0941
☐ interrogate	1542	☐ lavish	1388	☐ mentor	0284			☐ paucity	1624
☐ intervene	0098	☐ lax	1335	☐ merge	0837	☐ obfuscate	1469	☐ pawn	0219
☐ intervention	1040	☐ ledger	1808	☐ mesmerize	0719	☐ obligatory	0693	☐ pedantic	0601
☐ intimate	1278	☐ leeway	1834	☐ metabolize	0859	☐ oblique	2075	☐ pedestrian	1385
☐ intimidated	0661	☐ leftover	1020	☐ metaphor	0949	☐ obliterate	1470	☐ peer	0289
☐ intolerant	1230	☐ legislate	1543	☐ meticulous	0572	☐ oblivion	1109	☐ penchant	0366
☐ intoxication	1103	☐ legislature	1659	☐ microbe	0963	☐ oblivious	0694	☐ pendulum	1137
☐ intractable	1232	☐ legitimacy	1666	☐ microscopically	2049	☐ obnoxious	1305	☐ penetrate	0842
☐ intrepid	1957	☐ legitimate	1288	☐ migraine	1696	☐ obscure	1342	☐ penitent	2021
☐ intricate	1235	☐ lenient	0612	☐ migrate	0734	☐ obscurity	1090	☐ perceptible	0604
☐ intrigue	0841	☐ lethal	1337	☐ migration	1837	☐ obsequious	0663	☐ perception	0241
☐ intriguing	1994	☐ lethargic	0622	☐ migratory	1376	☐ obsessive	1880	☐ percolate	1554
☐ intrinsic	0500	☐ leverage	1835	☐ milestone	1171	☐ obsolete	1243	☐ perennial	1214
☐ introvert	1105	☐ levitate	1425	☐ mimicry	0929	☐ obstinate	0528	☐ perfunctory	0614
☐ intrusive	1233	☐ levity	1125	☐ mirage	1136	☐ obstruct	0800	☐ perilous	1992
☐ intuitive	1995	☐ liability	0338	☐ miscellaneous	1355	☐ obtrusive	2076	☐ perimeter	1164
☐ inundate	1612	☐ liaison	0933	☐ misgiving	0375	☐ obtuse	2096	☐ periphery	1838
☐ invalid	1234	☐ libel	0339	☐ mishap	1745	☐ occidental	0491	☐ perish	0181
☐ invaluable	1260	☐ liken	0710	☐ misnomer	0465	☐ odious	2077	☐ perjury	1682
☐ invariably	1236	☐ limb	0971	☐ mock	0006	☐ offshoot	0325	☐ perk	0341
☐ invert	0872	☐ lineage	1018	☐ modicum	1039	☐ omen	0262	☐ permeate	0890
☐ inveterate	2036	☐ linger	0218	☐ modulate	0097	☐ ominous	2078	☐ pernicious	1993
☐ invigorate	0042	☐ linkage	1836	☐ molecule	1789	☐ omniscient	0600	☐ perpetrate	0852
☐ invincible	0595	☐ liquidate	0017	☐ mollify	0095	☐ onerous	2052	☐ perpetrator	1669
☐ invoke	0170	☐ litigate	1445	☐ molt	1532	☐ ongoing	1867	☐ persecute	1500
☐ irascible	1984	☐ litigation	1664	☐ momentous	0687	☐ onrush	1739	☐ persecution	1740
☐ irate	1240	☐ lobby	1412	☐ momentum	0251	☐ onset	0246	☐ perseverance	1093
☐ iridescent	2045	☐ logistically	1890	☐ monarch	1786	☐ onslaught	0429	☐ persist	0040
☐ irk	1595	☐ longevity	0354	☐ monopolize	0853	☐ onus	1688	☐ personable	1250
☐ irrational	1237	☐ loom	0898	☐ monopoly	1046	☐ opaque	1360	☐ perspective	0237
☐ irrelevant	1239	☐ loophole	1063	☐ monotonously	1366	☐ opposable	1377	☐ pertinent	1284
☐ irreparably	0675	☐ loot	1496	☐ moot	2071	☐ oppress	0100	☐ perturb	1456
☐ irresolute	1238	☐ loquacious	2004	☐ morale	0272	☐ optimum	1279	☐ peruse	0021
☐ irrevocable	2042	☐ lousy	1317	☐ morbid	0621	☐ opulent	2079	☐ pervade	1555
☐ irrigation	1033	☐ lucrative	0482	☐ morose	2016	☐ orchestrate	0038	☐ pervasive	0568
		☐ luminary	1045	☐ morsel	1037	☐ ordeal	0469	☐ pester	1462
J		☐ lunar	1386	☐ mortality	0355	☐ ordinance	0389	☐ pesticide	1031
		☐ lurch	1452	☐ mortgage	1633	☐ ornithological	1987	☐ petrified	0666
☐ jaded	2015	☐ lure	1096	☐ mortify	0826	☐ orthodontist	1703	☐ petulant	1298
☐ jeer	0757	☐ lurid	0677	☐ mount	1430	☐ ostensible	0495	☐ phase	0268
☐ jeopardize	0824	☐ lurk	1453	☐ muffled	2007	☐ ostracize	0137	☐ phenomenal	2054
☐ jeopardy	0404			☐ multitude	1132	☐ oust	0764	☐ philanthropy	0266
☐ jest	0370	**M**		☐ mundane	1870	☐ outage	0402	☐ pilfer	1520
☐ jiggle	0870			☐ municipality	1622	☐ outcast	1008	☐ pinnacle	1705
☐ jilt	1577	☐ magnetism	1095	☐ munificent	2072	☐ outcry	1657	☐ pinpoint	0645
☐ jinx	0261	☐ malady	1695	☐ murky	2050	☐ outrage	1658	☐ pique	0022
☐ jostle	1424	☐ malevolent	1302	☐ muster	0060	☐ outright	1199	☐ pitfall	1706
☐ jubilant	1274	☐ malice	1111	☐ mutate	1533	☐ overdue	1193	☐ pivot	1707
☐ jubilee	1807	☐ malign	1617	☐ mutation	0962	☐ overly	1242	☐ placate	0096
☐ judicious	1292	☐ malignant	2018	☐ mutinous	1980	☐ override	1504	☐ placid	1280
☐ juggle	0163	☐ malleability	1809	☐ mutter	0168	☐ overrun	0881	☐ plagiarism	1165
☐ jumbled	1374	☐ malleable	2048	☐ myriad	0240	☐ oversight	0931	☐ plagiarize	0023
☐ juncture	0464	☐ mandatory	1184			☐ overture	1642	☐ plague	0122
☐ jurisdiction	1661	☐ maneuver	1750	**N**				☐ plaintiff	1668
☐ juror	1660	☐ mangle	1596			**P**		☐ platitude	0945
☐ justify	0233	☐ manifest	0489	☐ naive	1322			☐ plausible	1218
☐ juvenile	2023	☐ manipulate	0032	☐ namely	1346	☐ pageant	0938	☐ plea	1672
		☐ mar	0825	☐ narrowly	2073	☐ palatable	0640	☐ plead	1544
K		☐ marginally	0497	☐ naturalization	1016	☐ palate	1034	☐ pledge	0834
		☐ massacre	1751	☐ negate	1597	☐ pallid	2053	☐ pliable	1275
☐ keepsake	1022	☐ materialize	0796	☐ negligent	0613	☐ paltry	1382	☐ plight	0408
☐ kindred	2046	☐ matriculate	1413	☐ neural	1866	☐ pamper	0020	☐ plot	1734
☐ knack	0254	☐ matrimony	1014	☐ neurologist	1702	☐ panacea	1700	☐ plummet	0024
		☐ maxim	0450	☐ neutrality	1738	☐ pandemic	0567	☐ plunder	1495
L		☐ mayhem	0407	☐ niche	1077	☐ pandemonium	0405	☐ poach	0845
		☐ meager	0516	☐ niggle	1461	☐ paragon	0939	☐ poignant	1306
☐ lackluster	0676	☐ meander	0018	☐ nimble	2051	☐ paralysis	0966	☐ polarization	0470
☐ lambaste	0135	☐ meddle	0019	☐ nominally	1347	☐ parameter	0940	☐ pollination	1644
☐ lament	1460	☐ mediate	0782	☐ nonchalant	0688	☐ paramount	0480	☐ polytheistic	1378
☐ languid	2013	☐ mediator	1006	☐ notable	0605	☐ parasite	0967	☐ pompous	1396

☐ ponder	1488	☐ prophetic	1901	☐ reconcile	0722	☐ revile	1510	☐ snarl	1562
☐ ponderous	0667	☐ propitious	1253	☐ reconciliation	1725	☐ revise	0737	☐ snatch	1518
☐ possessed	1295	☐ proponent	0274	☐ recoup	0071	☐ revitalize	0732	☐ sneer	0758
☐ posterity	1716	☐ proposition	1626	☐ recourse	1166	☐ revoke	0149	☐ snide	2086
☐ posthumously	1878	☐ proprietor	1011	☐ rectify	0052	☐ rhetorically	2009	☐ snip	1517
☐ posture	0295	☐ propriety	1636	☐ recuperate	0072	☐ rife	0569	☐ snitch	1519
☐ potent	1894	☐ prosecute	1440	☐ recur	0222	☐ rigorous	0510	☐ snub	1579
☐ potential	1186	☐ prosecutor	0279	☐ recurrent	2081	☐ robust	0608	☐ soar	0773
☐ pragmatic	0689	☐ prostrate	0692	☐ redeem	0728	☐ roundabout	0678	☐ sobriety	1141
☐ precarious	0541	☐ protagonist	1723	☐ redress	0738	☐ rout	0155	☐ sojourn	1580
☐ precede	0908	☐ protrusion	1724	☐ redundant	1310	☐ rowdy	0668	☐ solace	0454
☐ precedence	1134	☐ provident	1902	☐ referendum	1726	☐ rubble	0426	☐ solicit	1545
☐ precedent	0263	☐ provincial	1909	☐ refurbish	0739	☐ rudimentary	1351	☐ solidarity	1781
☐ precept	0390	☐ provision	0437	☐ refute	0128	☐ rumble	0899	☐ somber	0669
☐ precinct	1811	☐ provisional	1910	☐ regale	1560	☐ rundown	1058	☐ sophisticated	0517
☐ precipitate	1405	☐ provoke	0885	☐ regime	0427	☐ rustic	1398	☐ sovereignty	1782
☐ precipitation	1712	☐ proximity	0318	☐ rehash	0025	☐ ruthless	1320	☐ sparse	1399
☐ precipitous	1972	☐ prudence	0296	☐ reimburse	0725			☐ spasm	0956
☐ preclude	1481	☐ prune	1467	☐ reinforce	0735	**S**		☐ spawn	1426
☐ preclusion	1713	☐ pseudoscience	1812	☐ reinstate	1448			☐ specify	0910
☐ precursor	1708	☐ psychic	1220	☐ reiterate	0087	☐ sabotage	1843	☐ specimen	0236
☐ predator	1709	☐ psychologically	1219	☐ rejuvenate	0731	☐ salient	0691	☐ specter	1067
☐ predatory	1973	☐ pulverize	1503	☐ relegate	0768	☐ sanctity	1814	☐ speculation	0333
☐ predicament	0406	☐ pundit	0277	☐ relentless	0671	☐ sanctuary	1771	☐ spell	1604
☐ predilection	1714	☐ pungent	1997	☐ relinquish	1513	☐ sanitation	1815	☐ spillage	0401
☐ predominate	0713	☐ purge	0138	☐ remedy	0358	☐ satirize	1511	☐ splinter	1850
☐ preemptive	1898	☐ purvey	1422	☐ reminisce	0223	☐ saturate	0861	☐ splurge	1605
☐ preferential	1900			☐ remit	0726	☐ savor	0368	☐ spontaneous	1191
☐ prelude	0264	**Q**		☐ remuneration	1050	☐ savvy	1816	☐ sporadic	0599
☐ premises	0458			☐ rendition	1152	☐ scapegoat	1844	☐ spouse	1015
☐ premium	0989	☐ quadruple	1600	☐ renege	0142	☐ scarce	0514	☐ sprawl	0869
☐ premonition	1710	☐ quaint	1389	☐ renounce	0143	☐ scatter	0830	☐ spree	1851
☐ preoccupation	1104	☐ qualm	0959	☐ renunciation	1719	☐ scavenge	1547	☐ sprout	0065
☐ prerequisite	0258	☐ quandary	0461	☐ reparation	1727	☐ schematic	1363	☐ spur	1625
☐ prerogative	0471	☐ quantum	1839	☐ repatriate	0139	☐ scheme	1845	☐ spurious	0615
☐ prescient	1899	☐ quarantine	0361	☐ repeal	0436	☐ schism	1749	☐ spurn	0711
☐ prescribe	1482	☐ quell	0110	☐ repel	0749	☐ scour	1548	☐ squabble	0176
☐ preservation	0248	☐ quench	0111	☐ repercussion	0438	☐ scrabble	1549	☐ squander	0200
☐ prestige	0298	☐ quirk	1110	☐ replenish	0224	☐ scrawl	0225	☐ squeamish	0664
☐ presumptuous	1974	☐ quiver	0874	☐ replete	2082	☐ scruple	0376	☐ squint	1606
☐ pretense	1036	☐ quorum	1840	☐ replicate	0481	☐ scrupulous	0571	☐ stabilize	0840
☐ pretentious	1975	☐ quota	0340	☐ repose	1810	☐ scrutinize	0888	☐ stagger	0817
☐ pretext	0459			☐ repository	1070	☐ scuttle	0211	☐ stagnant	1202
☐ prevail	0074	**R**		☐ reprehensible	2055	☐ seamless	1181	☐ stake	1047
☐ prevalence	1711			☐ reprieve	1514	☐ secede	1515	☐ stale	1244
☐ prevaricate	1483	☐ ramification	0472	☐ reprimand	0133	☐ seclude	0136	☐ stalemate	0412
☐ prevarication	1715	☐ rampage	0441	☐ reprisal	0439	☐ sectarian	2056	☐ stalwart	1945
☐ primate	1030	☐ rampant	1998	☐ repudiate	1509	☐ sedentary	0681	☐ stammer	0169
☐ pristine	0593	☐ rancor	1841	☐ repulse	0140	☐ seditious	2057	☐ state-of-the-art	1889
☐ privilege	0932	☐ rankle	1457	☐ requisite	0257	☐ segregation	1846	☐ static	1352
☐ probationary	1907	☐ ransack	0182	☐ rescind	1523	☐ seismology	1847	☐ stationary	1353
☐ probe	0843	☐ ransom	1842	☐ resent	0820	☐ semblance	1173	☐ statistically	1364
☐ proceeds	0988	☐ rapacious	1999	☐ reside	0909	☐ senile	2083	☐ status quo	1167
☐ proclaim	0828	☐ rapport	1637	☐ resonance	1813	☐ serene	0654	☐ statutory	1988
☐ proclivity	1083	☐ rapprochement	1752	☐ resonant	1397	☐ servitude	1817	☐ staunch	1946
☐ procrastinate	1599	☐ rash	1321	☐ respiratory	1211	☐ setback	1627	☐ stealth	1818
☐ procure	0220	☐ ratify	0849	☐ respite	1150	☐ shackle	1848	☐ steer	0901
☐ prod	1578	☐ ratio	1038	☐ resplendent	0610	☐ shatter	0914	☐ stem	0922
☐ prodigious	1903	☐ rationale	0920	☐ restoration	1728	☐ sheer	2084	☐ sterile	1349
☐ prodigy	0290	☐ ravage	1494	☐ restraint	0921	☐ showdown	1849	☐ stern	1326
☐ profane	1905	☐ reap	0860	☐ resume	1613	☐ shrewd	0679	☐ stifle	0109
☐ profess	0829	☐ rebate	0724	☐ resurgence	1729	☐ shroud	1602	☐ stigma	1151
☐ profound	0474	☐ rebel	0141	☐ resurrection	1730	☐ shun	0196	☐ stimulate	0701
☐ profuse	1904	☐ rebellion	1748	☐ resuscitate	1449	☐ simulate	0882	☐ stipend	1852
☐ progeny	1717	☐ rebuff	0129	☐ retain	0715	☐ simulation	1860	☐ stipulate	0720
☐ prognosis	0365	☐ rebuke	0130	☐ retaliation	1733	☐ simultaneous	1387	☐ stolid	1947
☐ project	0231	☐ rebut	0132	☐ retard	0106	☐ sinister	0556	☐ stowage	1069
☐ projection	1720	☐ rebuttal	1718	☐ retentive	1881	☐ skeptical	0475	☐ straddle	1565
☐ proliferate	1473	☐ recant	1508	☐ reticent	1368	☐ skyrocket	0775	☐ stray	0712
☐ prolific	0487	☐ recapitulate	0736	☐ retort	0750	☐ slam	0199	☐ streak	1607
☐ prolonged	1908	☐ recede	1512	☐ retribution	0435	☐ slash	1516	☐ strenuous	1323
☐ promiscuous	1906	☐ receptive	1251	☐ retrieve	0702	☐ sleek	2085	☐ stringent	0511
☐ promulgate	1474	☐ recipient	0276	☐ retroactively	0690	☐ sluggish	1204	☐ strive	1608
☐ prone	1178	☐ reciprocate	0727	☐ revamp	1447	☐ slump	1414	☐ strut	1566
☐ propagate	0075	☐ recklessly	1319	☐ revel	0144	☐ smear	1603	☐ stubborn	0529
☐ propagation	1722	☐ reclaim	0221	☐ reverberate	1601	☐ smother	0741	☐ stump	0125
☐ propensity	0367	☐ recluse	0286	☐ reversal	0927	☐ smuggle	0854	☐ stunt	1499
☐ prophecy	1721	☐ reclusive	0656	☐ revert	0723	☐ snare	0900	☐ stupendous	1362

- [ ] sturdily 2087
- [ ] stymie 1501
- [ ] suave 1948
- [ ] subdued 0623
- [ ] subjugate 0101
- [ ] sublime 0518
- [ ] submerge 0889
- [ ] submissive 1268
- [ ] subordinate 0201
- [ ] subsequent 0700
- [ ] subsidence 1853
- [ ] subsidize 0050
- [ ] subsistence 1024
- [ ] substantiate 0086
- [ ] subtle 0515
- [ ] subversive 2044
- [ ] subvert 0103
- [ ] succinct 0547
- [ ] succulent 1379
- [ ] succumb 0202
- [ ] suffocate 0740
- [ ] suffrage 1692
- [ ] sullen 2014
- [ ] sumptuous 2088
- [ ] superficial 2047
- [ ] superfluous 0533
- [ ] supplant 0839
- [ ] supplement 0049
- [ ] suppress 0102
- [ ] surge 0774
- [ ] surmise 0080
- [ ] surmount 0821
- [ ] surpass 0822
- [ ] surplus 0993
- [ ] surreptitiously 0507
- [ ] surrogate 0287
- [ ] surveillance 1753
- [ ] susceptible 0520
- [ ] suspend 0145
- [ ] sustain 0047
- [ ] sustainable 1879
- [ ] swamp 1819
- [ ] swarm 1567
- [ ] sway 1854
- [ ] swerve 1609
- [ ] swill 1561
- [ ] swindle 0166
- [ ] synonymous 1380
- [ ] synthesize 0833

T

- [ ] taciturn 2006
- [ ] tackle 1403
- [ ] tactics 1133
- [ ] tally 0203
- [ ] tamper 0162
- [ ] tangle 1581
- [ ] tantamount 0509
- [ ] tantrum 0954
- [ ] tariff 1855
- [ ] tarnish 0229
- [ ] taunt 1610
- [ ] taut 2089
- [ ] tedious 1325
- [ ] tedium 1119
- [ ] teeming 0695
- [ ] teeter 0204
- [ ] temperament 1082
- [ ] tenacious 0611
- [ ] tenet 1149
- [ ] tentative 1195
- [ ] tenuous 2090
- [ ] tenure 0315
- [ ] tepid 0624
- [ ] terrestrial 0636
- [ ] terse 2091
- [ ] testimonial 1856
- [ ] thesis 0980
- [ ] thread 1126
- [ ] threshold 1127
- [ ] thrift 1023
- [ ] thrifty 0526
- [ ] thrive 0001
- [ ] throb 1611
- [ ] throng 0288
- [ ] thrust 1582
- [ ] thwart 0150
- [ ] tinge 0946
- [ ] toll 1747
- [ ] topple 0911
- [ ] torment 0123
- [ ] torrid 0637
- [ ] torture 1546
- [ ] tout 0205
- [ ] toxic 1210
- [ ] traffic 1427
- [ ] trait 1079
- [ ] trance 0455
- [ ] tranquil 1262
- [ ] transaction 1061
- [ ] transcend 0803
- [ ] transcendent 1285
- [ ] transfusion 0359
- [ ] transgression 0393
- [ ] transient 0494
- [ ] translucent 2092
- [ ] transmit 0076
- [ ] transparent 1359
- [ ] transpose 0804
- [ ] traumatic 0638
- [ ] traverse 0206
- [ ] travesty 0947
- [ ] treacherous 0616
- [ ] treason 1732
- [ ] tremendous 1393
- [ ] tribally 1891
- [ ] tribute 1144
- [ ] trigger 0058
- [ ] trite 1324
- [ ] triumph 1857
- [ ] trivial 1309
- [ ] truancy 0448
- [ ] truculent 1982
- [ ] truncate 1468
- [ ] tumor 0957
- [ ] turmoil 1731
- [ ] tyranny 1820

U

- [ ] ubiquitous 0490
- [ ] ulterior 0506
- [ ] ultimately 1345
- [ ] ultimatum 0447
- [ ] unabashedly 1970
- [ ] unanimously 1365
- [ ] uncouth 0665
- [ ] uncover 0805
- [ ] undergo 0031
- [ ] undermine 0173
- [ ] underscore 0089
- [ ] undertake 0806
- [ ] unearth 0807
- [ ] unfold 0808
- [ ] unprecedented 0586
- [ ] unravel 0069
- [ ] unruly 1301
- [ ] unscathed 0585
- [ ] unsettle 0809
- [ ] untenable 1971
- [ ] upend 1557
- [ ] upheaval 0443
- [ ] uphold 0718
- [ ] upscale 2058
- [ ] upshot 1858
- [ ] upstage 2093
- [ ] upstart 1009
- [ ] urbane 1264
- [ ] usher 0912
- [ ] usurp 1583
- [ ] utility 0990

V

- [ ] vacillate 1584
- [ ] valiant 0653
- [ ] validate 0084
- [ ] validity 0352
- [ ] vandalism 0422
- [ ] vanquish 1407
- [ ] veer 0207
- [ ] vehement 1916
- [ ] velocity 1821
- [ ] venerable 1882
- [ ] venomous 2019
- [ ] vent 0453
- [ ] venue 0350
- [ ] veracity 1120
- [ ] verbose 2003
- [ ] verdict 0249
- [ ] verge 1859
- [ ] verification 1121
- [ ] verify 0082
- [ ] vernacular 1172
- [ ] versatile 1289
- [ ] vestige 1822
- [ ] veto 0208
- [ ] viability 0255
- [ ] vibrant 0699
- [ ] vicarious 1182
- [ ] vicinity 0351
- [ ] vicious 1296
- [ ] vie 0177
- [ ] vigilant 2094
- [ ] vigorous 0551
- [ ] vilify 1550
- [ ] vindicate 0083
- [ ] virtually 1183
- [ ] virtuous 1263
- [ ] virulent 2020
- [ ] vociferous 2005
- [ ] void 2059
- [ ] volatile 2060
- [ ] volition 1823
- [ ] voluptuous 2099
- [ ] voraciously 0680
- [ ] vulgar 1308
- [ ] vulnerable 0521

W

- [ ] wage 1615
- [ ] waive 0835
- [ ] wanton 1960
- [ ] warden 1013
- [ ] waver 0818
- [ ] waylay 1451
- [ ] weather 0209
- [ ] whim 1100
- [ ] widespread 0476
- [ ] wince 0210
- [ ] windfall 1147
- [ ] withhold 0913
- [ ] wrangle 1551
- [ ] wreak 0156
- [ ] wreckage 0425
- [ ] wrench 0184
- [ ] wriggle 0866

Y

- [ ] yardstick 0985

Z

- [ ] zeal 0297
- [ ] zenith 0322
- [ ] zest 0924

熟語編

A
- [ ] abide by 2101
- [ ] act up 2102
- [ ] add up to 2103
- [ ] adhere to 2104
- [ ] atone for 2105
- [ ] attribute A to B 2106

B
- [ ] bail out 2107
- [ ] bank on 2108
- [ ] barge into 2109
- [ ] bawl out 2110
- [ ] be bogged down in 2111
- [ ] be cut out for 2112
- [ ] be geared up for 2113
- [ ] be keyed up 2114
- [ ] bear down on 2115
- [ ] bear out 2116
- [ ] bear the brunt of 2117
- [ ] beat up 2118
- [ ] beef about 2119
- [ ] beef up 2120
- [ ] belt out 2121
- [ ] black out 2122
- [ ] blare out 2123
- [ ] blot out 2124
- [ ] blow over 2125
- [ ] boil down to 2126
- [ ] botch up 2127
- [ ] bow out 2128
- [ ] box up 2129
- [ ] branch out into 2130
- [ ] break away from 2131
- [ ] breeze into 2132
- [ ] brim over with 2133
- [ ] browse through 2134
- [ ] bubble over with 2135
- [ ] buckle down to 2136
- [ ] bundle up 2137
- [ ] bury *oneself* in 2138
- [ ] butt in 2139
- [ ] butter up 2140
- [ ] buy off 2141

C
- [ ] cart A off to B 2142
- [ ] carve up 2143
- [ ] cash in on 2144
- [ ] cast *one's* mind back to 2145
- [ ] cave in to 2146
- [ ] chalk up 2147
- [ ] change over 2148
- [ ] chase up 2149
- [ ] choke back 2150
- [ ] clam up 2151
- [ ] claw back 2152
- [ ] come in for 2153
- [ ] cook up 2154
- [ ] cop out of 2155
- [ ] cordon off 2156
- [ ] crack down on 2157
- [ ] crack up 2158
- [ ] crank out 2159
- [ ] creep into 2160
- [ ] crop up 2161
- [ ] crouch down 2162

D
- [ ] dabble in 2163
- [ ] dash off 2164
- [ ] deal out 2165
- [ ] delegate A to B 2166
- [ ] descend on 2167
- [ ] dispense with 2168
- [ ] distract A from B 2169
- [ ] dote on 2170
- [ ] drag off 2171
- [ ] drag on 2172
- [ ] draw in 2173
- [ ] drift off to sleep 2174
- [ ] drum up 2175
- [ ] dwell on 2176

E
- [ ] ease off 2177
- [ ] ease out 2178
- [ ] egg ～ on 2179
- [ ] eke out 2180

F
- [ ] face off 2181
- [ ] factor in 2182
- [ ] fade in 2183
- [ ] fall back on 2184
- [ ] fall flat 2185
- [ ] fall out with 2186
- [ ] fall through 2187
- [ ] fan out 2188
- [ ] farm out 2189
- [ ] fend for *oneself* 2190
- [ ] fend off 2191
- [ ] ferret out 2192
- [ ] feud about 2193
- [ ] fill A in on B 2194
- [ ] firm up 2195
- [ ] fizzle out 2196
- [ ] flare up (at) 2197
- [ ] flash back to 2198
- [ ] flesh out 2199
- [ ] flip out 2200
- [ ] float around 2201
- [ ] flood in 2202
- [ ] fly off the handle 2203
- [ ] follow through 2204
- [ ] foreclose on 2205
- [ ] fork out 2206
- [ ] freeze up 2207
- [ ] fritter away 2208

G
- [ ] gain on 2209
- [ ] gang up on 2210
- [ ] get A across to B 2211
- [ ] glance off 2212
- [ ] gloss over 2213
- [ ] grope for 2214

H
- [ ] hail A as B 2215
- [ ] hammer out 2216
- [ ] hang out in 2217
- [ ] harp on 2218
- [ ] have it out with 2219
- [ ] head off 2220
- [ ] hem in 2221
- [ ] hike up 2222
- [ ] hinge on 2223
- [ ] hit it off with 2224
- [ ] hit the roof 2225
- [ ] hold down 2226
- [ ] hold out for 2227
- [ ] hold over 2228
- [ ] hole up 2229
- [ ] horse around 2230
- [ ] huddle with 2231
- [ ] hunker down 2232

I
- [ ] identify with 2233
- [ ] impose on 2234
- [ ] intercede with 2235
- [ ] interfere with 2236
- [ ] iron out 2237

J
- [ ] jack up 2238

K
- [ ] keep after 2239
- [ ] kick up 2240
- [ ] knuckle down 2241
- [ ] knuckle under 2242

L
- [ ] lag behind 2243
- [ ] lash out at 2244
- [ ] launch into 2245
- [ ] lay it on thick 2246
- [ ] leaf through 2247
- [ ] lean on 2248
- [ ] let down 2249
- [ ] level off 2250
- [ ] level with 2251
- [ ] live down 2252
- [ ] lop off 2253

M
- [ ] make off with 2254
- [ ] mark down 2255
- [ ] mark out 2256
- [ ] mark up 2257
- [ ] measure out 2258
- [ ] measure up to 2259
- [ ] mill about 2260
- [ ] mull over 2261
- [ ] muscle in on 2262

N
- [ ] nail down 2263
- [ ] narrow down 2264
- [ ] nibble at 2265
- [ ] nod off 2266
- [ ] nose around 2267
- [ ] nose out 2268

O
- [ ] opt for 2269
- [ ] own up to 2270

P
- [ ] pack off 2271
- [ ] palm A off on B 2272
- [ ] pan out 2273
- [ ] paper over 2274
- [ ] parcel out 2275
- [ ] pass down 2276
- [ ] pass off A as B 2277
- [ ] pass up 2278
- [ ] patch up 2279
- [ ] pay off 2280
- [ ] pep up 2281
- [ ] perk up 2282
- [ ] peter out 2283
- [ ] phase out 2284
- [ ] piece together 2285

☐ pile up	2286
☐ pin down	2287
☐ pine for	2288
☐ pipe down	2289
☐ pitch in	2290
☐ play down	2291
☐ play off	2292
☐ pluck up	2293
☐ plug away at	2294
☐ plunge into	2295
☐ poke around	2296
☐ pore over	2297
☐ pull off	2298
☐ pull through	2299
☐ put down A on B	2300
☐ put down A to B	2301
☐ puzzle over	2302

R

☐ rack up	2303
☐ rail against	2304
☐ rake off	2305
☐ rally around	2306
☐ rattle off	2307
☐ rifle through	2308
☐ rip through	2309
☐ root for	2310
☐ rope in	2311
☐ rub off on	2312
☐ ruminate over	2313
☐ run off with	2314
☐ run up	2315
☐ rustle up	2316

S

☐ scrape by on	2317
☐ scrape together	2318
☐ scratch out	2319
☐ scrub up	2320
☐ scuffle with	2321
☐ set forth	2322
☐ settle on	2323
☐ shell out	2324
☐ shove around	2325
☐ show out	2326
☐ shrug off	2327
☐ shy away from	2328
☐ simmer down	2329
☐ sink in to	2330
☐ siphon off	2331
☐ skim off	2332
☐ slip by	2333
☐ smooth down	2334
☐ smooth over	2335
☐ snap off	2336
☐ snap up	2337
☐ soak up	2338
☐ sort out	2339
☐ sound A out on B	2340
☐ sound off	2341
☐ spin off	2342
☐ spoil for	2343
☐ sponge off	2344
☐ spring up	2345
☐ spur on	2346
☐ square up	2347
☐ squeeze in	2348
☐ stamp out	2349
☐ stand in for	2350
☐ stand out	2351
☐ stand up for	2352
☐ stick around	2353
☐ stick up for	2354
☐ stir up	2355
☐ store up	2356
☐ strike off	2357
☐ strike up	2358
☐ stumble upon	2359
☐ suck up to	2360
☐ sweat it out	2361

T

☐ tack on	2362
☐ take in	2363
☐ take it out on	2364
☐ take off	2365
☐ take on	2366
☐ take to	2367
☐ talk down	2368
☐ tap into	2369
☐ taper off	2370
☐ tear down	2371
☐ thin out	2372
☐ thrash out	2373
☐ throw in	2374
☐ tide ~ over	2375
☐ tie A in with B	2376
☐ tip off	2377
☐ tower over	2378
☐ toy with	2379
☐ trail off	2380
☐ trim down	2381
☐ trip over	2382
☐ trump up	2383
☐ turn over a new leaf	2384

V

☐ vouch for	2385

W

☐ walk out on	2386
☐ wash out	2387
☐ weed out	2388
☐ weigh in	2389
☐ whip up	2390
☐ whisk away	2391
☐ win over	2392
☐ wind down	2393
☐ wind up *doing*	2394
☐ wipe out	2395
☐ wolf down	2396
☐ wrap up	2397
☐ wriggle out of	2398
☐ wring A out of B	2399

Z

☐ zero in on	2400

旺文社の英検対策書

試験まで

3ヶ月前なら

定番教材

出題傾向をしっかりつかめる英検対策の「王道」
英検過去6回全問題集
過去問集
1級～5級
★別売CDあり

一次試験から面接まで英検のすべてがわかる！
英検総合対策教本
参考書
1級～5級
★CD付

効率型

手っ取り早く「出た」問題を知る！
短期完成 英検3回過去問集
過去問集
準1級～5級
★CD付

1ヶ月前なら

大問ごとに一次試験を短期集中攻略
英検DAILY集中ゼミ
問題集+参考書
1級～5級
★CD付

二次試験まで完全収録！頻度順だからムダなく学習できる
英検でる順合格問題集
問題集
準1級～3級
★CD付

7日前なら

速攻型

7日間でできる！一次試験対策のための模試タイプ問題集
7日間完成 英検予想問題ドリル
模試
1級～5級
★CD付

単熟語

でる順だから早い・確実・使いやすい！
英検でる順パス単
1級～5級
★無料音声ダウンロード付

単熟語

文章で／イラストで覚えるから記憶に残る！
英検文で絵で覚える単熟語
1級～5級
★CD付

二次試験

DVDで面接のすべてをつかむ！
英検二次試験・面接完全予想問題
1級～3級
★CD・DVD付

4級・5級は二次試験はありません。
このほかにも多数のラインナップを揃えております。

Obunsha　〒162-8680 東京都新宿区横寺町55 お客様相談窓口0120-326-615
旺文社ホームページ http://www.obunsha.co.jp/　旺文社

[英検1級 でる順パス単 書き覚えノート]　S4b016